CONTRE LES VALENTINIENS

SOURCES CHRÉTIENNES

Directeurs-fondateurs : H. de Lubac, s. j. et † J. Daniélou, s. j.
Directeur : C. Mondésert, s. j.
Nº 281

TERTULLIEN

CONTRE LES VALENTINIENS

Tome II

COMMENTAIRE ET INDEX

PAR

Jean-Claude FREDOUILLE
PROFESSEUR A L'UNIVERSITÉ JEAN-MOULIN DE LYON

*Ouvrage publié avec le concours
du Centre National des Lettres*

LES ÉDITIONS DU CERF, 29, BD DE LATOUR-MAUBOURG, PARIS
1981

Cette publication a été préparée
avec le concours de l'Institut des Sources Chrétiennes
(E. R. A. 645 du Centre National de la Recherche Scientifique)

COMMENTAIRE [1]

1re Partie : L'EXORDIVM (chap. I-IV)

1. La « discipline de l'arcane » valentinien et l'enseignement au grand jour de la Vérité (chap. I-III).

   a. L'obligation du secret dans le valentinianisme
   (chap. I).

L'hérésie valentinienne se complaît dans le secret et
l'impose à ses fidèles : à cet égard, elle fait penser aux pratiques en usage dans les Mystères d'Éleusis, qui obligent les
époptes à garder le secret sur l'immoralisme d'une initiation
à laquelle ils ont été longuement et psychologiquement
préparés (§ 1-3). D'où la prudence des valentiniens dans les
conversations que l'on a avec eux, et qu'ils observent avec
leurs disciples tant qu'ils ne les ont pas gagnés complètement
à leur doctrine. Ce n'est pourtant pas ainsi qu'opère la
Vérité (§ 4).

1, 1. **Valentiniani** : Tert. volontiers commence (cf.
Waszink, p. 82) et termine (cf. Fredouille, p. 88) ses ouvrages
en reprenant le mot important du titre ou en y faisant écho
(cf. *infra*, 39, 2). — **frequentissimum** : sur le succès et le
développement du valentinianisme à cette époque, cf.
Fredouille, p. 193 ; 271 ; *supra*, p. 24 s. — **plane** : souvent
employé par Tert. avec la valeur ironique de *sane* (Waszink,
p. 138) ; de plus, ici, en corrélation avec *quia*, annonçant
ainsi le tour tardif *plane quia* (cf. L. H. S., p. 584). — **collegium** : désignant toute association de personnes ayant une

---

1. En rédigeant ces notes nous n'avons eu d'autre intention que
d'éclairer le texte de Tertullien, sans jamais nourrir l'ambition de
présenter un commentaire exhaustif de la doctrine de Ptolémée.

activité commune (magistrats, artisans, etc.), ce mot prend
fréquemment une coloration péjorative (association illicite) :
cf. J. Hellegouarc'h, *Le vocabulaire latin des relations et
des partis politiques*..., Paris 1972², p. 109-110 ; *TLL* s. u.
col. 1592, 45. Tert. ne l'applique pas aux chrétiens ; en
revanche il les désigne par *corpus, schola* ou *secta* (cf. Waltzing, p. 17 et 247). — **haereticos** : Tert. est le premier à
employer ce terme, soit en fonction adjective, soit, comme
ici, en fonction substantive (cf. *TLL* s. u. col. 2507, 1).
— **ex** : valeur prégnante ; cf. *infra*, 7, 8 ; 29, 2-3. — **apostatis** : le mot apparaît en latin chez Tert., qui l'a sans doute
emprunté au grec par l'intermédiaire des traductions de la
Bible, où il désigne celui qui a renié Dieu ; ce sens général
est bien attesté chez Tert., qui a toutefois tendance à ap-
pliquer ce terme aux hérétiques (cf. H. A. M. Hoppenbrouwers, *Recherches sur la terminologie du martyre de Tert.
à Lactance*, Nijmegen 1961, p. 66-67). — **ueritatis** : la
vérité chrétienne, dont l'essentiel est contenu dans la *regula
ueritatis* (ou *fidei*), opposée au mensonge, à la vanité et, en
l'occurrence, à l'erreur des hérétiques : cf. *Virg.* 1, 2 : « Hae-
reseis... ueritas reuincit » ; *infra*, 6, 3 ; sur cette conception
du christianisme comme étant la *ueritas* et son rôle dans la
pensée de Tert., cf. *supra*, p. 31. Comme d'ailleurs tous les
Pères, il voit dans le gnosticisme une déviation de l'orthodoxie et ignore tout de l'existence d'un éventuel gnosticisme
pré-chrétien (sur cette question disputée, obscurcie par la
terminologie, cf. en dernier lieu : E. Yamauchi, *Pre-Christian
Gnosticism*, London 1973 ; R. McL. Wilson, « From Gnosis
to Gnosticism », *Mél. d'histoire des relig. offerts à H.-C.
Puech*, Paris 1974, p. 423-429 ; H. A. Green, « Gnosis and
Gnosticism : a Study in Methodology », *Numen* 24 [1977],
p. 95-134) ; pour le thème de la postériorité du gnosticisme
spécialement dans l'œuvre de Tert., cf. Fredouille, p. 271 s.
De fait, beaucoup d'hérétiques sont issus de l'Église : cf.
infra, 4, 1 (à propos de Valentin, qualifié en *Carn.* 20, 3
d'« apostat hérétique et platonicien ») ; Irén., *Haer.*, III,
4, 3 : « Omnes hi (= Valentin, Cerdon, Marcion) multo
posterius, mediantibus iam Ecclesiae temporibus, insur-
rexerunt in suam apostasiam ». Rapprocher, pour ce début,

COMMENTAIRE 1, 1 169

Irén., *Haer.*, I *Praef.* 1 : « τὴν ἀλήθειαν παραπεμπόμενοί τινες... ». — **ad... facile** : cf. déjà Cic., *De orat.*, 2, 190 ; *Brut.*, 180 ; etc. ; surtout Ps. Quint., *Decl.*, 18, 2 : « ad fabulas... pronus ac facilis ». Pour *fabula* (ou *-ae*) désignant le mythe gnostique, cf. *supra*, p. 18. — **disciplinā** : cf. *infra*, 30, 1-2. M. à m. : « ce n'est pas par la discipline que cette association est épouvantée », d'où : « la discipline n'y est pas un sujet de crainte » (p. c. q. elle n'y est pas contraignante). — **nihil... praedicant** : Tert. emploie *praedicare* avec la valeur de « prédire, prophétiser » (cf. *infra*, 5, 2 : *praedicator*) ou bien avec celle d' « annoncer » (la vérité religieuse) ; ce second sens est assez large, puisque Tert. l'utilise même pour l'enseignement des philosophes (*An.* 5, 2 ; 24, 3) et des hérétiques (*Marc.* I, 19, 3 ; *infra*, 10, 4) ; cf. Braun, p. 430-434 et 713. Même mouvement en *An.* 57, 5 : « nihil magis curans (daemon) quam hoc ipsum excludere quod praedicamus ». Pour la discipline de l'arcane dans le valentinianisme, cf. *infra*, 1, 4. — **si... occultant** : reprise satirique que Tert. affectionne, par ex. *Marc.* I, 1, 3 : « Gentes ferocissimae inhabitant (Pontum) ; si tamen habitatur in plaustro » ; *infra*, 18, 2. — **Custodiae officium** : le génit. indique ce sur quoi porte le devoir, en quoi il consiste (= *officium custodiendi id quod praedicatum est* ; cf. Cic., *Fin.*, 5, 18 : « officium aut fugiendi aut sequendi ») ; de même *infra*, 1, 2 : *silentii officium* ; *Nat.* II, 4, 4 : *cursus aut motus officium* ; sur ces tours, cf. *TLL* s. u. « officium » col. 526, 37. — **conscientiae offucium** : malgré *Paen.* 12, 9 (*officium conscientiae meae*, « le devoir de ma conscience ») et probablement *Herm.* 1, 2 (*officium bonae conscientiae* : *conscientiae* R³ *constantiae* codd. R¹), il convient sans doute de retenir la correction suggérée par Scaliger, exactement conforme aux habitudes de Tert. dans ses « sententiae » reposant sur un jeu de mots ou une paronomase (*Carn.* 5, 10 : nec salutis pontificem, sed spectaculi artificem » ; *Scorp.* 6, 3 : « Qua nuda sunt proelia, non nulla sunt uulnera » ; *Pud.* 10, 7 : « Dominus ingratis benignus magis quam ignaris » ; etc. ; *infra*, 2, 4 : *praeco-praedo* ; 7, 8 : *criminum-numinum* ; 16, 2 : *confirmat-conformat* ; cf. Hoppe, *Synt.*, p. 169-171) ; le fait qu'*offucium* ne soit pas attesté dans la langue ne constitue

pas une difficulté : *cremator* est un hapax en *Marc.* V, 16, 2 :
« et in hoc... crematoris dei Christus est, et in illo creatoris ».
Mais quel sens exact donner à ce vocable et, par voie de consé-
quence, à *conscientiae* ? Le *TLL* s. u. « offucia, ae » col. 530,
20 accueille la correction de Scaliger, qu'il considère comme
un synonyme d'*offucia*, dérivé de *fucus* : il faudrait donc
admettre pour *offucium* la valeur métaphorique de « fard »,
c'est-à-dire « tromperies, duperie, déguisement, etc. ». Deux
traductions sont alors possibles selon que l'on donne à *conscientia* le sens de « connaissance» ou celui de « conscience » :
le devoir de garder le secret est pour eux « une façon de
cacher, de dissimuler ce qu'ils savent » (Marastoni : « è
maschera di consapevolezza ») — ou bien « une façon de
tromper, de duper leur conscience » (Moreschini : « è un
inganno della coscienza » ; Riley : « a duty brought on by
their guilty consciences »). Le contexte immédiat nous
a paru recommander plutôt la seconde interprétation ; on
rapprochera d'ailleurs, pour l'idée, la réflexion ironique de
Tert. à propos des scènes auxquelles les chrétiens sont
accusés de se livrer, dans les ténèbres, par pudeur en quelque
sorte, pour tromper leur conscience : *Nat.* I, 16, 2 : « Verum
iam laudate consilium incesti uerecundi, quod adulteram
noctem commenti sumus, ne aut lucem aut ueram noctem
contaminaremus ; quod etiam luminibus terrenis parcendum
existimauimus ; quod nostram quoque conscientiam ludi-
mus... ». On aboutirait à une interprétation assez proche si
l'on considérait *offucium* comme une création dérivée de
faux (*offuco* « suffoquer ») : le secret est une manière « d'é-
touffer, de faire taire sa conscience » (comme, inversement,
on la laisse parler en avouant : Sén. Rh., *Contr.*, 8, 1, 3 :
« Confessio conscientiae uox est »). — **Confusio** : = αἰσχύνη ;
sens qui ne se rencontre que dans les trad. de la Bible et
chez les écrivains chrétiens, cf. *Scorp.* 9, 13 : « Plus est
autem quod et confusioni confusionem comminatur :
‘ qui me confusus fuerit coram hominibus, et ego confundar
eum coram patre meo, qui est in caelis ’ (*Matth.* 10, 33).
Sciebat enim a confusione uel maxime formari negationem,
mentis statum in fronte consistere, priorem esse pudoris
quam corporis plagam » ; *Virg.* 11, 5 ; *infra* : *pudor* ; *TLL*

s. u. col. 269, 23. — **religio** : = *uera religio* (cf. *infra*, 1, 3 ;
Apol. 24, 2 : « colentes ueram religionem ueri Dei ») ; sans
qualificatif, dans des groupes antithétiques, cf. *Orat.* 15, 1 :
« Huiusmodi (obseruationes)... non religioni, sed supersti-
tioni deputantur » ; *An.* 48, 4 : « si et ad superstitionem
(sobrietas pertinet), multo amplius ad religionem » ; *Pal.* 4,
2 : « Sat refert inter honorem temporis et religionem ; det
consuetudo fidem tempori, natura deo » ; *Marc.* I, 5, 5.
— **adseueratur** : = *falso affirmatur* ; ce sens, qui apparaît
chez Cic., *Cluent.*, 72, est fréquent chez Tert. (*Marc.* I,
11, 9 ; II, 20, 1 ; cf. Waszink, p. 241). — **haeresis** : rare,
mais relativement ancien (Labérius), dans la langue païenne
avec le sens, attesté en grec païen (hellénistique), biblique
et juif, de « doctrine, école, secte » (philosophique ou autre) :
c'est cette valeur que lui donne Tert., avec une nuance
péjorative, par ex. en *Praes.* 7, 8 (secte philosophique) et ici
(croyance religieuse), bien que notre traduction, pour tenir
compte des harmoniques du mot sous la plume de l'auteur,
ne puisse pas la respecter. Le sens d'« erreur doctrinale »
apparaît dans le N.T. (*II Pierre* 2, 1) : cf. *infra*, 4, 3 ; 5, 2 ;
7, 2 ; 22, 2. En ce sens (« hérésie »), le mot a chez Tert. une
physionomie propre, qu'on peut ainsi résumer : il conserve
sa signification étymologique (« choix » individuel) qu'il
avait le plus souvent en grec classique (cf. *Praes.* 6, 2) ; il
désigne tout ce qui est contraire à la *regula fidei* (cf. *Virg.* 1,
2 : « Quodcumque aduersus ueritatem sapit, hoc erit haeresis ») ; il implique une interprétation erronée de l'Écriture
(cf. *Res.* 40, 1 : « quae (haereses) esse non possent, si non et
perperam Scripturae intellegi possent »). Cf. *TLL* s. u. col.
2501 s. ; H. Schlier, art. « αἵρεσις », *TWNT*, I, p. 180-
183 ; H. Pétré, « Haeresis, schisma et leurs synonymes »,
REL 15 (1937), p. 316-325 ; R. F. Refoulé, *SC* 46, p. 93,
n. 1. — **superstitionis** : pour le grief de « superstition » que
païens et chrétiens formulent les uns à l'encontre des autres,
cf. Min. Fel., *Oct.*, 9, 2 ; 11, 2 ; 38, 7 ; M. Pellegrino, Comm.
ad loc. Sur le couple *religio-superstitio* dans la religion romaine, cf. H. Fugier, *Recherches sur l'expression du sacré
dans la langue latine*, Paris 1963, p. 172 s. ; É. Benveniste,
Le vocabulaire des institutions indo-européennes, t. 2, Paris

1969, p. 265 s. — **pudor** : fait écho à *confusio* (*supra*) et
annonce 1, 3.

    1, 2. aditum... cruciant : la chose pour la personne, cf.
Marc. I, 22, 8 : « Quid enim tam malignum quam... utilitatem
cruciare ? » ; *An.* 18, 7 : « Unde ista tormenta cruciandae
simplicitatis et suspendendae ueritatis ? » ; 53, 4 : « nec
(apoplexis) discessum eius (= animae)... discruciat » ;
etc. (cf. Apul., *Mét.*, 9, 16, 1 : « tuos uolentes amplexu discruciat ») ; cf. *TLL* s. u. « crucio » col. 1224, 40 ; pour la
substitution de l'abstrait au concret avec d'autres verbes,
cf. Hoppe, *Synt.*, p. 91 s. ; Bulhart, *Tert.-St.*, p. 9-11. —
prius... diutius... quam... : tout en maintenant le texte
des mss, nous interprétons ce passage autrement que dans
nos « Valentiniana » : *prius* et *diutius* (= *diu*, cf. L. H. S.,
p. 169), adverbes sur le même plan dans deux membres
asyndétiques ; *quam = prius-, antequam* (plus rare que
quam = postquam, mais attesté : cf. *An.* 56, 2 ; Waszink,
p. 567), substitution facilitée par la présence des deux adverbes de temps et évitant la duplication *prius... prius-* ou
antequam (cf. Var., *Rus.*, 3, 9, 20 : « bis die cibum dant,
obseruantes ex quibusdam signis ut prior sit concoctus quam
(= priusquam) secundum dent »). — **initiant... consignant** :
cf. à propos des « mystères chrétiens » tels que les imaginent
les païens, *Apol.*, 8, 4 : « talia initiatus et consignatus uiuis
in aeuum ». Tert. est le premier à donner une valeur religieuse
à *consignare* qui sera ensuite intégré au vocabulaire chrétien
(= *consecrare, signo crucis notare*) par Mar. Victor., Ambr.,
Hil. (cf. *TLL* s. u. col. 437, 69). — **epoptas** : ce calque du
grec n'est attesté que dans ce passage (cf. *infra*, § 3) et dans
quelques inscriptions (cf. *TLL* s. u. col. 697, 59). Employé
ici avec une valeur proleptique. L'*epopteia*, par opposition
à la μύησις qui désigne l'initiation en général, constitue le
plus haut degré de l'initiation (cf. G. E. Mylonas, *Eleusis
and the Eleusinian Mysteries*, Princeton 1961, p. 239 ; sur
son contenu, p. 274 s.). — **ante** : = *antea.* — **quinquennium** : précision à accueillir avec prudence, car nous sommes
mal renseignés sur la durée de l'initiation aux Éleusinies.
Cf. Apul., *Flor.*, 15, 25, selon lequel la pratique en usage

chez les pythagoriciens imposait aux plus bavards des
disciples un silence de cinq ans (*quinquennium*). — **opinionem... cognitionis** : réminiscence de l'ancienne opposition
δόξα-ἐπιστήμη ; cf. Plat., *Gorg.*, 187 b ; Cic., *De orat.*, 2,
30 : « oratoris... actio opinionibus non scientia continetur » ;
etc. Pour l'aspect psychologique, en milieu païen, cf. F.
Buffière, *Les mythes d'Homère et la pensée grecque*, Paris
1956, p. 41 s. : « La pénombre du mythe rend plus belle la
vérité » (Ps. Plut., *Sur la vie et la poésie d'Homère*, 92 : « Ce qui
est insinué sous forme d'allégorie est attirant, ce qui est dit
en langage clair a peu de prix » ; Max. Tyr, *Or.*, IV, 5 :
« L'âme humaine est effrontée ; ce qu'elle a à sa portée, elle
en fait moins de cas ; ce qui est loin, elle l'admire » ; etc.) ;
en milieu chrétien, cf. Marrou, *Saint Augustin et la fin de
la culture antique*[4], p. 487-488 (*De doctr. Chr.*, 4, 8 ; *De catech.
rud.*, 9 ; etc. : l'obscurité de l'Écriture aiguise curiosité et
intelligence). — **maiestatem** : = *diuinitatem*, au sens
concret (cf. *infra*, 7, 8 ; *Apol.* 13, 6 ; *Marc.* IV, 21, 3) ; le
terme n'est donc pas réservé à la divinité des chrétiens,
cf. Braun, p. 44-45. — **silentii officium** : cf. *supra*, § 1 :
custodiae officium ; *Nat.* I, 7, 13 : « cum uel ex forma ac lege
omnium mysteriorum silentii fides debeatur » ; Apul., *Mét.*,
3, 15, 4 : « sacris pluribus initiatus profecto nosti sanctam
silentii fidem » ; etc. O. Perler, art. « Arkandiszriplin », *RLAC*
1, col. 667 ; Mylonas, *op. laud.*, p. 224 s.

1, 3. Adtente... inuenitur : nouvelle réflexion de moraliste
complétant la précédente (*quantam... cupiditatem*). — **Ceterum... reuelatur** : phrase librement construite (*diuinitas*
sujet de *reuelatur* ; *suspiria* et *simulacrum* en constr. appositionnelle à *diuinitas*) : = « la divinité tout entière cachée
dans le sanctuaire, tous les soupirs des époptes, tout le
sceau imposé sur la langue... c'est l'emblème phallique
qu'on révèle ! ». — **tota (suspiria)** : = *omnia*, cf. Hoppe,
Synt., p. 105, mais ensuite, *totum* = *maximum*, *absolutum*,
cf. Bulhart, *Praef.*, § 119. — **signaculum linguae** : Ps.
Lucien, *Epigr.*, 11 (= *Anth. Pal.*, 10, 42) « Sur le secret
des mystères » : mets un sceau sur ta langue prête à révéler
les mystères... » (Εἰς μυστήριον : Ἀρρήτων ἐπέων γλώσσῃ

σφραγὶς ἐπιχείσθω). — **membri uirilis** : cf. Arn., *Nat.*, V, 27, *PL* 5, 1138 : « phallorum illa fascinorumque subrectio quos ritibus annuis adorat et concelebrat Graecia » ; témoignages récusés par Mylonas, *op. laud.*, p. 274 ; cf. aussi H. Herter, art. « Genitalien », *RLAC* Lief. 73, col. 39. — **reuelatur** : sans doute au sens propre et au sens figuré à la fois : révélation de la divinité, mais aussi dévoilement matériel de l'objet que l'on prend pour la divinité (cf. Braun, p. 408 s.). — **naturae** : c'est-à-dire, croyons-nous, à la fois *natura rerum* et *sexus*, *pudenda* (sur l'euphémisme *natura = pudenda*, habituel dans la langue, cf. *An.* 46, 5 ; Waszink, p. 492). — **allegorica** : fréquent chez Tert., cet adjectif apparaît chez lui pour la première fois (*Nat.* II, 12, 17 : « eleganter quidam sibi uidentur physio-logice per allegoricam argumentationem de Saturno inter-pretari tempus esse » ; cf. *TLL* s. u. col. 1671). — **dispositio** : appliqué à la théologie varronienne en *Nat.* II, 9, 1 : « se-cundum tripertitam dispositionem totius diuinitatis... ». Sur l'interprétation allégorique des mythes païens par Tert., cf. J. Pépin, *Mythe et allégorie*, Paris 1958, p. 278-280 (théo-logie tripartite) ; 328-329 (mythe de Saturne) ; 342-344 (allégorie physique) ; 365-366 (objections à l'interprétation allégorique de Varron). — **praetendens** : cf. Cic., *Vat.*, 14 : « hominis doctissimi nomen tuis immanibus moribus prae-tendis ». — **patrocinio** : prédilection de Tert. pour ce terme : cf. *Bapt.* 9, 1 : « Quot... patrocinia naturae, quot priuilegia gratiae... » ; *Res.* 26, 1 : « corporalem resurrectio-nem de patrocinio figurati proinde eloquii prophetici uindi-care » ; *Mon.* 5, 1 ; *Prax.* 5, 1 ; *Pud.* 6, 1 ; etc. — **coactae figurae** : avec ce sens de « forcé, arbitraire, artificiel » *coactus* est attesté dès Cicéron (cf. *TLL* s. u. « cogo », col. 1533, 14) ; fréquent chez Tert., cf. *infra*, 6, 1 ; *Mon.* 9, 1 : « argumentationes... de coniecturis coactae » ; *Pud.* 9, 3 : « Huiusmodi curiositates... coactarum expositionum subtilitate plerumque deducunt a ueritate » ; etc. — **obscu-rat** : reproche traditionnel ; cf. Cic., *Att.*, 2, 20, 3 : « ἀλληγορίαις obscurabo... » ; Quint., *Inst. or.*, 8, 6, 14 : « ut modicus... (translationis) usus inlustrat orationem, ita frequens... obscurat... continuus... in allegorias et aenigmata

exit ». Cf. *Marc.* III, 7, 8 : « primus aduentus... plurimum
figuris obscuratus » ; d'autre part : *Nat.* II, 12, 22 (contre
l'interprétation varronienne de Saturne) : « Quid sibi uult
intellectio ista, nisi foedas materias mentitis argumentatio-
nibus colorare ? » ; *Marc.* I, 13, 4 : « Ipsa quoque uulgaris
superstitio communis idolatriae, cum in simulacris de
nominibus et fabulis ueterum mortuorum pudet, ad inter-
pretationem naturalium refugit et dedecus suum ingenio
obumbrat, figurans Iouem in substantiam feruidam... »
(sur ce texte dirigé contre l'allégorie physique, cf. Pépin,
op. laud., p. 343). — **destinamus** : ce sens (« viser, attaquer,
dénoncer »), qui apparaît avec Tite-Live, est fréquent chez
Tert. (cf. *TLL* s. u. col. 759, 60). — **sanctis nominibus...** :
le reproche est déjà formulé par Irénée, cf. Sagnard, p. 84 s.
— **titulis** : = *libris* (cf. *Marc.* II, 1, 1 ; 3, 2 ; *An.* 3, 4 ;
Waszink, p. 120). — **figmenta configurantes** : acc. étym.
Figmentum apparaît chez Aul. Gel., 20, 9, 1, avec le sens
de « création lexicale » (« figmentis uerborum nouis »), avec
celui de « création mensongère », « fiction » dans Apul.,
Mét., 4, 27, 5 (« uanis somniorum figmentis ») ; cf. *infra*, 24,
1. Mais, à la suite des traducteurs de la Bible vraisemblablement, Tert. a fait aussi de *figmentum* le correspondant de
πλάσμα (« l'être humain modelé par le créateur »), cf. Braun,
p. 398 s. *Configurare*, vb. assez rare, attesté à partir de
Colum., 4, 20, 1 ; six occurrences chez Tert. (= *conformare*,
comparare). Hoppe, *Synt.*, p. 28 et *TLL* s. u. col. 212, cons-
truisent, à tort, semble-t-il, ce vb. ici avec un dat. *(facili
caritati)*. — **facilitate clara** : sur cette conjecture, cf. nos
« Valentiniana », p. 47 ; *Praes.* 39, 2 : « (haeretici) habent
uim et in excogitandis instruendisque erroribus facilitatem,
non adeo mirandam quasi difficilem et inexplicabilem, cum
de saecularibus quoque scripturis exemplum praesto sit
eius modi facilitatis » ; *Pud.* 8, 10 : *facilitas [felici- B] compa-
rationum* (dans l'exégèse). — **divinae copiae** : cf. *Praes.* 39,
6-7 : « Et utique fecundior diuina litteratura ad facultatem
cuiusque materiae. Nec periclitor dicere ipsas quoque
scripturas sic esse ex Dei uoluntate dispositas ut haereticis
materias subministrarent... » ; mais peut-être une métaphore
militaire n'est-elle pas exclue (cf. *Pud.*, 16, 24 cité *infra*).

— **ex... occasione** : terme souvent utilisé par Tert. pour
décrire les procédés et les méthodes des hérétiques : cf.
Herm. 19, 1 : « Itaque occasiones sibi sumspsit quorundam
uerborum » ; *Res.* 63, 8 : « sine aliquibus occasionibus scripturarum » ; *Pud.* 16, 24 : « Sed est hoc sollemne peruersis et
idiotis haereticis... alicuius capituli ancipitis occasionem aduersus exercitum sententiarum instrumenti totius armare » ;
pour l'expression prépositionnelle, cf. *Marc.* IV, 9, 5 : « qui in-
quinamentum ex occasione phantasmatis, non ex ostentatione
uirtutis euaserat » ; Waszink, p. 476-477. — **de multis...
succidere est** : peut-être un proverbe, comme il y en a
plusieurs dans le traité (*infra*, 3, 3 ; 10, 4 ; 12, 4 ; 19, 2 ;
36, 1). Tert. revient souvent sur cette idée que les hérétiques
« taillent » abondamment dans la « forêt » scripturaire : cf.
Praes. 37, 3 : « Quo denique, Marcion, iure siluam meam
caedis ? » ; 38, 9 : « Marcion... ad materiam suam caedem
scripturarum confecit » ; *Prax.* 20, 3 : « Proprium hoc est
omnium haereticorum. Nam quia pauca sunt quae in silua
inueniri possunt, pauca aduersus plura defendunt... » ; etc.
Cf. aussi *Apol.* 4, 7 : « siluam legum... edictorum securibus
ruspatis et caeditis » ; *Cast.* 6, 3. *Est* + inf. : cf. *infra*, 11,
2 ; 17, 1. — **lenocinia** : cf. nos « Valentiniana », p. 48.

1, 4. bona fide : expression de la langue populaire et de
la comédie (Pl., *Aul.*, 772 ; *Capt.*, 890 ; etc. relativement
fréquente chez Tert. (*Herm.* 10, 1 ; *An.* 23, 5) ; convient
pour ouvrir cette scène en quatre temps. Cf. *infra*, 4, 4 ;
TLL s. u. « fides » col. 680, 20 (avec bibliographie). — **con-
creto... supercilio** : cf. Sagnard, p. 99 et 103 ; Fredouille,
p. 48. — **« altum est »** : cf. Irén., *Haer.*, IV, 35, 4 : « uno
eodemque sermone lecto, uniuersi obductis superciliis
agitantes capita, ualde quidem altissime se habere sermonem
dicunt ». Cf. aussi Apul., *Mét.*, 11, 11, 3 : « altioris... religionis
argumentum ». — **ambiguitates** : les équivoques de langage
délibérément entretenues par les valentiniens et les gnostiques en général (sens différent *infra*, 6, 1-2 ; 12, 5 ; 18, 3) :
cf. *Herm.* 27, 2 : « Haec sunt argutiae et subtilitates haereticorum, simplicitatem communium uerborum torquentes
in quaestionem » ; *Res.* 2, 8 : « haeretici ex conscientia in-

firmitatis numquam ordinarie tractant » ; 19, 6 (cf. *supra*,
p. 38 et n. 2) ; 63, 6 : « ipsum sermonem dei ... uel stilo
uel interpretatione corrumpens, arcana etiam apocryphorum
superducens, blasphemiae fabulas » ; Irén., *Haer.* I, *Praef.* :
« ὅμοια μὲν λαλοῦντας, ἀνόμοια δὲ φρονοῦντας » ; Clém. Alex.,
Strom., VII, 96, 2 : « ἀλλ᾽ ἐκλεγόμενοι τὰ ἀμφιβόλως εἰρημένα εἰς
τὰς ἰδίας μετάγουσι δόξας ». Pour l'ambiguïté des formules
gnostiques, cf. K. Mueller, « Beiträge zum Verständis der
valentinianischen Gnosis », *NGG* 1920, p. 184 s. ; Sagnard,
p. 416 s. L'analyse de D. Van den Eynde, *Les normes de
l'enseignement chrétien*, Gembloux-Paris 1933, p. 292 (« loin
de produire des formules propres, les hérétiques se servent
donc de celles des églises pour tromper les fidèles. La
règle des hérétiques n'est par conséquent pas un formu-
laire, mais une doctrine ») doit donc être nuancée : il est
exact que l'essentiel de la « gnose » est la connaissance du
mystère du Plérome, dont le mythe tragique fait comprendre
la cosmogonie et l'anthropogonie ; mais les valentiniens
ont aussi leurs formules, leurs rites et leur exégèse, susceptibles d'une compréhension à deux niveaux. Cf. *supra*,
p. 34 s. — **bilingues** : pléonastique (sur ce type de re-
dondance, cf. M. Bernahrd, *Der Stil des Apuleius*... Amster-
dam 1965 [1927], p. 175), mais annonce aussi peut-être
2, 1 (cf. Pl., *Pers.*, 299 : « Tamquam proserpens bestiast
bilinguis et scelestus ») ; cet adj. n'est pas employé ailleurs par
Tert. — **communem fidem** : cf. Irén., III, 15, 2 : « similia
nobiscum sentire » ; K. Koschorke, *Die Polemik der Gnostiker
gegen das kirchliche Christentum*, Leiden 1978, p. 177. —
subostendas : création de Tert. (Hoppe, *Beitr.*, p. 148),
cf. *Bapt.* 19, 2 ; *Herm.* 37, 3 ; etc. — **cominus** : métaphore
de la gladiature (cf. Hoppe, *Synt.*, p. 206 s. ; T. P. O'Malley,
Tertullian and the Bible, Nijmegen-Utrecht 1967, p. 109 s. ;
infra, 6, 2 ; *Marc.* III, 5, 1 : « His (argumentis) proluserim
quasi de gradu primo adhuc et quasi de longinquo. Sed
exhinc iam ad certum et comminus dimicaturus, uideo
aliquas etiamnunc lineas praeducendas, ad quas erit dimi-
candum, ad scripturas scilicet creatoris »). — **tuam simplicitatem... dispergunt** : texte incertain, cf. nos « Valentiniana », p. 48 ; citons encore, pour cet emploi de l'abstrait :

Mon. 3, 10 : « (Paracletus) a tota continentia infirmitatem tuam excusat ; 5, 6 : « donato infirmitati tuae carnis suae exemplo ». Deux points toutefois sont assurés. D'une part, *simplicitas* s'applique aux chrétiens, non aux valentiniens (cf. *infra*, 2, 1), ce qui exclut des conjectures du type *fatua simplicitate* ou *astuta simplicitate*. D'autre part, *sua caede* ne peut vouloir dire *scripturarum caede*, comme le pense Marastoni qui, adoptant le même texte que nous, traduit : « frantumano la tua linearità citando i loro monconi di bibbia » (p. 52-53 ; 107-108) ; sans doute cette accusation est-elle familière à Tert. (*supra*, 1, 3 ; *Praes.* 38, 9 : « Marcion enim exerte et palam machaera, non stilo usus est, quoniam ad materiam suam caedem scripturarum confecit »), encore que si Valentin « massacre » les Écritures c'est par l'exégèse qu'il en donne plus que par les « coupures » qu'il fait (*Praes.* 38, 8 : « Neque enim si Valentinus integro instrumento uti uidetur, non callidiore ingenio quam Marcion manus intulit ueritati »). De toute manière, cette accusation, qui aurait convenu au deuxième ou au troisième temps de cet affrontement dialogué, ne serait plus en situation ici, où il s'agit de la dernière esquive prêtée aux valentiniens, impossible à contrecarrer. On rapprochera les ruses de Praxéas, telles que les décrit Tert., *Prax.* 1, 6-7 : « Fruticauerant auenae Praxeanae... dormientibus multis... ; traductae dehinc... etiam euulsae uidebantur. Denique cauerat pristinum doctor (= Praxeas) de emendatione sua... Exinde silentium... Auenae uero illae ubique tunc semen excusserant, ita aliquamdiu per hypocrisin subdola uiuacitate latitauit et nunc denuo erupit ». — **committunt** : s.-ent. *doctrinam* ou, plutôt, constr. intr. de sens réfl. (cf. *infra*, 3, 1). Pour la signification du vb., cf. Sén., *Luc.*, 3, 3 : « uiue ut nihil tibi committas, nisi quod committere etiam inimico tuo possis ». Cf. *infra*, 3, 2. — **Habent artificium...** : sur les réminiscences platoniciennes de ce passage, sans doute par la médiation du *De Platone*, 2, 8, cf. Fredouille, p. 30 s. La remarque de Tert. s'applique d'ailleurs assez exactement à la pratique valentinienne : il s'agit en effet de susciter chez le futur valentinien le choc psychologique (affectif et intellectuel) qui lui fera éprouver le besoin et le désir de recevoir

la « gnose » (cf. Sagnard, p. 255 s. ; 496 s.). Cela dit, le valentinianisme n'oppose pas « enseignement » et « persuasion »
(*Haer.*, I, 2, 2 : Sophia est « persuadée », par l' « enseignement »
qu'elle reçoit, que le Père est incompréhensible ; cf. *infra*,
9, 4 ; de même, Héracléon, frg. 26 sur *Jn* 4,26 = Orig.,
Comm. sur Jean, 13, 28 : la Samaritaine, symbole de l'ensemble des spirituels, était « persuadée » que « lorsque le
Christ viendrait » il lui « annoncerait toutes choses »), mais
plutôt « foi » (πίστις) et « persuasion » (πειθώ, τὸ πείθειν),
cf. *Lettre à Rhéginos*, p. 46, 3-8 : « s'il est quelqu'un qui ne
croit pas, il n'y a pas moyen de le persuader, car c'est le
domaine de la foi... et ce n'est pas celui de la persuasion :
celui qui est mort ressuscitera » (πίστις désignant naturellement la « foi » du spirituel ; cf. Malinine-Puech-Quispel-Till,
Comm. ad loc. p. 29-30). — **Veritas** : cf. *supra*, 1, 1. Tert.
oppose donc à la « discipline de l'arcane » valentinien (cf.
infra, 6, 1) l'enseignement exotérique du christianisme. Pour
la première les témoignages concordent : protégée par le
secret, la doctrine valentinienne n'est confiée qu'aux initiés :
cf. Irén., I, 4, 3 ; 24, 6 ; 31, 4 ; III, *Praef.* ; IV, 35, 4; etc. ;
Clém. Alex., *Ecl. proph.*, 25, 1 ; Orig., *C. Celse*, 5, 64, etc.) ;
transmise par la « tradition » (la notion de παράδοσις est
apparue d'abord dans le gnosticisme), elle est censée remonter jusqu'au Christ et à l'Apôtre (cf. Irén., *Haer.*, I, 25,
4 ; III, 2, 1 ; 12, 9 ; etc. ; *Praes.* 25-26, *supra*, p. 32 ; Épiph.,
Pan., 33, 7, 9 (= Ptol., *Lettre à Flora*, SC 24 *bis*, p. 68),
Valentin laissant entendre qu'il avait eu pour maître un certain Théodas, lui-même disciple de Paul (Clém. Alex., *Strom.*,
VII, 17, 106, 4) ; cf. aussi, bien qu'il ne soit pas proprement valentinien, l'*Apokryphon de Jean*, 2 (recension longue :
Codex II, 1 et IV, 1 ; trad. R. Kasser, *RThPh* 15 (1965),
p. 134) : « Et il dévoila ces mystères cachés dans le silence,
Jésus l'Excellent, et il les enseigna à Jean » ; 577 (*ibid.*, 17
[1967], p. 30) : « Et il lui dit ' Maudit soit quiconque donnera
ces choses pour un don ou à cause d'un manger ou à cause
d'une boisson ou à cause d'une tunique ou à cause d'autre
chose de cette sorte '. 578. Et ces choses lui furent données
en mystère. 579. Et aussitôt il fut invisible en sa présence ».
Sur ce texte, la connaissance qu'Irénée en a eue, son rôle

dans la formation du valentinianisme, cf. R. McL. Wilson
Gnose et Nouveau Testament (tr. franç.), Tournai 1969,
p. 182 s. ; d'autre part, pour la distinction entre écrits
secrets donnant la « connaissance » et écrits « ambivalents »,
susceptibles de deux lectures, entre exégèse ésotérique et
exotérique, cf. *supra*, p. 34 s. Mais parce que Tert. polémique
ici contre la discipline du secret observée par les valentiniens,
peut-on déduire qu'elle n'était pas en usage dans l'Église
de Carthage ? Certains l'ont pensé (par ex. P. Batiffol,
art. « Arcane », *DTC* t. 1, col. 1751), d'autres en ont douté
(par ex. E. Vacandard, art. « Arcane », *DHGE* t. 1, col.
1505 ; O. Perler, art. « Arkandisziplin », *RLAC* t. 1, col. 672).
Les autres textes de Tert. sur le sujet, souvent peu explicites
pris séparément, peuvent être toutefois classés en quatre
catégories. D'une part, ceux qu'il convient d'exclure de ce
dossier : *Nat.* I, 7, 13 s. et *Apol.* 7, 6-7 (en effet, Tert. y feint
d'adopter le point de vue des païens pour qui le christianisme
serait une religion secrète comme les religions à mystères),
ainsi que *Pal.* 3, 5 (*arcana* y désigne la Bible, plus précisément
le récit de la création et de la chute dans *Gen.* : Tert. veut
d'ailleurs simplement dire, par ce terme, qu'il s'agit d'un
récit que tout le monde ne connaît pas ou n'accepte pas :
« nec omnium nosse *s. ent.* est » ; une autre occurrence
d'*arcanus* en contexte chrétien n'est pas plus significative :
en *Idol.* 5, 3, Tert. justifie le serpent d'airain de Moïse, qu'il
explique comme une figure du plan divin encore secret.
D'autre part, on doit retenir *Praes.* 41, 1-2, où Tert. fait
reproche aux hérétiques (sans doute les marcionites) de ne
pas distinguer entre catéchumènes et fidèles, et de ne pas
se protéger, le cas échéant, contre la curiosité des païens,
en dépit de l'avertissement de *Matth.* 7, 6 : « Nolite dare
sanctum canibus... ». De ce passage, on peut rapprocher
une troisième catégorie de textes : *Vx.* II, 5, 1-3 (inconvé-
nients pour une chrétienne d'épouser un païen qui jettera
nécessairement un regard critique sur ses gestes de piété et,
faute de les comprendre, les déformera et les avilira, comme
nous en a prévenus *Matth.* 7, 6) ou *Bapt.* 18, 1 s. (dangers,
contre lesquels encore *Matth.* 7, 6 a mis en garde, de conférer
le baptême à des candidats insufisamment préparés à le

recevoir). Restent enfin les passages comme *Val.* 3, 1-2 ;
Praes. 25-26 ; etc. (la Vérité ne se cache pas, la doctrine
chrétienne n'est pas l'objet d'un enseignement secret). Ces
trois dernières séries de textes sont cohérentes et permettent
des conclusions plus assurées qu'on ne le prétend : 1) le
contenu de la doctrine chrétienne et son enseignement ne
font pas l'objet d'une discipline du secret. Tert. n'hésite pas
à exposer aux païens la *regula fidei* (*Apol.* 46-48) ; 2) cependant, il est préférable de ne pas livrer à des regards
hostiles gestes de piété ou rites liturgiques, comme il est
souhaitable de prévoir une pédagogie de la pratique sacra-
mentelle : non par goût ou besoin du secret, mais par
respect de la *disciplina*, conformément à *Matth.* 7, 6 ; 3)
en cela Tert. formule un souhait ou donne des conseils, plus
sans doute qu'il ne décrit la pratique. Cf. O. Perler, art.
« Arkandisziplin », *RLAC*, t. 1, col. 667-676 ; E. Dekkers,
Tertullianus en de geschiedenis der liturgie, Brussel-Amsterdam 1947, p. 78-82, dont les conclusions sont proches des
nôtres. — **suadendo** : le vb. simple pour le composé (peut-
être ici par souci d'isosyllabie), comme *supra*, inversement,
le composé (*edoceant*) substitué au vb. simple (*doceant*) ;
cf. Hoppe, *Synt.*, p. 139 ; Waszink, p. 272 ; Bulhart, *Praef.*,
§ 93 et 106 ; L.H.S. p. 298-300.

   b. « Simplicité » chrétienne et « prudence » valentinienne
   (chap. II).

   Parce qu'ils n'observent pas la discipline du secret, qu'ils
enseignent ouvertement la vérité, les chrétiens se voient
qualifiés de « simples » par les valentiniens. Comme si la
simplicité excluait la sagesse, ce que ne croit pas le Seigneur
qui recommande de posséder ces deux qualités. D'ailleurs
si elles étaient exclusives l'une de l'autre, les valentiniens
n'auraient que la sagesse, ce qui est une situation moins
enviable (§ 1). S'il ne faut posséder qu'une seule de ces deux
qualités. mieux vaut se voir attribuer la simplicité, qualité
des enfants, et les enfants n'ont pas réclamé la mort du
Christ (§ 2). L'Apôtre aussi recommande d'avoir la simplicité
des enfants et lui donne la priorité sur la sagesse (§ 3). La

symbolique enfin va dans le même sens, en figurant la
simplicité par la colombe et la prudence par le serpent (§ 4).

2, 1. simplices : la transition avec ce qui précède immédiatement est opérée par l'idée, à la fois philosophique
et biblique, que la simplicité est caractéristique de la vérité
et de ses voies d'accès ; cette idée a développé aussi bien
dans le paganisme que dans le christianisme toutes ses
harmoniques, éthiques et esthétiques ; la bibliographie est
abondante : citons O. Hiltbrunner, *Latina Graeca*, Bern
1958 (sur *simplex*, *-icitas*, p. 15-105 ; important c. r. de
P. G. van der Nat, *VChr* 15 [1961] p. 56-64) ; J. Amstutz,
ΑΠΛΟΤΗΣ, Bonn 1968 ; P. Autin, *Recueil sur saint Jérôme*,
Bruxelles 1968, p. 147-161 (= *RB* 71 [1961], p. 371-381,
revu et augmenté) ; pour Tert., (cf. *Nat.* II, 2, 5 : *simplicitas
ueritatis* ; etc.) cf. nos « Valentiniana », p. 48 ; et surtout
O'Malley, p. 166 s. ; en dernier lieu, sur l'exégèse de *Matth.*
10, 16 chez Clém. Alex. et Tert. (cf. *Bapt.* 8, 4 ; *Scorp.* 9,
4 ; 15, 1) dans le contexte de la polémique antivalentinienne,
l'influence sur eux du Physiologos, cf. R. Riedinger, « Seid
Klug wie die Schlange und einfältig wie die Taube. Der
Umkreis des Physiologos », *Byzantina* 7 (1975), p. 11-32.
Cf. *infra*, 2, 1-4 ; 3, 1 ; 3, 5. Du côté valentinien, citons par
ex. Ptol., *Lettre à Flora*, 7, 7 (*SC* 24, p. 67) : « Du Père qui
est inengendré, du Père du Tout, l'essence est incorruptibilité
et lumière en soi, simple et homogène ». — **ut :** = *tamquam*
(cf. *Apol.* 2, 6 ; « de Christo ut deo » ; 11, 8 : « (Lucullus)
ut frugis nouae auctor » ; etc. Waltzing, p. 90 ; 141). — **hoc :**
= *simplices* (cf. *Apol.* 9, 5 ; 12, 5 ; etc., et spécialement
44, 3 : « Nemo illic Christianus, nisi hoc tantum ; aut, si
et aliud, iam non Christianus »). — **quasi...** : type de reprise
et de raisonnement que Tert. affectionne pour souligner une
contradiction de ses adversaires (*infra*, 7, 3 ; 8, 5 ; 24, 1 ;
26, 2 ; *Apol*, 48, 2 ; 49, 4 ; etc.). — **« simplices... »** : cette
seconde partie du précepte est citée ou mentionnée également, dans un autre contexte, en *Bapt.* 8, 4 et *Mon.* 8, 7.
— **Aut si** : tour vif, pour reprendre le fil du raisonnement
(cf. *infra*, 5, 2 ; *An.* 31, 6 ; etc.) dont la tension est maintenue
dans tout le passage par l'ellipse de *sunt* (sur cette ellipse

très fréquente, cf. Bulhart, *Praef.*, § 94). — **num** : = *nonne*,
évité ici à cause de *non simplices*, figure *per hyphen* courante
chez Tert. (Waszink, p. 111), permettant une double anti-
thèse : *simplices-non simplices//sapientes-insipientes* ; cf. par
ex. *An.* 47, 3 ; 49, 3, où *num* (= *nonne*) est comme ici
souligné par *ergo*.

2, 2. meam partem : acc. adv. (cf. Pl., *Mil.*, 646 :
« Commemini... meam partem... tacere » ; etc. et le tour
uicem meam, L. H. S., p. 46). — **meliori... uitio** : construction difficile ; sans doute *sumere* (« mentionner », « estimer »)
est-il ici construit avec un dat. final, d'après *ducere aliquem*
(plus souvent *aliquid*) *alicui rei* (cf. Tér., *Ad.*, 4-5 : « uos
eritis iudices/Laudin an uitio duci factum oporteat » ; Cic.,
Flac., 65 : « si quis despicatui ducitur »), analogie facilitée
par l'existence de tours équivalents *ducere* ou *sumere aliquid
pro nihilo, certo*. — **si... praestat** : ponctuation et construction préférables, croyons-nous, à celles des éditeurs précédents, qui considéraient *si forte* comme une tournure elliptique
(= *si forte accidat*, cf. gr. εἰ τύχοι). Si celle-ci est, de fait,
très fréquente chez Tert., avec des nuances diverses (« si
ce devait être le cas, éventuellement, à la rigueur, peut-être » :
cf. H. Rönsch, *Das Neue Testament Tertullian's*, Leipzig
1871, p. 602-604 ; Waltzing, p. 115 ; Waszink, p. 161), elle
ne se rencontre jamais en position initiale ou finale, mais
dans le cours de l'énoncé pour souligner ironiquement un
mot ou une expression, cf. *infra*. Tert. n'ignore pas d'ailleurs
cet emploi classique de *forte* pour renforcer le caractère
hypothétique d'une conditionnelle (cf. *Vx.* II, 5, 3 ; *Carn.*
7, 10 ; *Marc.* V, 7, 7 ; avec *nisi* : *Apol.* 9, 14 ; *Iud.* 10, 11 ;
Marc. I, 11, 7 ; avec *etsi* : *Cult.* I, 9, 2 ; *infra*, 4, 1). —
minus... peius : acc. de qualification ; cf. *Pud.* 9, 22 :
« Sed malumus in scripturis minus, si forte, sapere quam
contra » ; L. H. S., p. 40. — **facies dei... quaerendi** : contamination de deux thèmes bibliques connexes : « contempler
la face de Dieu » (*Is.* 38, 11 ; *Ps.* 11, 7 ; 16 (15), 11 ; 17 (16),
15 ; etc.) et « chercher (la face de) Dieu » (*Amos* 5, 4 ; *Ps.* 27
(26), 8 ; 105 (104), 4 ; *Sag.* 1, 1 ; etc.). *Facies* = πρόσωπον
(cf. *Marc.* III, 5, 2 = *Is.*, 50, 6 : « faciem meam non auerti » ;

IV, 22, 14 = *Ex.* 33, 20 : « dei faciem... nemo homo uidebit » ;
etc. Braun, p. 218). *In simplicitate* : sans autre précision
limitative ici, cf. *Sag.* 1, 1 : « καὶ ἐν ἁπλότητι καρδίας ζητήσατε
αὐτόν » ; la seconde citation de ce verset apparaît également en
contexte antihérétique : *Praes.* 7, 10 : « Nostra institutio
de porticu Salomonis est qui et ipse tradiderat Dominum
in simplicitate cordis esse quaerendum ». *Quaerendi* : l'abstrait pour *quaerentibus*, cf. Thörnell, I, p. 31. — **Sophia** :
dans ses emplois orthodoxes, cet emprunt est lié à la Bible
(pour désigner le Livre de la Sagesse, comme ici ; la Sagesse
personnifiée ; le Verbe identifié à la Sagesse ; la Sagesse de
Dieu en général) ; hormis le premier cas (dénomination du
livre biblique), c'est *sapientia* que l'on rencontre dans la
littérature de traduction antérieure à Tert. qui, donc, sur
ce point, a innové en étendant les emplois du mot grec
(Braun, p. 278 s.). — **Valentini** : l'éon Sophia (cf. *infra*, 8,
2 ; etc.) et non pas un ouvrage de Valentin qui aurait porté
ce titre (cf. O. Bardenhewer, *Geschichte der altkirchlichen
Literatur*, t. 1, Freiburg im B. 1913², p. 359 ; H. C. Puech
ap. Hennecke & Schneemelcher, *Neutestamentliche Apo-
kryphen*, t. 1, Tubingen 1959³, p. 170). Sur cette opposition
entre le nom de l'éon valentinien et le titre du livre vétéro-
testamentaire, cf. *supra*, p. 31. — **Solomonis** : comme
beaucoup d'autres Pères (Clément d'Alexandrie, Hippolyte,
Cyprien, Lactance), Tert. sur la foi du titre des LXX
(Σοφία Σαλωμῶνος), et parce que c'est ce roi d'Israël qui
est censé parler, attribue à Salomon le *Livre de la Sagesse* ;
toutefois Origène et Eusèbe ont émis des doutes sur cette
paternité ; mais Jérôme et Augustin sont les premiers à
l'avoir contestée (cf. L. Pirot-A. Clamer, *La Sainte Bible*,
t. 6, Paris 1946, p. 371 s.) ; sur l'utilisation de ce livre par
les Pères jusqu'à Augustin, cf. C. Larcher, *Études sur le
Livre de la Sagesse*. Paris 1969, p. 36-63. — **testimonium...
litauerunt** : malgré les doutes de Kroymann, on peut,
semble-t-il, conserver le texte transmis par les mss. Pour
la construction, cf. *Pat.* 10, 4 : « Quem autem litabimus
domino deo, si nobis arbitrium defensionis arrogauerimus »
(le *TLL* s. u. « lito » col. 1512, 55 considère, à tort selon
nous, *testimonium* comme un acc. de l'objet interne). *Tes-*

timonium = *martyrium*, non pas, comme semble le dire
dans une page obscure H. A. M. Hoppenbrouwers, *Recherches
sur la terminologie du martyre de Tertullien à Lactance*,
Nijmegen 1961, p. 24, parce que Tert. se réfère à un événement néotestamentaire, mais parce que *litare sanguine* est
explicite. Dans un autre contexte (l'âme naît avec toutes
ses facultés potentielles, sans quoi le « témoignage » que,
en deux occasions, le Christ a demandé aux enfants n'aurait
aucune justification), *An.* 19, 9 : « Christus... nec pueritiam
nec infantiam hebetes pronuntiauit, quarum altera cum
suffragio occurrens testimonium ei potuit offerre (allusion
à l'entrée de Jésus dans le Temple, *Matth.* 21, 15-16 = *Ps.* 8,
3), altera pro ipso trucidata utique uim sensit » (comme
ici, le martyre des Innocents, *Matth.*, 2, 16). Cf. Aug., *De
Gen. ad. litt.*, X, 23, 39 : « Habet... illa parua aetas magnum
testimonii pondus, quae prima pro Christo meruit sanguinem
fundere ». — **qui... clamant** : (= *eos qui...*) la foule des
adultes qui a crié : « σταυρωθήτω » (*Matth.* 27, 22. 23).

2, 3. apostolus : Paul, « l'Apôtre » par excellence, pour
les Pères et tout autant pour les valentiniens : cf. *Extraits
de Théodote*, 22, 1 ; 35, 1 ; 48, 2 ; etc. (en 23, 3 : « l'Apôtre
de la résurrection ») ; *Lettre à Rhéginos*, p. 45, 24. Sur l'autorité de Paul dans le valentinianisme, cf. H. F. Weiss, « Paulus
und die Häretiker. Zum Paulusverständnis in der Gnosis »,
Christentum und Gnosis (Beihefte *ZNTW* 37), Berlin 1969,
p. 116-128. — **iubet... simul dedit...** : pour l'établissement
du texte, cf. nos « Valentiniana », p. 49-50. — **ut... ita** :
pour établir une corrélation entre deux termes apposés à
un même mot ; cf. Min. Fel., *Oct.*, 14, 1 : « Ecquid ad
haec... audet Octauius, homo Plautinae prosapiae, ut pis-
torum praecipuus, ita postremus philosophorum ? ». —
manandi : métaphorique avec valeur logique est tout à fait
classique (Cic., *De orat.*, 1, 189 ; 2, 117 ; etc. ; *Off.*, 1, 152 ;
etc. *TLL* s. u. col. 321, 54). De cette apologie de l'« esprit
d'enfance » (simplicité, droiture, sincérité) dirigée contre
les valentiniens qui reprochaient aux chrétiens leur « simplicité » (en se fondant à la fois sur une mentalité courante
(cf. H.-I. Marrou, *Histoire de l'éducation dans l'Antiquité*,

Paris 1960⁵, p. 299) et sur certains textes néotestamentaires
(comme *I Cor.* 3, 1 ; 13, 11 ; 14, 20 ; etc.), on rapprochera
la polémique comparable de Clément d'Alexandrie (cf.
H.-I. Marrou, Intr. au *Pédagogue, SC* 70, p. 23 s.).

2, 4. In summa : même sens de la locution en *Marc.* IV,
39, 16 ; V, 16, 6 (mais sens classique en *Marc.* IV, 5, 1 ;
Res. 31, 5). Jusqu'ici Tert. s'est surtout attaché à commenter
ou à rappeler l'importance de la notion de simplicité dans
l'enseignement sapiential et néotestamentaire : il aborde
maintenant, pour terminer son parallèle entre simplicité
et sagesse, la symbolique proprement dite de la colombe
et du serpent contenue implicitement dans le logion évangélique (*Matth.* 10, 16). Pour ce qui est de la colombe, il
retient deux traits : le rôle joué au baptême de Jésus par
la colombe, signe divin qui révèle le Christ à Jean-Baptiste
(cf. *Jn* 1, 32-34 ; l'événement est unique, mais suffit à faire
de la colombe le symbole de cette fonction, de manière
définitive, d'où *solita est*) ; ensuite, son rôle comme oiseau
de l'arche, porteur du rameau d'olivier, annonciateur de la
décrue et donc de la paix retrouvée entre Dieu et l'homme
(*Gen.* 8, 11 s.) ; ces deux fonctions symboliques sont naturellement associées dans une typologie du baptême : *Bapt.* 8,
3-4 : « ille sanctissimus spiritus super emundata et benedicta
corpora libens a patre descendit superque baptismi aquas
tanquam pristinam sedem recognoscens conquiescit columbae figura delapsus in dominum, ut natura spiritus
sancti declararetur per animal simplicitatis et innocentiae,
quod etiam corporaliter ipso felle careat columba. Ideoque
' estote, inquit, simplices ut columbae ', ne hoc quidem
sine argumento praecedentis figurae : quemadmodum enim
post aquas diluuii quibus iniquitas antiqua purgata est,
post baptismum ut ita dixerim mundi, pacem caelestis irae
praeco columba terris adnuntiauit dimissa ex arca et cum
olea reuersa — quod signum etiam ad nationes pacis prae-
tenditur — ... » Mais en *Mon.* 8, 7 la « simplicité » de la
colombe réside dans sa *pudicitia* : » (columbam) unam unus
masculus nouit ». A noter *infra*, 3, 1, le « glissement » typologique : la colombe comme figure de l'Église.

c. Malgré son effort pour se cacher, la prudence de serpent
   des valentiniens sera vaincue par la simplicité des
   chrétiens (chap. III).

Si donc le serpent fuit la lumière, la colombe au contraire
la recherche, et l'Orient est la « figure » du Christ (§ 1). La
vérité ne redoute qu'une seule chose : être cachée ; Dieu est
manifeste tous les jours dans ses œuvres, même si les païens
l'ont partiellement méconnu (§ 2). Au demeurant, tout
comme les païens, les valentiniens multiplient les divinités
(§ 3). En écoutant les histoires qui arrivent à leurs éons,
on reconnaîtra les « fables et les généalogies sans fin » contre
lesquelles l'Apôtre a déjà mis en garde (§ 4). Les valentiniens
ont donc bien raison, en un sens, de se cacher ! Mais ils ne
pourront empêcher les chrétiens, malgré leur « simplicité »,
de les découvrir et d'engager cette première bataille avec
la certitude de gagner (§ 5).

3, 1. Abscondat... : pour le mouvement et la pensée,
cf. *Mart.* 1, 5 : « Fugiat (diabolus) conspectum uestrum, et
in ima sua delitescat contractus et torpens, tamquam coluber
excantatus et effumigatus ». Tert. ne paraît pas connaître
l'exégèse gnostique de *Gen.* 3, 1 s. faisant du « serpent » le
principe de toute « gnose » et, par conséquent, valorisant
son symbole (cf. par ex. la secte des ophites), cf. Jonas,
Gnostic Religion[2], p. 92 s. — **prudentiam** : pour l'abstrait,
cf. *supra*, 1, 4 (*simplicitatem*). — **detrudat** : emploi réfl.
(Hoppe, *Synt.*, p. 63 ; Löfstedt, *Spr. Tert.*, p. 21) justifiant
l'adoption du texte transmis par la tradition (« Valentiniana »
p. 50-51) ; confirmé par Phébade, *Contra Arianos*, 5, 6 (cf.
supra, p. 59). — **semel** : = *simul*, cf. *An.* 51, 8 : « Mors,
si non semel tota est, non est » (cf. Hoppe, *Synt.*, p. 113).
— **lucifuga** : cf. *Res.* 47, 17 : « lucifugae isti scripturarum ».
D'après Min. Fel., *Oct.*, 8, 4, les païens qualifiaient les
chrétiens de « latebrosa et lucifuga natio », sans doute en
raison de l'heure matinale de la première synaxe (Pline,
Lettres, 10, 96, 7 = *Apol.* 2, 6 ; cf. *Cor.* 3, 3 ; E. Dekkers,
Tertullianus en de geschiedenis der liturgie, Brussel-Amster-

dam 1947, p. 112). — **Nostrae columbae** : « glissement »
typologique par rapport à *supra*, 2, 1-4. L'assimilation de
l'Église à une colombe est un thème de l'apocalyptique
(*IV*e *Esdras*, 5, 26 ; *V*e *Esdras*, 2, 15 ; *Ant. Bibl.*, 23, 7 ;
39, 5) et de l'iconographie juive (cf. J. Daniélou, *Les origines
du christianisme latin*, Paris 1978, p. 34 et 249). Mais ici le
symbolisme est double, la colombe désignant l'Église comme
« communauté », mais aussi comme « lieu de culte » (*domus*).
— **domus** : au sens matériel, sinon architectural, de « lieu
de culte » (puisqu'il ne peut s'agir, vraisemblablement, que
de *domus ecclesiae*), appelé en *Idol.* 7, 1 *domus Dei*, plus
généralement *ecclesia* (*Praes.* 26, 6 ; *Paen.* 7, 10 ; *Idol.* 7,
1 ; etc.) ; Cf. Dekkers, *op. laud.*, p. 105-108 ; C. Mohrmann,
« Les dénominations de l'église en tant qu'édifice en grec et
en latin au cours des premiers siècles chrétiens », *Archéologie
paléochrétienne et culte chrétien*, Strasbourg 1962, p. 155-174
(= *RSR* 36 [1962] fasc. 3-4, pag. spéc.). — **simplex** : par
opposition aux *latebrarum ambages* (repaires de serpents
et symbole de la discipline du secret dans le valentinianisme),
mais aussi au sens propre, dans la mesure où cette « domus »
n'est qu'une « salle de réunion » cultuelle dans une construction sans caractère spécifique, aussi éloignée que possible
de l'architecture des temples païens (cf. *Spec.* 13, 4 : « Nec
minus templa quam monumenta despicimus » ; Min. Fel.,
Oct., 32, 1 ; Orig., *Contre Celse*, 8, 19). — **in editis...
lucem** : contre F. J. Dölger, « ' Unserer Taube Haus '.
Die Lage des christlichen Kultbaues nach Tertullian »,
Antike und Christentum, 2 (1930), p. 41-56, qui veut donner
à ces expressions une précision architecturale, voir les
remarques de Dekkers, *op. laud.*, p. 107. Ajoutons que Tert.
continue d'orchestrer le thème de la vérité, en faisant valoir,
comme seconde caractéristique, après la « simplicité » (cf.
supra, 2, 1), le fait qu'elle ne peut se manifester qu'au grand
jour : comme le premier, ce thème est à la fois d'origine
philosophique (cf. Cic., *Off.*, 1, 109 : « simplices et aperti,
qui nihil ex occulto, nihil de insidiis agendum putant, ueritatis cultores » ; 3, 57 ; *Rep.* 3, 11 (= Nonius, p. 373, 30) :
« Iustitia foras spectat et proiecta tota est, atque eminet » ;
Sén., *Luc.*, 48, 12 ; 95, 13 : « Simplex... illa et aperta uir-

tus... » ; etc. ; pour les applications stylistiques, Sén. Rh.,
Contr., 7, Praef. 2 : « Sententiae... simplices, apertae, nihil
occultum... afferentes ») et biblique (cf. *Praes.* 26, 2 : « Dominus... praeceperat... in luce et in tectis praedicarent » = *Jn*
18, 20 ; *ibid.* 26, 4 : « Ipse docebat lucernam non sub mo-
dium abstrudi solere sed in candelabrum constitui ut luceat
' omnibus qui in domo sunt ' » = *Matth.* 5, 15 ; cf. *supra*,
1, 4 ; *Pat.* 15, 6 : « Spiritus (*Dei*)... apertus et simplex, quem...
uidit Helias » = *III Rois* 19, 11-13 ; *Marc.* III, 8, 3 :
« negatam ab apostolo lucis, id est ueritatis, et tenebrarum,
id est fallaciae, ... communicationem » = *II Cor.* 6, 14 ;
etc. Cf. P. Guttieres, « Conceptus lucis apud Johannem
Evangelistam in relatione ad conceptum veritatis », *Verbum
Domini* 29 [1951], p. 3-19). Enfin le couple « in editis semper
et apertis » pourrait répondre à *Apol.* 1, 1 : « Romani imperii
antistites, in aperto et edito, in ipso fere uertice ciuitatis
praesidentibus (uobis) ad iudicandum... ». Néanmoins,
comme la suite du texte paraît le confirmer, ces « salles de
réunion », pour autant que le permettaient les bâtiments
dans lesquels elles se trouvaient, devaient être choisies de
préférence tournées vers l'Est (*ad lucem*) : C. Vogel, « Sol
aequinoctalis. Problèmes et technique de l'orientation dans
le culte chrétien », p. 187, *Archéologie paléochrétienne et
culte chrétien*, p. 175-211. — **figura** : cf. T. P. O'Malley,
Tertullian and the Bible, Nijmegen-Utrecht 1967, p. 158 s. ;
J. E. L. Van der Geest, *Le Christ et l'Ancien Testament
chez Tertullien*, Nijmegen 1972, p. 163 ; *Matth.* 3, 16 et
Bapt. 8, 3, *supra*, 2, 4. — **orientem** : pour la prière, cf.
Nat. I, 13, 1 : « ad orientis partem facere nos precationem » ;
Apol. 16, 10 ; Dekkers, *op. laud.*, p. 101-103 ; pour le Christ
mis en rapport avec l'Orient : Justin, *Dial.*, 106, 4 ; 121,
2 ; 126, 1 ; Méliton, *Sur le baptême*, frg. 8b, 4, *SC* 123, p. 232 ;
Lact., *Diu. inst.*, 2, 9, 5-6 ; bibliographie sur ce symbolisme
de l'Orient qui n'est pas d'origine néotestamentaire dans
C. Vogel, *art. laud.*, p. 177.

3, 2. ueritas : cf. *supra*, 1, 1 et p. 31. — **erubescit** :
constr. trans. (poétique et post-clas.), cf. *Carn.* 4, 4 : « illam
(carnem) [A : nasci in illam Θ] erubescit ? » ; Hoppe, *Synt.*,

p. 14. *Cult.* II, 13, 2 : « Bonum autem, dumtaxat uerum et
plenum, non amat tenebras ; gaudet uideri et in ipsas deno-
tationes sui exultat » (cf. Cic., *Tusc.*, 2, 64 : « omnia... bene
facta in luce se conlocari uolunt »). Texte à joindre au dossier
de la prétendue « discipline de l'arcane », *supra*, 1, 4. — **nec** :
= *non* ; Bulhart, *Praef.* § 75 ; *infra*, 4, 4 ; 5, 1. — **pudebit** :
emploi fréquent chez Tert. d'un fut. potentiel avec valeur
affirmative : Hoppe, *Synt.*, p. 64 ; Bulhart, *Praef.*, § 41 ;
infra, 5, 2 ; 16, 1 ; 16, 3. — **recognoscere**... : référence aux
trois modes d'accès à la connaissance de Dieu ; les deux
premiers sont « naturels » : d'une part le « témoignage de
l'âme » : « quem (deum) iam illi natura commisit » (cf. *Test.*
5, 1 : « Magistra natura, anima discipula est. Quicquid aut
illa edocuit aut ista perdidicit, a deo traditum est magistro
scilicet ipsius magistrae » ; 5, 3 « qui eiusmodi eruptiones
animae non putauit doctrinam esse naturae et congenitae
et ingenitae conscientiae tacita commissa... » ; *An.* 2, 1 :
« natura pleraque suggerantur quasi de publico sensu... » ;
Cor. 6, 2 : « Ipsum deum secundum naturam prius noui-
mus... ») ; d'autre part, a posteriori, la démarche cosmo-
logique : « quem cotidie in operibus omnibus sentit » (cf.
Res. 2, 8 : « deum mundi omnibus naturaliter notum de
testimoniis operum » ; etc.) ; le troisième est « surnaturel »,
donnant une connaissance supérieure, par la révélation
contenue dans les Écritures et la doctrine : « nec pudebit
ullum aures ei (= ueritati, doctrinae fidei) dedere, eum
deum recognoscere... » (cf. *Marc.* I, 18, 2 : « nos definimus
deum primo natura cognoscendum, dehinc doctrina re-
cognoscendum, natura ex operibus, doctrina ex praedica-
tionibus » ; V, 16, 3 : « creatori autem etiam naturalis agnitio
debetur, ex operibus intellegendo et exinde in pleniorem
notitiam requirendo ») ; *Apol.* 17, 4 - 18, 1 ; cf. M. Spanneut,
*Le stoïcisme des Pères de l'Église de Clément de Rome à Clément
d'Alexandrie*, Paris 1957, p. 274 s. ; C. Tibiletti, Introd. au
De testimonio animae, Torino 1959, p. 16 s. ; S. Otto, « *Natura* »
und « *dispositio* ». *Untersuchung zum Naturbegriff und zur
Denkform Tertullians*, München 1960, p. 119 s. — **commisit** :
sens complexe : « confier » un enseignement (cf. *supra*,
1, 4), un dépôt (cf. *supra*, *Test.* 5, 1 : l'âme est capable

d'appréhender Dieu naturellement, parce que cette connaissance est déjà secrètement déposée en elle) ; proche aussi de
suggerere : *supra*, *An.* 2, 1 ; *Spec.* 2, 4 : « ultro natura suggerit
Deum esse universitatis conditorem ». Cf. également *infra*,
25, 3. — **hoc solo... quod** : *Apol.* 17, 5 Vg : « (anima) Deum
nominat hoc solo quia proprie uerus hic unus ». — **unicum** :
préféré à *solus* et à *unus* pour désigner le Dieu du christianisme authentique (Braun, p. 67-68) ; cf. *Prax.* 3, 1 : « regula
fidei a pluribus diis saeculi ad unicum et uerum Deum
transfert » ; 13, 7 : « ut, quia nationes a multitudine idolorum
transirent ad unicum Deum, et differentia constitueretur
inter cultores unius et plurimae diuinitatis » ; 18, 3 : « ut
multitudinem falsorum deorum unio diuinitatis expellat » ;
etc. Encore Théodoret, *Thérap.*, III, 3 : « οἳ εἰς πολλὰ τὸ θεῖον
κατεμέρισαν σέβας καὶ τῷ δημιουργῷ τῶν ὅλων τὴν κτίσιν ξυν-
έταξαν ». — **in numero** : notre traduction, qui repose sur l'interprétation adverbiale de ce tour (cf. « en (grand) nombre »,
« en masse », = *numerose* ; *Prax.* 12, 2 *numerose loqui*,
« parler au pluriel » ; d'où ici : « nommer abondamment,
utiliser abondamment son nom »), est conforme à la conception que se fait Tert. du nom divin, emprunté et profané
par le polythéisme : cf. entre autres cette formule de *Marc.* V,
11, 1 : « ' deus ' commune uocabulum factum est uitio
erroris humani, quatenus plures dei dicuntur atque creduntur
in saeculo » ; Braun, p. 30 s. ; 692-693. — **in aliis** : cf. *Idol.*
15, 7 : « Si autem sunt (daemones) qui in ostiis adorentur... » ;
l'idée est dans le prolongement de la précédente : cf. *Test.*
2, 1 : « Deum (praedicamus) hoc nomine unico unicum, a
quo omnia et sub quo uniuersa... Nam te (= animam)...
audimus ita pronuntiare : ' Quod deus dederit ' et ' Si deus
uoluerit '. Ea uoce, et aliquem esse significas et omnem illi
confiteris potestatem, ad cuius spectas uoluntatem, simul
et ceteros negas deos esse, dum suis uocabulis nuncupas,
Saturnum, Iouem, Martem, Mineruam. Nam solum deum
confirmas quem tantum deum nominas, ut, et cum illos
interdum deos appellas, de alieno et quasi pro mutuo usa
uidearis ». Tert. développe donc dans ce § le thème de
l'« âme naturellement chrétienne », innocente malgré son
langage païen, « capable de Dieu », pourvu qu'elle se fie à

son propre témoignage et à celui de la création, et aspirant
à le mieux connaître par la révélation, « surnaturellement ».
Malgré une certaine parenté de vocabulaire, c'est une autre
idée, celle d'un consensus général sur le principe du Dieu
unique, que développe Min. Fel., *Oct.*, 20, 1 : « Exposui
opiniones... philosophorum... deum unum multis licet
designasse nominibus ».

3,3. a : valeur prégnante (*supra*, 1, 1 : *ex.*). — **frequen-
tiam** : cf. *infra*, 7, 8 : *turba* ; *TLL* s. u. col. 1307, 15. Contre
le valentinianisme le grief de polythéisme revient souvent :
Marc. I, 5, 1 ; *Prax.* 3, 6 : « plures (dei) secundum Valentinos
et Prodicos » ; 8, 1 : « Valentinus alium atque alium aeonem
de aeone producens » ; 13, 8 : « quidam haeretici, quorum
dei plures » ; etc. Déjà chez Irénée (*Haer.*, II, 14, 1). —
suadere : = *persuadere* (*supra*, 1, 4) mais ici construit
trans. (+ *aliquid*, cf. *infra*, 4, 3 ; *Scorp.* 2, 1 ; + *aliquem*,
cf. *Cult.* I, 1, 2 ; etc. W. von Hartel, « Patristische Studien »,
IV, *SAWW* 121 (1890), p. 21. — **principatu** : le parallélisme
des trois propositions (*suadere-transmouere-retorquere*) de
structure antithétique comparable invite à considérer
domestico principatu et *manifesto* sur le même plan que
turba eorum, c'est-à-dire comme se rapportant au polythéisme
païen, modèle en quelque sorte du polythéisme valentinien.
Principatus désigne sans doute Jupiter, comme en *Apol.* 24,
3 (où, comme ici, mais de façon plus appuyée, Tert. recourt
à une périphrase empruntée au vocabulaire des institutions ;
il ne le nommera qu'ensuite, dans une citation libre du
Phèdre) : « Nunc ut constaret illos deos esse, nonne concede-
retis de aestimatione communi aliquem esse sublimiorem et
potentiorem, uelut principem mundi perfectae maiestatis ? »
(voir Waltzing, p. 181). — **incognitum** : l'éon Abîme, *infra*,
7, 3. — **transmouere** : emploi non pas réfléchi (Hoppe,
Synt., p. 64 ; Blaise, *Dict.*, s. u., p. 827), mais absolu, comme
suadere (du point de vue de la pers.) et *retorquere*. — **manifesto... occultum** : i. e. vraisemblablement *principatus*.
Opposition traditionnelle, surtout fréquente chez Tert.
dans des contextes où il définit la norme de la démarche
intellectuelle, qui consiste à aller du connu à l'inconnu :

Nat. I, 4, 10 ; *Marc.* I, 9, 7 ; *Res.* 19, 1 ; 21, 2 ; etc. Cf.
Schneider, p. 149. — **retorquere** : = *detorquere* ; cf. *Herm.*
18, 3 : *adducere = inducere* (Waszink, trad., p. 134) ; *An.*
12, 6 : *reputare = deputare* ; 24, 1 : *proscribere = inscribere* ;
etc. *Infra*, 4, 2 : *expugnare = oppugnare* ; 9, 4 : *exponere =
deponere*. — **de limine** : expression d'origine proverbiale
(A. Otto, *Die Sprichwörter... der Römer*, Hildesheim 1965
[= Leipzig 1890], p. 193) ; cf. *Nat.* I, 16, 13 ; *Mon.* 8, 1 ; *Pal.* 5,
2. — **fidem** : la foi « inchoative » de « l'âme naturellement chrétienne », fût-elle encore païenne (*falsis deis exancillata*), qui
regarde vers le ciel, « séjour du Dieu vivant » (cf. *Apol.* 17,
5-6), mais qui ne peut qu'être « offensée » par la substitution
du polythéisme valentinien au polythéisme païen. — **fabu-
lam** : cf. *supra*, p. 17 s. — **initietur** : *supra*, 1, 1-2. Sujet
indéterminé (cf. § 2 : *ullum* ; puis *suadere, transmouere,
retorquere* construits sans compl. de pers. explicite). —
recordabitur : la tentative d'A. Marastoni pour défendre
la leçon *dabitur te* des mss nous paraît vaine : contrairement
à ce qu'il avance, *recordari* est bien attesté chez Tert. (*infra,*
15, 4 ; 34, 1 ; et ailleurs) et la forme *recordabitur* se lit en
Iei. 6, 2. — **difficultates** : bien attesté dans la langue latine
comme terme « technique » désignant les ennuis physiques
dus à la maladie, à la souffrance, etc. (*TLL* s. u. col. 1094,
55 ; cf. *infra*, 9, 3). — **Lamiae turres... pectines Solis** :
ces deux contes ne nous sont pas autrement connus. Toutefois, Mme C. Lacoste, spécialiste du conte Kabyle, me
signale l'existence de motifs susceptibles d'en laisser entre-
voir le contenu : d'une part, pour le premier, le thème du
héros poursuivi par une ogresse et obligé de se réfugier sur
une hauteur et, précisément, sur une tour ; pour le second,
le thème de la quête d'objets précieux, par exemple, des
rouleaux de métier à tisser en or. Pour le rôle de la nourrice
dans l'éducation bellénistique et romaine, cf. Marrou, *Hist.
éducat.* [5], p. 201.

3, 4. Sed qui... : seconde éventualité envisagée : le
système valentinien est exposé à quelqu'un qui a lu saint
Paul, qui a donc du contenu de la foi une connaissance
« autre » (c'est-à-dire « supérieure », « meilleure » : cf. *TLL*

s. u. « alius », col. 1646, 44) que celle que peut avoir une
« âme naturellement chrétienne », dont la foi n'est pas
« nourrie par les saintes paroles » de l'Écriture (cf. *Apol.* 39,
3) : sa réaction sera non pas de penser à un conte de nourrice,
mais aux avertissements donnés par l'Apôtre. *Ex* = *cum*
(cf. *Nat.* I, 17, 6 : *ex fide* = *cum fide* ; *TLL* s. u. « fides »,
col. 677, 24 s.). — **aeonum** : entités transcendantes, dont
le degré d'individuation a pu varier de Valentin à Ptolémée
(*infra*, 4, 2) ; « half angels, half ideas » (G. Quispel, « From
Mythos to Logos », p. 335, *Eranos-Jb* 39 (1970), p. 323-340).
Sur la polysémie de ce terme, cf. A.-J. Festugière, *Le Dieu
inconnu et la gnose*, Paris 1954, p. 152 s. ; Orbe, *Est. Val.*,
II, p. 92 s. D'après Irén., *Haer.*, I, 3, 1, les valentiniens
soutenaient que dans la doxologie d'*Éphésiens*, 3, 21
(« Gloire à Dieu dans l'Église et dans le Christ Jésus, dans
toutes les générations du siècle des siècles, εἰς πάσας τὰς
γενεὰς τοῦ αἰῶνος τῶν αἰώνων), devenue formule liturgique
(Hippol., *Trad. ap.*, *SC* 11 *bis*, p. 30 ; 33 ; 35 ; 38 ; 52), Paul
mentionnait explicitement leurs éons et que même il en gar-
dait et observait l'ordre ; ils ajoutaient aussi que les chrétiens
de la Grande Église y faisaient eux-mêmes référence quand
dans leurs actions de grâce ils disaient « dans les siècles des
siècles » (εἰς τοὺς αἰῶνας τῶν αἰώνων) ; cf. Kasser-Malinine-
Puech-Quispel-Zandee, éd. *Tractatus Tripartitus*, I, p. 321 s.
— **coniugia** : rend le terme technique συζυγία, désignant
les couples d'éons (cf. Sagnard, p. 655 s. u., συζυγία) ;
cf. *infra*, 11, 2 ; 30, 3 ; 31, 1 ; 33, 1. 2. — **genimina** :
ce terme, qui n'appartient pas au vocabulaire technique
du valentinianisme, apparaît en trad. de *Matth.* 3, 7 :
γεννήματα ἐχιινδνῶν (cf. *Herm.* 12, 2 ; *An.* 21, 4-5) et 26,
29 : τοῦ γενήματος τῆς ἀμπέλου (non cité par Tert.) ; hormis
les cas où il est employé pour désigner les productions de
la terre, ce mot a presque toujours en latin une valeur
péjorative (ainsi : *An.* 34, 3 ; 39, 2 ; toutefois valeur plus
neutre en *An.* 23, 5, où il traduit d'ailleurs γεννήματα
de Plat., *Tim.*, 69c). — **exitus** : = *labores, casus, cruciatus* ;
cf. *Nat.* I, 16, 16 ; *Apol.* 21, 5 ; etc. ; *infra*, 10, 1-2 ; 15, 3 ;
TLL s. u. col. 1538, 84. — **euentus** : sur les sens de ce mot
chez Tert., cf. Waszink, p. 98 ; *infra*, 26, 1. — **felicitates**

infelicitates : construit asyndétiquement (cf. Bulhart, *Praef.*, § 86a ; *infra*, 12, 2 ; 33, 2), comme apposition aux précédents ; on peut toutefois admettre qu'ils soient sur le même plan, *tot* n'étant pas repris par souci de variation. L'un et l'autre sont rares au pluriel, surtout le premier dont c'est la première attestation à ce nombre ; cf. *TLL* s. u. « felicitas » col. 428, 59 ; s. u. « infelicitas » col. 1360, 5. Pour le pl. des abstraits, *infra*, 4, 4. — **dispersae... diuinitatis** : présentation polémique du « mystère » du Plérôme du Père inconnu, déployé dans ses éons, qui sont ses propriétés hypostasiées ; *infra*, 8, 4 : *diuinitatis tricenariae plenitudo* ; 23, 1 : *tricenarius pleroma* ; *Marc.* I, 5, 1 : « Valentinus... examen diuinitatis effudit ». *Diuinitas = deus*, aussi bien en contexte païen (cf. *supra*, 1, 3) et hérétique (*infra*, 4, 2 ; 7, 4 ; 8, 4 ; 34, 1) que dans l'exposé de l'orthodoxie (Braun, p. 37). — **ibidem** : = *statim, ilico* (Hoppe, *Synt.*, p. 112 ; *infra*, 7, 6 ; 16, 2). — **fabulas... indeterminatas** : ces versets servent à disqualifier les discussions oiseuses des hérétiques (*Marc.* I, 9, 7 ; *An.* 2, 7) ou, comme ici, à stigmatiser la théorie valentinienne des éons (cf. *Praes.* 7, 7 ; 33, 8 ; *Carn.* 24, 2 ; etc. ; déjà Irén., *Haer.*, I, *Praef.* 1) ; en réalité les « généalogies » visées dans les « Pastorales » ne sont pas les éons gnostiques mais les « toledot » de certains apocryphes (par ex. Ps. Phil., *Ant. bibliques*) développant à l'envi les généalogies bibliques ; cf. C. Spicq, *Les Épîtres pastorales*, t. 1, Paris 1969[4], p. 322 (du reste cf. déjà Ign. Ant., *Mag.*, 8, 1). *Indeterminatas*, néologisme forgé en *Praes.* 33, 7 pour traduire *I Tim.* 1, 4 : ἀπεράντοις, mais que Tert. n'utilise pas en dehors de ces deux passages (cf. *TLL* s. u. col. 1138, 78). — **apostoli spiritus** : l'écrivain sacré incarne et manifeste la « prouidentia Spiritus Sanctus » : cf. *Apol.* 18, 2 : « Viros... (Deus) emisit spiritu diuino inundatos, quo praedicarent Deum unicum esse... » ; *Praes.* 6, 6 ; 7, 7 ; *Marc.* V, 7, 1 : « Immo ne ita argumentareris, prouidentia spiritus sancti demonstrauit quomodo dixisset ' spectaculum facti sumus mundo ' (*I Cor.* 4, 9), dum angelis, qui mundo ministrant, et hominibus quibus ministrant » ; etc. ; pour l'A. T., cf. *Carn.* 23, 6 ; *Idol.* 15, 6 ; etc. Cf. W. Bender, *Die Lehre über den Heiligen Geist bei Tertullian*, München 1961, p. 115 s. Pour le titre d' « Apôtre » dési-

gnant κατ'ἐξοχήν saint Paul, *supra*, 2, 3. — **pullulantibus...
haereticis** : sur les « hérétiques » et les « faux docteurs »
du temps de Paul, cf. pour les « pastorales », R. J. Karris,
« The Background and Signifiance of the Polemic of the
Pastoral Epistles », *Cath. Theol. Union* 92 (1973), p. 549-
564 ; pour les dangers dénoncés dans l'*Épître aux Colossiens*,
F. O. Francis-W. A. Weeks, *Conflicts at Colossae : A Pro-
blem in the Interpretation of Early Christianity illustrated
by Selected Modern Studies*, Missoula (USA) 1975² ; pour
les négateurs de la résurrection, E. H. Pagels, « The Mystery
of the Resurrection : A Gnostic Reading of *I Cor.* 15 »,
JBL 93 (1974), p. 276-288 ; R. Morisette, « Un midrash
sur la Mort : *I Cor.* 15, 54 c-57 », *RB* 1972, p. 161-189. On
peut dire que, d'une façon générale, les exégètes influencés
par l'école *religionsgeschichtlich* ont tendance à qualifier de
« gnostiques » (ou « prégnostiques ») les « hérétiques » des
épîtres pauliniennes. — **seminibus** : même image en *An.*
18, 4 : « Relucentne iam haeretica semina Gnosticorum et
Valentinianorum ? » ; *infra*, 39, 2. — **praeuenit** : + inf.,
cf. *Bapt.* 5, 5 : « si quis praeuenerat descendere illuc » ; *An.*
26, 3 ; etc. Construction inflencée par celle de φθάνω + inf.
(Hoppe, *Synt.*, p. 58) ? ou par celle de *occupo* + inf. attestée
dès Plaute (Waszink, p. 339) ? *Praeuenio* + part. (= φθάνω
+ part.) en *Praes.* 9, 6 ; *Nat.* II, 3, 11.

3, 5. simplices... prudentes : comme souvent après
un excursus (§ 2-4) Tert. reprend le ou les mots qui le pré-
cédaient, cf. *An.* 25, 1 ; 54, 1 ; etc. Waszink, p. 320. — **tan-
tummodo prudentes** : renversement dialectique par
rapport à 2, 1 : « hoc (= simplices) tantum (*s. ent.* nos) ».
— **exerte** : cet adv. pour lequel Tert. a une certaine prédilection (9 occurrences) n'est attesté qu'une seule fois avant
lui (Apul., *Mét.*, 1, 17, 1) ; cf. *TLL* s. u. col. 1859, 77. —
edocent : = *docent*, pour des raisons d'isosyllabie (*perdocent*),
cf. *supra*, 1, 4. — **utique** : avec cette valeur ironique, véritable tic stylistique (40 occurrences dans *Apol.* d'après
Waltzing, p. 20). Pour le mouvement, cf. *Herm.* 10, 4 :
« (Deus) adsertor eius (= mali) inuentus est, male si per
uoluntatem, turpiter, si per necessitatem ». — **ceterum** :

= *sed* (Hoppe, *Synt.*, p. 108). Si l'on peut admettre que *astute*
porte sur *nec... perdocent*, il faut en revanche comprendre
« ceterum (hoc esset) inhumane, si (docerent) honesta ».
Tert. pratique couramment l'ellipse des verbes, que ceux-ci
puissent être facilement, comme ici, ou moins facilement
suppléés, et quels que soient par ailleurs le temps et le mode
auxquels il convient de les suppléer (cf. Hoppe, *Synt.*,
p. 144 ; Bulhart, *Praef.*, § 94 s. ; *infra*, 9, 1 ; 24, 1 ; 31, 1).
Esse + adv., attesté à toutes les époques dans la langue
familière (L. H. S., p. 171). — **Denique** : = *itaque* (cf.
L. H. S., p. 514). — **cuneum** : cf. *Marc.* I, 21, 6 : « Hoc...
cuneo ueritatis omnis extruditur haeresis » ; *Res.* 2, 11 :
« Igitur quantum ad haereticos demonstrauimus quo cuneo
occurrendum sit a nobis » ; *Pud.* 5, 9 ; *TLL* s. u. col. 1403,
36. — **congressionis** : si l'usage métaphorique de *cuneus*
est bien attesté antérieurement à Tert., en revanche celui-ci
est le premier à employer *congressio* avec une valeur imagée,
et il le fait souvent (*Apol.* 25, 2 ; *Carn.* 17, 1 ; etc. ; *infra*,
6, 2) ; remarques identiques en ce qui concerne *congressus*
dans son œuvre (mais *infra*, 26, 2 avec un autre sens), avec
cette différence que l'emploi métaphorique de *congressus*
n'a pas été suivi ; cf. *TLL* s. u. « congressio » col. 295, 44 ;
s. u. « congressus » col. 297, 24 ; pour les images du combat
et de la gladiature, *supra*, 1, 4. — **detectorem** : néologisme,
dont il n'y a que deux autres occurrences : *Marc.* IV, 36,
11 et Schol. *Stat. Theb.*, 7, 62 (cf. *TLL* s. u. col. 792, 55).
— **designatorem** : autre création pratiquement sans
postérité (uniquement Non., p. 11 et chez les Glossateurs ;
cf. *TLL* s. u. col. 714, 64). — **auspicamur** : Tert. n'éprouve
aucun scrupule à utiliser avec une valeur neutre ce verbe
dont l'origine religieuse (comme c'est déjà souvent le cas
dans la langue païenne impériale) est estompée ; cf. par
ex. : *Bapt.* 9, 4 : « Numquam sine aqua Christus ! siquidem
et ipse aqua tinguitur, prima rudimenta potestatis suae uoca-
tus ad nuptias aqua auspicatur » ; cf. *TLL* s. u. col. 1550,
64 s. — **impendio** : = *studio, opera* ; unique occurrence de ce
mot chez Tert. avec du reste un sens non attesté ailleurs
(cf. *TLL* s. u. col. 544, 14). — **absconditur** : cf. *supra*, § 2 :
asbcondi. — **destruere** : fréquent chez Tert. (comme du

reste *destructio*) avec cette valeur rhétorique, attestée depuis
Quint., *Inst. or.*, 2, 4, 18 ; 2, 17, 30 ; etc. Cf. Waszink, p. 101 ;
TLL s. u. col. 774, 59. On aurait tort de prendre à la lettre
l'optimisme de cette « sententia » (cf. *supra*, p. 24) ; même
affectation au demeurant sous la plume d'Irén., *Haer.*, I,
31, 3-4 : « aduersus eos uictoria est sententiae eorum mani-
festatio » (où il y a peut-être un souvenir de Thucyd., 3, 53, 2 :
τὰ... ψευδῆ ἔλεγχον ἔχει ; cf. D. B. Reynders, « La polémique de saint Irénée. Méthodes et principes », p. 6, *RecTh* 7
[1935-36], p. 5-27)... « Iam enim non multis opus erit sermo-
nibus ad euertendum doctrinam eorum, manifestam omnibus
factam... cum in manifestum redegerimus eorum abscondita
et apud se tacita mysteria, iam non erit necessarium multis
destruere eorum sententiam » — à côté de déclarations ou
d'aveux plus réalistes : III, *Praef.* : « cum sit unius operis
traductio eorum et destructio in multis » ; IV, *Praef.* 2 :
« Eum autem qui uelit eos conuertere oportet diligenter scire
regulas siue argumenta ipsorum. Nec enim possibile est alicui
curare quosdam male habentes, qui ignorat passionem eorum
qui male ualent. Quapropter hi qui ante nos fuerunt, et
quidem multo nobis meliores, non tamen satis potuerunt
contradicere his qui sunt a Valentino, quia ignorabant regulam ipsorum, quam nos cum omni diligentia in primo
libro tibi tradidimus, in quo ostendimus doctrinam eorum
recapitulationem esse omnium haereticorum ».

2. Bref historique et principales caractéristiques du valentinianisme (chap. IV).

C'est une blessure d'amour-propre qui a conduit
Valentin à rompre avec l'Église authentique pour
fonder sa propre secte, à laquelle du reste ses propres
disciples ont fait subir diverses métamorphoses (§ 1) :
Colorbasus (?), Ptolémée, Héracléon, Secundus, Marc
le Mage et Théotime. Seul Axionicus est resté fidèle à
la doctrine du maître (§ 2-3). Ces variations doctrinales ne doivent pas surprendre : chacun est libre
d'innover à son gré et considère ses propres inventions
comme autant de charismes (§ 4).

4, 1. inquam : *supra*, 3, 5 : *omnia scimus*. — **ipsorum** : = *eorum, illorum* (cf. *infra*, 33, 1). — **licet non... uidean- tur** : non parce qu'ils cherchent à dissimuler leurs croyances (reproche formulé plus haut 1,4), mais parce qu'ils prennent des libertés avec la doctrine du fondateur (cf. *infra*, § 4). Tert. souligne donc la première caractéristique de l'hérésie : ses variations doctrinales, qui sont le signe de l'erreur, en face de l'Église de la « règle authentique » qui, par son unité, montre qu'elle possède la vérité. La vérité est une, l'erreur multiple : cette idée d'origine platonicienne (qu'il pouvait retrouver dans Sén., *Luc.*, 102, 13 : « Numquam... falsis constantia est : uariantur et dissident ») a été largement utilisée par Tert. dans ses polémiques antiphilosophiques et antihérétiques : cf. Fredouille, p. 46-47 ; 222 s. ; 307 s. ; 355-356 ; 433 (sur la diversité des hérésies et l'unité de la tradition chez Irénée, cf. D. van Den Eynde, *Les normes de l'enseignement chrétien... des trois premiers siècles*, Gem- bloux-Paris 1933, p. 164 s. ; N. Brox, *Offenbarung, Gnosis und gnostischer Mythos bei Irenäus von Lyon*, Salzburg- München 1966, p. 105 s.). Ajoutons que cette idée a forte- ment influencé aussi l'anthropologie et l'eschatologie valen- tiniennes : la multiplicité, qui est mauvaise, est liée à la « déficience ; au contraire le lieu qui est l'unité est « plérôme » ; par la gnose le spirituel fuit le lieu de la déficience pour rejoindre le plérôme avant de lui être définitivement uni (cf. *Extr. Théod.*, 36 ; Irén., *Haer.*, I, 16, 2 ; *Évangile de Vérité*, p. 24, 25 s. ; *Lettre à Rhéginos*, p. 49, 14-15 ; *Tractatus Tripartitus*, p. 106, 10) ; de ces vues, les conséquences historiques ne sont pas négligeables : la division des « hy- liques » (les païens), sensible en particulier dans leurs propres contradictions (spécialement philosophiques), reflète la multiplicité de la matière ; à l'opposé, l'unité substantielle et gnoséologique des « spirituels » (cf. *Tract. Tripart.*, p. 109, 8 s. ; 111, 17 s.). — **conditore** : la tentative de G. Quispel, « The Original Doctrine of Valentin », *VChr* 1 (1947), p. 43- 73 pour reconstituer la pensée primitive du fondateur et la distinguer de celle de Ptolémée s'appuie sur Irénée, Hippolyte et les *Extr. Théod.* ; étant donné sa date, elle n'a pu tenir compte des écrits de Nag Hammadi ; cf. R. M.

Grant, *La Gnose et les origines chrétiennes* (trad. fr.), Paris
1964, p. 109 s. ; W. Foerster, *Gnosis*, t. 1. *Patristic Evidence*
(trad. angl.), Oxford 1972, p. 238-240 ; *supra*, p. 35 s. ; *infra*,
§ 2. — **et si forte** : cf. *supra*, 2, 2 (*si forte*). Le changement
n'anéantit pas l'origine : idée d'origine aristotélicienne
(l'altération n'affecte pas le substrat, sujet du changement :
cf. *Phys.*, 1, 7, 189 b 30-190 a 21) développée en particulier
dans *Res.* 55, 2-12 (7 : « Atque adeo potest et demutari quid
et ipsum esse nihilominus, ut et totus homo in hoc aeuo
substantia quidem ipse sit, multifariam tamen demute-
tur... » ; 12 : « in resurrectionis euentu mutari conuerti
reformari licebit cum salute substantiae ») ; contrairement
à ce qui est dit parfois, l'exposé de *Res.* 55, 2-12 n'est pas
en contradiction avec la théorie du changement que Tert.
soutient en d'autres occasions (métemsomatose : *Apol.* 48,
2 ; *An*, 32, 7-8 ; création de la matière : *Herm.* 12 ; incarnation : *Carn.* 3, 4-5 ; *Prax.* 27, 6-9) ; cf. Waszink, p. 390.
— **testatio... mutatio** : formulation « rhétorique » du
principe précédent, avant sa formulation « polémique »
(*infra*, § 3 : « nusquam iam Valentinus et tamen Valentiniani »). — **episcopatum** : six occurrences de ce mot (dont
une en citation scripturaire : *An.* 16, 6 = *I Tim.* 3, 1) chez
Tert., où il apparaît pour la première fois ; cf. H. Janssen,
Kultur und Sprache, Nijmegen 1938, p. 76. Sur cette indication biographique, cf. *supra*, p. 39 ; elle est à rapprocher
de *Praes*, 30, 2 : « (Marcion et Valentinus fuerunt) Antonini
fere principatu » = 138-161 ; *Carn.* 1, 3 « condiscipulus
et condesertor eius (= Marcionis) Valentinus » = 144, cf.
Marc. I, 15, 1 ; et d'Irén., *Haer.*, III, 4, 3 (Valentin vint à
Rome sous Hygin = 136 ?-140 ?, atteignit son apogée
sous Pie = 140 ?-155 ? et demeura dans la capitale de
l'Empire jusqu'à Anicet = 155-166 ?) ; d'après la suite
(*ex martyrii praerogatiua*), et s'il s'agit du siège de Rome, le
« concurrent » heureux de Valentin serait Pie, le seul pape
de cette période dont il est dit qu'il fut confesseur ; cf. Mahé,
SC 216, p. 28-29. — **poterat** : au sens absolu + abl. médio-
causal (cf. *Pal.* 6, 1 : « Quis oculis in eum potest in quem
mentibus non potest ? » ; déjà Tac., *Hist.*, 1, 73, 2 : « potens
pecunia et orbitate » ; L. H. S., p. 128). Il n'est pas exclu

toutefois que l'on puisse comprendre : *poterat* (s. ent. *sperare*),
« son talent et son éloquence lui permettaient de l'(= épis-
copat) espérer ». — **eloquio** : *supra*, p. 29. Terme poétique
(attesté à partir de Virgile et Horace) fréquent chez Tert.
(cf. Waszink, p. 100) ; *infra*, 5, 1 : *eloquentia*. — **martyrii** :
pour désigner des souffrances qui n'ont pas entraîné la mort
martyrium est exceptionnel chez Tert. ; les deux autres
emplois du mot en ce sens sont d'ailleurs porteurs d'une
intention polémique : *Prax.* 1, 4 : « (Praxeas) de iactatione
martyrii inflatus ob solum et simplex breue carceris taedium » ; *Pud.* 22, 2 : « Alii ad metalla confugiunt et inde
communicatores reuertuntur, ubi iam aliud martyrium
necessarium est delictis post martyrium nouis » ; H. A. M.
Hoppenbrouwers, *Recherches sur la terminologie du martyre*,
p. 17. En *Res.* 43, 4, la même expression *ex martyrii praerogatiua* désigne le martyre sanglant qui permet d'accéder
directement à la contemplation du Seigneur. — **loci** : cf.
Fug. 11, 1 : « Haec sentire et facere omnem seruum Dei
oportet, etiam minoris loci, ut maioris fieri possit, si quem
gradum in persecutionis tolerantia ascenderit » ; *TLL* s. u.
col. 1590, 36. — **authenticae** : emprunt à la langue juridique :
chez Ulpien le mot signifie « original, olographe » (cf. *Dig.*,
10, 2, 4, 3 : *tabulas... authenticas* ; 10, 2, 8 pr. : *authenticae
rationes*), sens qu'il a peut-être en *Praes.* 36, 1 : « cathedrae
apostolorum... apud quas ipsae authenticae litterae eorum
recitantur sonantes uocem... » (cf. J. K. Stirnimann, *Die
Praescriptio Tertullians im Lichte des römischen Rechts und
der Theologie*, Freiburg in der Schweiz 1949, p. 77), mais
sens dérivé, comme ici, en *Marc.* IV, 3, 1 (*paratura authen-
tica*) ; IV, 35, 7 (*authenticus pontifex*). Seul exemple donc
de l'emploi de cet adj. pour qualifier *regula* qui, avec ou
sans déterminant, « récapitule l'essentiel de la Révélation »
(Braun, p. 450). — **abrupit** : constr. intr. + abl. prép.
(cf. *Apol.* 37, 6 ; *Marc.* V, 1, 8 ; *supra*, 3, 1) ; sens plus fort
que *descisco*, *secedo*, ou, ci-dessus, *abscedo* (Waltzing, p. 240).
— **ut solent animi...** ; sur ce thème de l'*aemulatio episcopatus* et de la φιλοπρωτεία génératrices de contestations, de
jalousies, voire de schismes et d'hérésies, rapprocher Irén.,
Haer., IV, 26, 2 ; Herm, *Pasteur*, Mand. 4, 11, 12 ; Eus.,

H. E., IV, 22, 5 ; déjà dans *Bapt.* 17, 2 : « Episcopatus aemu-
mulatio scismatum mater est » ; nombreux témoignages
de Cyprien (V. Saxer, *Vie liturgique et quotidienne à Carthage
vers le milieu du IIIᵉ siècle*, Città del Vaticano 1969, p. 100).
Mais désirer exercer une responsabilité au sein de l'Église
est, en soi, légitime : *An.* 16, 6 : « Dat et apostolus nobis
concupiscentiam : ' si quis episcopatum concupiscit, bonum
opus concupiscit ' (*I Tim.* 3, 1 ; cf. *supra*) ; et bonum opus
dicens rationalem concupiscentiam ostendit » ; commentant
ce même verset (associé à *Tite* 1, 9-11), Orig., *Contre Celse*,
III, 48, *SC* 136, p. 116, insiste sur le talent et la culture que
doivent posséder les évêques : ce sont les qualités mêmes
que Tert. reconnaît à Valentin (*ingenio et eloquio*). — **prio-
ratu** : hapax, comme d'ailleurs *secundatus* (*An.* 27, 3).

4, 2. Ad expugnandam... : cf. *Praes.* 41, 4 : « Nihil
enim interest illis (= haereticis), licet diuersa tractantibus,
dum ad unius ueritatis expugnationem conspirent » ; *An.*
34, 2 : « (Simon Magus) conuersus ad ueritatis expugnationem » ; d'autre part *supra*, 1, 1 (*ex apostatis ueritatis*) ;
Praes. 30, 12 : « (Marcion et Valentinus) insigniores et
frequentiores adulteros ueritatis » ; de même contre les
païens, *Apol.* 24, 2 : « (Romani) qui mendacium colentes
ueram religionem ueri Dei non modo neglegendo, quin
insuper expugnando ». *Expugnare, expugnatio = oppugnare,
-pugnatio,* cf. *supra*, 3, 3 ; Waszink, p. 406. — **ueteris
opinionis** : le platonisme, comme nous serions tenté de le
croire (*Praes.* 7, 3 : (*Valentinus*) *Platonicus fuerat* ; 30, 1 :
Valentinus Platonicae sectator ; plus généralement : *Marc.*
I, 13, 3 : « illi sapientiae professores, de quorum ingeniis
omnis haeresis animatur » ; *An.* 3, 1 : « philosophis... patri-
archis, ut ita dixerim, haereticorum » ; cf. Fredouille,
p. 340 s.) ? Simon, de qui, selon Justin (I *Apol.*, 26) et surtout
Irénée (*Haer.*, I, 22, 2 ; I, 23, 2 ; I, 23, 4 ; I, 27, 4 ; II, *Praef.* ;
III, *Praef.*), dérivent toutes les hérésies (mais Tert. ne se
fait nulle part l'écho de cette filiation) ? Si aujourd'hui
l'influence du platonisme sur le valentinianisme n'est plus
mise en doute, le problème de savoir quel est le système
existant dont Valentin dépend directement n'est toujours

pas résolu : celui des Ophites (cf. Foerster, *Gnosis*, t. 1,
p. 122) ? ou plutôt celui des Barbélognostiques ? Il est en
effet admis que l'*Apokryphon de Jean* a joué un rôle important dans la genèse de la doctrine de Valentin (Sagnard,
p. 439 s. ; 588 s. ; G. Quispel, *Gnosis als Weltreligion*, Zürich
1951, p. 13 s. ; H. Jonas, *The Gnostic Religion*, Boston
1963², p. 177 ; 199 s. ; *supra*, p. 30. *Opinio = doctrina*, cf.
Test. 4, 2 : « Ea opinio Christiana etsi honestior multo
Pythagorica... etsi plenior Platonica... etsi Epicurea gra-
uior... » ; *An.* 3, 5 ; etc. — **Colorbaso** : cf. nos « Valentiniana » ; malgré les objections que l'on peut faire à cette
conjecture de Latinius (cf. encore Marastoni, p. 118), elle
nous paraît offrir un texte meilleur que tous ceux qui ont
été proposés (acceptée par Riley). Sur ce disciple de l'école
orientale, sans doute d'origine égyptienne, on sait très peu
de choses : peut-être est-ce son système qui est résumé *infra*,
36. Cf. H. Leisegang, art. « Valentinus », *RE* VII, col. 2271-
2272. — **delineauit** : rare avant Tert. (Plin., *Nat.*, 35, 89 ;
Apul., *Flor.*, 7, 6) ; employé au propre comme au figuré :
cf. *Marc.* III, 7, 6 ; IV, 40, 6 ; etc. *TLL* s. u. col. 458, 11 ;
cf. *infra*, 27, 3. — **Eam... intrauit** : constr. attestée dans la
langue classique, mais plus fréquente à époque impériale
(cf. Tac., *Ann.*, 11, 32, 6 : « Ostiensem uiam intrat » ; *TLL*
s. u. col. 58, 4). — **Ptolemaeus** : le disciple dont on connaît
le mieux la doctrine, grâce à la « grande notice » d'Irénée
(*supra*, p. 20), aux chap. 43-65 des *Extraits de Théodote*,
et à sa *Lettre à Flora* (= Epiph., *Pan.*, 33, 3-8 ; *SC* 24 *bis*) ;
Hipp., *Philos.*, VI, 21-37, en offre une variante postérieure
(thème B, selon la terminologie traditionnelle depuis
A. Lipsius, par opposition au thème A de la « grande
notice ») ; cf. Sagnard, qui, trente ans après sa publication,
demeure l'analyse la plus approfondie du système ptoléméen ;
W. Foerster, « Die Grundzüge der ptolemaeischen Gnosis),
NTS 6 (1959-60), p. 16-61. Cf. *infra*, 4, 2 ; 8, 4 ; 12, 4 ; 19, 2 ;
20, 3 ; 33, 1. — **nominibus... incluserat** : la doctrine de
Ptolémée se présenterait donc comme une interprétation
« polythéiste » du « monothéisme de Valentin, ou plus
justement : le système polyhypostatique de Ptolémée
s'opposerait au système monohypostatique et plurimodal

de Valentin, qui conçoit la « summa divinitatis » comme
individuelle et indivise, présentant des « modalités » non
réellement distinctes, alors que son disciple y voit un ensemble numérique dont le Dieu suprême est le « sommet »,
sans être le « tout » ; Valentin serait plus platonicien (les
modalités du Dieu suprême s'apparentent aux Idées in-
telligibles contenues en Dieu), Ptolémée plutôt « néoplato-
nicien » (le déploiement des éons comporte hiérarchie et
dégradation) ; cf. J. E. Ménard, *L'Évangile de Vérité, Rétro-
version grecque et commentaire*, Paris 1962, p. 91 ; Moingt,
t. 2, p. 649 s. et t. 3, p. 956. Cette innovation dont Tert.
crédite Ptolémée, parfois suspectée (G. Quispel, « L'inscription de Flavia Sophè », p. 208, *Mél. J. de Ghellinck*, I,
Gembloux 1951, p. 201-214 (= p. 64 in *Gnostic Studies*, I,
Istanbul 1974, p. 58-69), semble confirmée par le *Tractatus
Tripartitus*, p. 69, 26 (où est affirmé le libre arbitre des
éons, ce qui suppose qu'ils sont des substances personnelles)
et peut-être p. 77, 7 (où l'expression « le mouvement qui
est le *logos* » rappelle la définition que Tert. donne ici des
éons : « sensus et affectus, motus diuinitatis »), cf. Kasser-
Malinine-Puech-Quispel-Zandee, t. 1, comm. *ad. loc.*, p. 334
et 341 ; parmi d'autres innovations qu'on peut attribuer
à Ptolémée : contemplation du Père par le Fils, transcendance
du Christ, principe de la double formation, distinction entre
Sagesse supérieure (Sophia) et Sagesse inférieure (Achamoth),
cf. Sagnard, p. 229-232 ; Ps. Tert., *Adu. omn. haer.*, 4. Sur
la notion de *persona* (cf. *infra*, 7, 3. 5) dans le valentinianisme et son rôle dans l'élaboration de la théologie trinitaire de Tert., Braun, p. 223 s. ; Moingt, t. 2, p. 647 s. D'autre
part, sur le type de coordination *A et B, C* (« sensus et
affectus, motus »), cf. *infra*, 29, 2 ; 37, 1 ; Bulhart, *Praef.*,
§ 86. Ces trois termes ne paraissent pas associés ailleurs,
mais l'on rencontre *sensus et affectus* (*Marc.* I, 25, 2 ; II, 27,
1 ; *An.* 32, 5), *sensus et affectiones* (*Marc.* IV, 1, 10), *motus
et sensus* (*Marc.* II, 16, 2), *sententiae, affectus, sensus, uirtutes,
passiones* (*Marc.* IV, 43, 9). *Diuinitas* = le Dieu suprême,
cf. *supra*, 3, 4. — **Heracleon** : les 51 fragments qui nous
sont parvenus de lui (48 sont extraits d'Orig., *Comm. sur
Jean* ; 2 de Clém. Alex., *Strom.*, IV, 9, 71, 1 - 73, 1 ; *Ecl.*,

25, 1 ; le dernier de Photius, *Ep.*, 134, *PG* 101, col. 984c)
sont réunis dans Foerster, *Gnosis*, t. 1, p. 162-183 ; com-
mentés dans Sagnard, p. 480-520 ; cf. aussi Y. Janssens,
« Héracléon, Commentaire sur l'Évangile selon saint Jean »,
Le Muséon 72 (1959), p. 101-151 ; 277-299 ; peut-être est-il
l'auteur du *Tractatus Tripartitus*, *supra*, p. 18, n. 5. —
Secundus : cf. *infra*, 38. — **Marcus** : cf. Irén., *Haer.*, I,
13-21, par qui nous connaissons plusieurs formules et rites
en usage chez les marcosiens, et surtout ses spéculations
arithmologiques : cf. Sagnard, p. 358-386 ; 416-439.

4, 3. circa : = *de*, sens attesté depuis Celse, surtout
usité dans la langue tardive ; autres ex. dans Hoppe, *Synt.*,
p. 37 ; cf. L. H. S., p. 226. — **Theotimus** : seule mention
de ce disciple (cf. *supra*, p. 39), mais elle suffit pour rapprocher son exégèse de celle de Ptolémée et Héracléon qui
voyaient dans les rituels et les prescriptions de la loi mosaïque
des « images et des symboles » qui ont « une signification différente depuis que la Vérité s'est manifestée » (Ptol., *Lettre à
Flora*, 5, 9, *SC* 24 *bis*, p. 60) ; cf. G. Quispel, *SC* 24 *bis*, p. 14 s. ;
Sagnard, p. 451-479 ; M. Simonetti, « ΨΥΧΗ e ΨΥΧΙΚΟΣ
nella gnosi valentiniana », p. 37-40, *RSLR* 2 (1966), p. 1-
47 ; pour Héracléon, frg. 22 sur *Jn* 4, 22 (= Orig., *Comm.
sur Jean*, 13, 19), cf. M. Simonetti, « Eracleone e Origene »,
p. 45, *VetChr* 3 (1966), p. 3-75. Critique de l'exégèse allégorique des valentiniens *infra*, 27, 3. — **operatus est** : en
général construit normalement + dat. (*Cult.* II, 3, 3 ; *Carn.*
7, 9 ; etc.) ; toutefois + *ad*, en *Res.* 53, 12 ; + *in*, *infra*, 10, 3.
Cf. *TLL* s. u. col. 690, 81. — **nusquam** : = *non*, cf. J. B.
Hofmann, *Lateinische Umgangssprache*, Heidelberg 1951³,
p. 193. Sur l'ellipse de *esse* dans cette phrase, *supra*, 3, 5 ;
pour l'expression polémique, *supra*, § 1. — **ad hodiernum** :
apparaît chez Tert. en alternance avec *in hodiernum* antérieurement attesté (cf. Schneider, p. 204). — **Axionicus** :
en dehors de ce passage, uniquement mentionné par Hippol.,
Philos., VI, 35, 7, comme faisant partie, avec Bardesane, de
la branche orientale qui, contrairement à l'école italique,
enseignait que le corps de Jésus était spirituel (cf. sur cette
divergence Sagnard, *SC* 23, p. 5 s. ; Mahé, *SC* 216, p. 50 s. ;

autre divergence *infra*, 11, 2). — **memoriam... consolatur** :
cf. *Spec.* 12, 3 : « mortem homicidiis consolabantur » ; *An.*
44, 1 : « ciues Clazomenii Hermotimum (*sc.* mortuum)
templo consolantur » ; etc. ; cf. Hoppe, *Synt.*, p. 127-128
(qui traduit, inexactement à notre sens, « Axionicus hält
das Andenken des Valentinus in Ehren » ; *TLL* s. u. « conso-
lor » col. 480, 83 (s. u. « memoria » col. 678, 62, ne donne pas
d'autre exemple de cette *iunctura*). — **integra... regularum** : Tert. a cité trois disciples de l'école orientale (Colorbasus (?), Marcus, Axionicus) et quatre disciples de la branche
occidentale (Ptolémée, Héracléon, Secundus, Théotime) ;
le grand absent de cette liste est naturellement Théodote,
mais Alexandre cité et réfuté dans *Carn.* (*supra*, p. 28 ; 39)
n'est pas non plus mentionné. Tableau des valentiniens
des deux écoles dans H. Leisegang, art. « Valentinus » *RE*
VII, col. 2269-2272. Ce qui est dit ici d'Axionicus doit être
étendu à toute l'école orientale, caractérisée par une plus
grande fidélité à Valentin : la différence essentielle entre
les deux branches tient au fait que les occidentaux ont
valorisé l'élément psychique (cf. en dernier lieu, *Tractatus
Tripartitus*, t. 1, p. 346 ; 365 ; 377 ; 381 ; t. 2, p. 198 ; 209 ;
235). *Regularum*, au sing. ou au plur. pour désigner les
systèmes gnostiques (*infra*, § 4) : Braun, p. 448-449 ; pour
l'usage orthodoxe, *supra*, 4, 1. — **se... suadere** : m. à m. :
« faire croire (autrui à) soi-même » (cf., pour le vb. simple
et sa constr. + *aliquem*, *supra*, 3, 3), d'où « se faire accepter,
séduire ». L'interprétation de Hoppe, *Synt.*, p. 26, selon
laquelle *huic haeresi* serait un dat. final (« sich zu dieser
Häresie bekennen »), ne paraît guère recevable. — **haeresi** :
= *haereticis* (cf. *Nat.* II, 13, 5 : *mortalitas* = *mortales* ;
Carn. 7, 13 : *fraternitas* = *fratres* ; etc. *infra*, 10, 2 : *pro-
pinquitas* = *propinqui* ; *supra*, 1, 2). — **quantum...** :
obscurité due au fait que des deux idées conjointes
(1. l'hérésie est comme une prostituée ; 2. une prostituée
ne peut séduire qu'en renouvelant ses charmes), la première (« hérésie » = « prostituée ») est sous-entendue. —
lupae : attesté dès Plaute au sens de *meretrix*. Le fait
que, avec cette valeur métaphorique, *lupa* soit passé dans
l'usage courant exclut, nous semble-t-il, une construc-

tion appositionnelle du type *lupa femina* où *femina* ne saurait avoir de justification ou de fonction, ni grammaticale (le genre n'exige pas d'être précisé), ni adjective, que ce soit pour rendre l'image plus intelligible ou créer un effet littéraire (puisque la métaphore est devenue banale), que ce soit pour indiquer un état ou une profession (puisque *lupa* n'entre pas dans cette catégorie de substantifs); cf. en fr. « une femme écrivain », « un professeur femme », « une mère poule », etc., mais « une tigresse », « une poule », etc. Dans son compte rendu de l'édition Kroymann, *CSEL* 47, C. Weyman, *Berliner Philolog. Wochenschrift* 28 (1908) col. 1008, réfute l'hypothèse d'une glose, émise par l'éditeur lui-même dans son apparat critique, en s'appuyant sur des expressions comme *uentus turbo* (Pl., *Curc.*, 647), *lapis silex* (Pl., *Poen.*, 290) et d'autre part Apul., *Mét.*, 5, 28, 2 : « Tunc auis peralba illa gauia quae... » mais dans le premier cas il s'agit de subst. en fonction d'adjectif (cf. L. H. S., p. 157 s. ; pour Tert. Hoppe, *Synt.*, p. 85 s.), dans le second, d'une véritable apposition (« Alors l'oiseau au blanc plumage, la mouette, qui... ») ; on ne pourrait pas non plus invoquer Pl., *Stich.*, 746 : *meretrix mulier*, où le nom d'agent prend naturellement une valeur adjective (cf. *infra*, 15, 5 : *illuminator*). Cf. d'ailleurs *Nat.* I, 4, 12 : « Scio (aliquem)... maluisse lupae quam Christiana (esse) maritum » ; *Pal.* 4, 9 : « Aspice lupas, popularium libidinum nundinas » (cf. *Apol.* 25, 9 : « Nec tantum... honoris Fatis Romanis dicauerunt, ... quantum prostratissimae lupae Larentinae »). — **formam :** sur le sens érotique que le mot a tendu à prendre (beauté physique que l'on peut acquérir en mettant en valeur ses charmes et en soignant sa toilette pour séduire les amants), cf. P. Monteil, *Beau et laid en latin*, Paris 1964, p. 43 s. Rapprocher *Cult.* II, 1, 2 : « (Christianae) perseuerant in pristinis studiis formae et nitoris, eamdem superficiem sui circumferentes quam feminae nationum » ; II, 12, 2 : « lenocinia formae... prostituto corpori coniuncta ». — **supparare :** néologisme (8 occurrences chez Tert.) ; pratiquement inusité ensuite (Jér., *Lettres*, 107, 10, 2 ; Mar. Vict., *Gram.*, 6, 19, 1 ; Glossateurs) ; cf. *Cult.* II, 7, 2 (à propos de postiches) : « ne exuuias alieni capitis... sancto et christiano capitis supparetis » ; *infra*, 14, 2.

4, 4. spiritale... semen : le πνευματικὸν σπέρμα qui
provient de l'enfantement « spirituel » produit par Sophia
extérieure au Plérôme (Enthymésis ou Achamoth) : la gnose
est précisément cette prise de conscience par le gnostique
de la parcelle de *pneuma* qu'il possédait en lui à son
propre insu, d'où l'orgueil de ces « parfaits », fustigé par
Irénée (Sagnard, p. 282 ; 388). — **recenseant** : = *censeant*
(*supra*, 3, 3). — **adstruxerint** : vb. de la langue impériale,
fréquent à partir de Pline le Jeune et chez les écrivains
chrétiens (*TLL* s. u. col. 978, 37). — **reuelationem... prae-
sumptionem** : la *reuelatio*, communication par Dieu d'une
connaissance (Braun, p. 416), s'oppose à la *praesumptio*, pure-
ment humaine et, comme telle, dépréciée (« opinion fausse »,
« préjugé », etc. Cf. *Apol.* 10, 1 ; 49, 1 ; 50, 10 ; etc. Ce sens
apparaît chez Apul., *Mét.*, 9, 4, 2). Rapprocher les antithèses
reuelare-humana aestimatio (*Apol.* 45, 2), *reuelatio-aestimatio*
(*An.* 9, 3), etc. — **charisma** : apparaît chez Tert. qui,
après son passage au montanisme, ne désignera plus guère
par ce terme que le don de prophétie (cf. Waszink, p. 166).
Seconde caractéristique donc du valentinianisme selon Tert. :
les charismes, dont chaque gnostique se croit investi et qui
justifient innovations et variations doctrinales. Cette attaque
contre les valentiniens fournit un repère chronologique,
supra, p. 8. — **ingenium** : cf. *Apol.* 47, 9 : *ingenia philosophorum* ; *Res.* 18, 1 : *ingenia haereticorum* ; *infra*, 20, 3 ;
37, 1 ; 39, 2. Sens déjà attesté dans la langue païenne (Pl.
le Jeune, Tacite). Pour l'idée : *Praes.* 42, 8 : « Idem licuit
Valentinianis quod Valentino, idem Marcionitis quod Marcioni, de arbitrio suo fidem innouare ». — **nec unitatem
sed diuersitatem** : depuis nos « Valentiniana » p. 53-54,
où nous suggérions de conserver le texte transmis par les
mss, peu de progrès ont été accomplis : Marastoni, p. 121
et Morreschini, p. 904 proposent de suppléer, comme nous
en avions envisagé la possibilité, le premier *profitentur* ou
adseuerant, le second *quaerunt* ; d'autre part, Moingt, t. 4,
p. 248 corrige en « nec nouitatem (appellant) etiam diuersitatem » qu'il traduit : « ils n'appellent pas innovation ce
qui est pourtant d'une autre provenance et en opposition
avec Valentin », correction ingénieuse, mais mal accordée,

semble-t-il, au contexte et aux critiques habituelles de Tert.
sur ce sujet : cf. *Praes.* 42, 6-7 : « scisma est enim unitas ipsa.
Mentior si non etiam a regulis suis uariant inter se dum unus-
quisque proinde suo arbitrio modulatur quae accepit, quemadmodum de suo arbitrio ea composuit ille qui tradidit »
et *supra*. Au contraire Riley, p. 29 et 130, conserve le texte
des mss. Aux arguments en faveur de ce maintien déjà for-
mulés, ajoutons *Spec.* 29, 4 : « satis nobis litterarum est, satis
uersuum est,... nec fabulae, sed ueritates, nec strophae, sed
simplicitates » ; *Pud.* 21, 17 : « ecclesia spiritus... non ecclesia
numerus episcoporum » ; *infra*, 29, 3. *Nec = non*, cf. Bulhart,
Praef., § 75. — **seposita... dissimulatione sua** : pour le
texte, cf. « Valentiniana », p. 54. *Sepositus* à l'abl. abs. est
fréquent chez Tert. (*Nat.* I, 2, 8 ; *Marc.* II, 13, 1 ; *An.* 52, 1 ;
Cf. Löfstedt, *Spr. Tert.*, p. 19). *Sua = eorum* (cf. Hoppe,
Synt., p. 102). La *dissimulatio* dont font preuve les valentiniens a été critiquée *supra*, 1, 4. — **diuidi** : cf. « Valentiniana » p. 54 ; malgré les objections de Marastoni, p. 122,
la construction de Kroymann (*diuidi*) *de* ne s'impose sans
doute pas, cf. Plin., *Nat.* 33, 31 : « diuisus... ordo (eque-
ster) erat... usurpatione nominum ». — **articulis** : même
sens en *Herm.* 16, 1 ; 33, 2 ; le plus souvent « texte », « passage
scripturaire », cf. Waszink, trad. *Herm.*, p. 154 ; *CCL*, t. 2,
Index s. u. p. 1518. — **bona fide** : cf. *supra*, 1, 4. — **Varie-
tate... ignorantiarum** : pour l'établissement du texte,
« Valentiniana », p. 54-55. Contamination des deux thèmes
précédemment développés : assimilation de l'hérésie à une
prostituée et méconnaissance réciproque, par les valentiniens eux-mêmes, des différentes doctrines professées à
l'intérieur de la secte, du fait de leur diversité et de leur
incessant renouvellement : d'où d'une part l'ambivalence
de *facies* (bien attesté, comme synonyme de *forma, aspectus*,
en particulier dans la rhétorique : cf. ce passage dont Tert.
pourrait s'être souvenu ici : Quint., *Inst. or.*, 2, 4, 28 : « in
causis, quarum uaria et noua semper est facies » ; mais
facies rappelle aussi § 3 *formam*) ; d'autre part le jeu de
mots sur *colores* (au sens propre de « couleur », et donc ici
« couleur du visage, teint », reprenant également « formam
cotidie supparare » ; mais aussi au sens rhétorique de « pré-

textes, excuses » ; jeu de mots comparable en *Herm.* 33, 1
(l'hérétique exerçait la profession de peintre) : « Sed dum
illam (= materiam) Hermogenes inter colores suos inuenit,
scripturas enim dei inuenire non potuerit... ») ; sans compter
l'image, sous-jacente sans doute, du « maquillage de l'erreur » :
cf. Irén., *Haer.*, III, 15, 2 : « Suasorius enim et uerisimilis
est et exquirens fucos error ; sine fuco autem est ueritas et
propter hoc pueris credita est » (sur ce thème, notre article
« L'esthétique théorique des écrivains paléochrétiens », p. 367,
Mélanges J. Collart, Paris 1978, p. 365-376) ; *supra*, 1, 1
(*offucium*). *Regularum*, *supra*, 4, 3. *Ignorantiarum* : nombreux emplois de noms abstraits au pluriel, *supra*, 3, 3 ;
infra, 7, 1 ; 16, 3 ; 23, 1 ; 27, 2 ; Hoppe, *Synt.*, p. 88 s.

3. Les sources et le dessein (chap. V-VI).
a. Les sources (chap. V).

Tertullien a l'intention de s'en prendre à la doctrine
primitive des principaux hérésiarques valentiniens
et, pour ce faire, utilisera les travaux de ses prédécesseurs : Justin, Miltiade, Irénée et Proculus (§ 1).
Mais si surprenant que soit le contenu de ces doctrines,
qu'on n'aille pas s'imaginer qu'elles ont été imaginées
pour les besoins de la cause ! (§ 2).

5, 1. archetypis : terme rare, que Tert. n'emploie pas
ailleurs ; la forme adj. apparaît chez Var., *Rus.*, 3, 5, 8
(« original, modèle »), puis Mart., 14, 93 (pocula archetypa) ;
7, 11, 4 (archetypas nugas) ; Juv., *Sat.*, 2, 7 (à propos de
portraits) : « archetypos... seruare Cleanthas » ; substantivé
en Mart., 8, 6, 1 ; cf. *TLL* s. u. col. 460. — **limes** : *TLL*
s. u. col. 1411, 81 commet une erreur d'interprétation en
suggérant de comprendre « limes principalium magistrorum »
(*limes* + génit.). Il s'agit ici naturellement du *limes refuta-
tionis*. — **adfectatis** : cf. *Iei.* 2, 4 : « Xerophagias uero
nouum adfectati officii nomen et proximum ethnicae super-
stitioni » ; peut-être *Nat.* II, 4, 17 : « otium adfectatae
mor ositatis eloquii artificio adornatum ». — **passiuorum** :
apparaît chez Apul., *Mét.*, 6, 10, 3 ; 9, 36, 4 ; fréquent chez

Tert. qui a forgé *passiuitas* (cf. *infra*, 30, 3) ; Waszink,
p. 122-123. Cf. *supra*, 4, 4 : « cum spiritale illud semen suum
sic in unoquoque recenseant », qui explique leur nombre
et leur dispersion. — **dicemur** : = *dicamur* (cf. L. H. S.,
p. 310-311). Sur l'interprétation de cette « précaution »,
cf. *supra*, p. 24. On rapprochera Cic. *Lucul.*, 98 : « nec uero
quicquam ita dicam ut quisquam id fingi suspicetur » ;
Scaur., 5, 7 ; Juv., *Sat.*, 6, 634-638 ; Apul., *Apol.*, 22, 5 ;
Fredouille, p. 192, n. 55. — **materias** : « fonds doctrinal », cf.
Pud. 8, 12 - 9, 1 : « (haeretici) secundum occasiones parabo-
larum ipsas materias confinxerunt doctrinarum... Nos autem
quia non ex parabolis materias commentamur, sed ex mate-
riis parabolas interpretamur, nec ualde laboramus omnia in
expositione torquere, dum contraria quaeque caueamus » ;
avec le même sens, *materia* alterne avec le plur., cf. *Praes.* 38,
10 ; 39, 7 ; *infra*, 5, 2 ; 16, 3. — **sanctitate** : la *sanctitas* est la
qualité que reçoit le chrétien au baptême, au cours duquel
il est « sanctifié » par l'eau, elle-même rendue « sanctifiante »
par l'« esprit de sainteté » (cf. *Bapt.* 4, 1-4 ; *Apol.* 39, 9) ;
le terme désigne aussi parfois l'une des vertus chrétiennes
essentielles, la chasteté (*Mon.* 3, 8 ; *Virg.* 9, 1 ; *Pud.* 10, 9),
ou, dans le cas de Marie, la virginité et la monogamie (*Mon.*
8, 2), mais généralement les englobe avec d'autres vertus
(*Pat.* 13, 5 ; *Marc.* V, 15, 3 ; *Cast.* 10, 1 ; *Mon.* 8, 1). Pour
la *iunctura*, cf. *Cult.* II, 11, 2 : *sanctitas et grauitas*. — **nec** :
= *non* (*supra*, 3, 2). — **antecessores** : d'origine militaire
(B. Afr., 12, 1 « éclaireur, avant-coureur »), apparaît chez
Apul., *Flor.*, 9, 31 ; 15, 27, avec le sens de « devancier, prédé-
cesseur » dans une charge, une fonction. Tert. s'inscrit dans
une « tradition », celle-là même qui fait remonter l'Église
aux apôtres et qui garantit son autorité et son authenticité
(le mot est d'ailleurs appliqué à la succession apostolique
en *Praes.* 23, 1 ; 32, 1) : c'est une « prescription » contre les
hérésies (*Praes.* 32, 1 s. ; Fredouille, p. 223 s.) ; de plus, ces
prédécesseurs ont été « contemporains » des hérésiarques,
ce qui accrédite encore la polémique présente contre les
valentiniens. Cf. en contexte montaniste *Virg.* 3, 1 : « Sed
nec inter consuetudines dispicere uoluerunt illi sanctissimi
antecessores ». De « juridique » le mot n'a sous la plume de

Tert. guère plus que la « couleur » : ainsi comme parallèle
à *Pud.* 5, 15 : « moechum... idololatrae successorem, homi-
cidae antecessorem, utriusque collegam » (cité par A. Beck,
Römisches Recht bei Tertullian und Cyprian, Aalen 1967²,
p. 104) on peut citer *Pud.* 5, 6 : « Pompam quandam atque
suggestum aspicio moechiae, hinc ducatum idololatriae
antecedentis, hinc comitatum homicidii insequentis ». —
haeresiarcharum : première attestation du mot en latin
et seule occurrence chez Tert. (cf. *TLL* s. u. col. 2500, 80 ;
A. Michel, *DTC* VI, col. 2207-2208). — **contemporales** :
apparaît chez Tert. (Aul. Gel., *Nuits,* 19, 14, *contemporaneus*
(+ dat.) est un hapax) qui le construit soit, comme ici,
+ génit. (*An.* 27, 4, où *eiusdemque* = *eiusdem,* cf. L. H. S.,
p. 188), soit + dat. (*Marc.* I, 15, 4), soit absolument (*Herm.*
6, 2 ; 7, 5); peu attesté ensuite (cf. *TLL* s. u. col. 652, 63).
En *Res.* 45, 5, *contemporo* est un hapax. — **prodiderunt
et retuderunt** : les deux verbes correspondent très exactement au titre de l'ouvrage d'Irénée : « Ἔλεγχος καὶ ἀνα-
τροπή τῆς ψευδώνυμου γνώσεως (cf. *supra,* p. 20). Peut-on
en déduire que les traités des autres auteurs ici cités
étaient construits selon le même schéma binaire ? C'est
d'ailleurs le projet que Tert. avait peut-être envisagé de
réaliser, en deux temps (cf. *supra,* p. 11). *Retundere* =
refellere, comme souvent chez Tert. (*Marc.* II, 29, 1 ; *Prax.*
20, 1 ; etc. Waszink, p. 120). Pour les « sources » de l'opuscule,
supra, p. 27. s. — **sophista** : = *philosophus,* sans nuance
péjorative ici, cf. Waszink, p. 356 ; G. W. Bowersock, *Greek
Sophists in the Roman Empire,* Oxford 1969, p. 10-12 ;
Fredouille, p. 352-353. — **curiosissimus** : Irénée avait
conscience d'avoir fait un travail important de documenta-
tion et de recherche, estimant que ses prédécesseurs avaient
une connaissance insuffisante du gnosticisme (cf. *Haer.,* IV,
Praef. 2, cité *supra,* 3, 5). Sur cette « curiosité » légitime,
Fredouille, p. 427 s. — **explorator** : ce sens « intellectuel »
apparaît chez Apul., *Flor.,* 18, 30 : « Thales... geometriae...
primus repertor et naturae rerum certissimus explorator
et astrorum peritissimus contemplator » ; Tert. emploie
encore ce mot à deux reprises, *Apol.* 5, 7 : « Hadrianus...
omnium curiositatum explorator » et *Marc.* V, 17, 1 : « Mar-

cion... quasi... diligentissimus explorator » (où Tert. précisément ne reconnaît pas cette qualité à l'hérétique). — **Proculus** : *supra*, p. 28. L'identification avec le personnage
mentionné en *Scap.* 4, 5, semble devoir être exclue (Quac-
quarelli, Comm. à *Scap.*, p. 110). — **uirginis** : cf. *Virg.* 8,
3 : « qui inter uiros uirgo est » ; 10, 1 : « uiri autem tot uir-
gines » ; etc. Hoppe, *Synt.*, p. 95. Cf. *supra*, s. u. *sanctitate*.
— **Christianae eloquentiae** : cf. Fredouille, p. 353. —
opere fidei : « œuvre dont l'objet est la foi, inspirée par la
foi ». L'expression, qui ne se rencontre pas dans les autres
traités de Tert., provient sans doute de *I Thess.* 1, 3 :
τοῦ ἔργου τῆς πίστεως (cf. *II Thess.* 1, 11). Pour désigner
les « œuvres de foi », en général ou en particulier, Tert.
recourt le plus souvent au pluriel (outre l'expression biblique
bona opera, par ex. *opera dilectionis, caritatis*, etc. ; *infra*, 30,
2 : *opera sanctitatis et iustitiae*; ou bien *Iei.* 9, 1 : *abstinentiae
operationes* ; cf. *infra*, 30, 1 : *operationes*) ; quelquefois le
sg. *operatio* (*Virg.* 13, 2 : *eleemosynae operatio* ; 14, 2 : *omnis
operatio*) ; *opus* paraît exceptionnel (cf. *Virg.* 14, 1 : « ad
huiusmodi (*sc.* uirginitatis) opus »). Cf. W. J. Teeuwen,
Sprachlicher Bedeutungswandel bei Tertullian, Paderborn
1926, p. 130 ; H. Pétré, *Caritas*, Louvain 1958, p. 241 s.
— **in isto** : = *in hoc*, fréquent dans la langue tardive, mais
beaucoup plus ancien (cf. L. H. S., p. 184), et par conséquent
sans caractère spécifiquement « africain » contrairement à
ce que laisse entendre Hoppe, *Synt.*, p. 104. — **optaue-
rim** : subj. potentiel, cf. *infra*, 6, 2 ; 7, 2. 4 ; etc.

    5, 2. Aut si : cf. *supra*, 2, 1. — **in totum** : = *omnino*,
très féquent chez Tert. (*infra*, 32, 2 ; Hoppe, *Synt.*, p. 101) ;
depuis Celse (L. H. S., p. 276). — **haereses** : cf. *supra*, 1, 1.
— **finxisse credantur** : cf. *supra*, 5, 1 : *dicemur finxisse
et* p. 24. — **mentietur** : valeur d'insistance du fut. potentiel,
cf. *supra*, 3, 2 *pudebit*. De même phrase suivante (*non aliae*)
erunt ; mais la nuance n'est pas identique dans les deux
cas : *mentietur* = « il faudrait supposer que... » ; *erunt* =
« elles ne peuvent pas être autres que... ». — **apostolus** :
cf. *supra*, 2, 3. — **praedicator** : cf. *supra*, 1, 1 : *praedicant*.
Allusion à *I Cor.* 11, 19 : δεῖ γὰρ καὶ αἱρέσεις ἐν ὑμῖν εἶναι,

souvent invoqué par Tert. (*Praes.* 4, 6 ; 30, 4 ; 39, 1.
7 ; *Herm.* 1, 1 ; *Marc.* V, 8, 3 ; *Res.* 40, 1 ; *An.* 3, 1 ;
Prax. 10, 8) ; sur les hérésies du temps de saint Paul, *supra*,
3, 4. — **stilo** : fréquent chez Tert. au sens d' « ouvrage »
(Hoppe, *Synt.*, p. 123). Sans doute dat. final (« pour son
ouvrage, en vue de son ouvrage »). — **ut** : la seconde place
de la conjonction est un trait archaïque et poétique (cf.
J. Marouzeau, *L'ordre des mots en latin*, Paris 1953, p. 82-85),
mais non absent de la prose cicéronienne (cf. Cic., *Lae.*, 87 :
« si quis asperitate ea est et immanitate naturae, congressus
ut hominum fugiat atque oderit... ») ; cf. *infra*, 14, 1. —
materias : cf. *supra*, 5, 1.

b. Problèmes de traduction et dessein de l'ouvrage
(chap. VI).

La description du système valentinien pose un
problème de traduction : le plus souvent on conservera
les noms grecs des éons en donnant la traduction
dans la marge ; dans les quelques cas où ces noms
seront directement traduits dans le texte, la forme
grecque sera néanmoins indiquée entre les lignes,
au dessus du nom traduit § 1-2). Pour ce qui est de
la conception même de l'ouvrage, on s'est contenté
ici de raconter la doctrine valentinienne, sans chercher
à la réfuter, et si elle fait rire le lecteur, c'est qu'elle
est risible en soi. Le lecteur aura d'ailleurs raison
de rire, car la vérité a le droit de se moquer de l'erreur
(§ 2-3).

6, 1. libello : diminutif de « modestie » que Tert. utilise
volontiers pour désigner ses traités, de quelque dimension
qu'ils soient (*Marc.* I, 1, 7 ; *Carn.* 7, 1 ; 8, 3 ; *An.* 55, 5 ;
etc.). — **demonstrationem** : terme de rhétorique (= gr.
ὑποτύπωσις), cf. *Rhét. Her.*, 4, 68 : « Demonstratio est cum
ita uerbis res exprimitur, ut geri negotium et res ante oculos
esse uideatur ». Cette « figure » (dite encore *subiectio* ou
descriptio) convient tout à fait à cette partie du discours
qu'est la *narratio* en contribuant à la rendre plus « claire »

COMMENTAIRE 5, 2 - 6, 1

et plus « évidente » (cf. Quint., *Inst. or.*, 4, 2, 123 ; *supra*,
p. 23, n. 3). — **praemittentes sumus** : tour périphrastique, attesté dès Plaute et relevant de la *Volkssprache*
(L. H. S., p. 388), fréquent chez Tert. (Hoppe, *Synt.*,
p. 60). — **arcani** : sous sa forme substantive ou adj. fréquemment appliqué par Tert. aux doctrines gnostiques (*Carn.* 19,
1 ; *Res.* 19, 6 ; 63, 6 ; *Scorp.* 10, 1 ; *An.* 18, 3. 4 ; 50, 2 ;
infra, 8, 4) ; également au paganisme (*Bapt.* 2, 2 : « idolorum
sollemnia uel arcana » = μυστήρια ; *Res.* 24, 18 = *II Thess.*
2, 7) ; mais attesté aussi en contexte chrétien (*Praes.* 22, 3 ;
Vx. II, 5, 3 ; *Marc.* II, 19, 1 ; IV, 35, 7 ; *Idol.* 5, 3 ; *Pal.* 3, 5),
sans qu'il faille en déduire l'existence d'une discipline du
secret (cf. *supra*, p. 179 s. ; pour *Nat.* I, 7, 19, *supra*, 1, 4) ;
pour désigner la religion juive : *Apol.* 16, 3 ; enfin avec un
sens neutre (« archives », « secret », etc.) : *Apol.* 21, 19 ; 47,
12 ; 48, 14 ; *Res.* 35, 4 ; *infra*, 32, 4. Cf. Waszink, p. 258.
— **nominibus** : ceux des éons, cf. *supra*, 3, 4 ; 4, 2 ; *infra* 6,
2 ; 8, 2 ; 9, 2 ; 12, 5 ; 14, 1 ; etc. — **coactis** : cf. *supra*, 1, 3.
— **compactis** : le sens « linguistique » de *compingo* apparaît
chez Aul. Gel., *Nuits*, 11, 16, 4 : « ex multitudine et negotio
uerbum unum (= πολυπραγμοσύνη) compingere », et Front.,
Epist. M. Caes., 1, 6 : « Graece nescio quid ais te compegisse,
quod ut aeque pauca scripta placeat tibi ». Hormis ce passage, Tert. emploie ce vb. avec son sens courant (« assembler,
joindre »), par ex. *infra*, 12, 4. — **ambiguis** : même sens
infra, 12, 5 ; cf. *Res.* 21, 3 : « disciplina... ambigue adnuntiata
et obscure proposita » ; 63, 7 : *ambiguitatis obscuritate* ;
supra, 1, 4. — **quomodo... sumus** : inter. ind. à l'ind.,
cf. *infra*, 20, 3. — **proinde** : = *perinde*, en fonction adjective,
cf. Waszink, p. 408 ; Bulhart, *Praef.*, § 35 ; Schneider, p. 162.
— **formam** : au sens grammatical et « morphologique »,
cf. *TLL* s. u. col. 1079, 53. — **nec** : = *ne... quidem* (class.).
— **genera** : cf. *infra*, 34, 1 ; *TLL* s. u. col. 1901, 10. Tert.
distingue donc trois catégories de noms grecs d'éons dont
la traduction latine est délicate : d'une part ceux qui n'ont
pas leur équivalent exact et simple (par ex. Προαρχή,
Αὐτοφυής, etc.), d'autre part ceux dont la traduction latine
pose un problème de genre grammatical (par ex. Νοῦς, mais
Mens ; Σιγή, mais *Silentium*), enfin ceux qui désignent un

concept plus familier au grec qu'au latin (par ex. Παράκλητος, Ἐκκλησιαστικός, etc.).

6, 2. plurimum : = *persaepe* ; cf. *Apol.* 7, 4. 8 ; etc. Min. Fel., *Oct.*, 14, 3 ; etc. — **Graeca ponemus** : très vraisemblablement en caractères grecs, mais hormis quelques rares exceptions (*infra*, 7, 3) les copistes ont transcrit les termes grecs en caractères latins. Sur ces difficultés de traduction du grec en latin auxquelles se heurte Tert., on rapprochera les réflexions de Lucr., *De rer. nat.*, 1, 136-139 ; 830-832 ; etc. ; Cic., *Fin.*, 3, 3 s. ; *Tusc.*, 2, 35 ; *Nat. deor.*, 1, 8 ; etc. ; Sén., *Luc.*, 9, 2 ; 58, 1 s. ; 87, 40 ; etc. ; Apul., *Apol.*, 38, 5-9 ; etc. Cf. A. S. Pease, ed. *Nat. deor.*, t. 1, p. 143-145 ; R. Poncelet, *Cicéron traducteur de Platon*, Paris 1957. — **significantiae** : apparaît chez Quint., *Inst. or.*, 10, 1, 121, avec le sens de « valeur expressive, force d'expression » (cf. *Res.* 21, 1 : « ut nullam admittant figuratae significantiae suspicionem ») ; mais ici = *significationes* (cf. *infra*). — **limites** : sur l'utilité de prévoir des « marges » au moment de la rédaction, cf. Quint., *Inst. or.* 10, 3, 32-33 : « Relinquendae autem... erunt uacuae tabellae, in quibus libera adiciendi sit excursio. Nam interim pigritiam emendandi angustiae faciunt aut certe nouorum interpositione priora confundunt... Debet uacare etiam locus in quo notentur quae scribentibus solent extra ordinem, id est ex aliis, quam qui sunt in manibus loci occurrere » ; Jérôme, *Lettres*, 52, 2 : « ... ex latere in pagina breuiter adnotans quem intrinsecus sensum singula capita continerent ». Cf. W. Wattenbach, *Das Schriftwesen im Mittelalter*, Leipzig 1896[3] (= Graz 1958), p. 343. — **in lineis desuper** : c'est l'*interpositio* (cf. Cic., *Fam.*, 16, 22, 1 ; Quint., *Inst. or.*, 10, 3, 32, *supra*). Tert. adopte donc ce double principe : en règle générale, il donnera la traduction latine des noms des éons dans la marge ; dans les cas où il utilisera dans le texte l'équivalent latin, il prendra soin néanmoins d'intercaler entre les lignes, au-dessus du nom latin, l'original grec, afin que grâce à ce procédé « typographique » le lecteur puisse distinguer éventuellement entre « nom propre » d'éon et « nom commun » de notion (par ex. l'éon Aléthéia et le concept de « vérité »). Naturellement, la traduction manuscrite n'a reproduit ni les traductions marginales en latin, ni les « interpositions » en grec ; peut-être cependant en a-t-elle conservé des traces (*infra*, 9, 4 et 10, 3 ; 35, 2). Au sens de *uersus scripturae* il semble que *linea* ne soit pas attesté ailleurs (*TLL* s. u. col. 1437, 3). — **personalium nominum** : cf. *supra*, 4, 2 ; p. 17, n. 2 ; *infra*, 7, 3. — **ambiguitates** : équivoques dues à leur dualité de signification (selon que ces termes sont employés comme noms de personnes ou comme appellatifs). Cf. par ex. l'équivoque sur *inpatientia* due à sa dualité de sens, que signale Sén., *Luc.*, 9, 2 : « In ambiguitatem incidendum est si exprimere ἀπάθειαν uno uerbo cito uoluerimus et inpatientiam dicere : poterit enim contrarium ei quod significare uolumus intelligi ». *Supra*, 1, 4. — **communicant** : Tert. est le premier à employer ce vb. intransitivement ; cf. *An.* 5, 5 ; *infra*, 9, 1 (+ dat.) ; Hoppe, *Synt.*, p. 27 ; *TLL* s. u. 1957, 50 s. ; mais *infra*, 25, 2 : constr. trans.

Quamquam... distulerim : le subj. pft. potentiel en prop. subord. n'est fréquent que dans la langue post-class. (L. H. S., p. 334) ; pour Tert. nombreux ex. dans Hoppe, *Synt.*, p. 67 ; cf. *supra*, 5, 1 ; *infra*, 7, 2. 4. — **congressionem** : cf. *supra*, 3, 5. — **narrationem** : cf. *supra*, p. 13 s. — **suggillari** : terme populaire (« couvrir de bleus, meurtrir »), et par suite « flétrir, bafouer » (à partir de T. Liv., 4, 35, 10) fréquent chez Tert., qui utilise également *suggillatio* (cf. *Apol.* 4, 1 ; 11, 4 ; 39, 14 ; *Praes.* 8, 5 ; 23, 1 ; etc.). — **delibatione transfunctoriā** : abl. de qualification, cf. R. Braun, *AFLNice* 11 (1970), p. 126, n. 19. *Transfunctoria* : deux occurrences seulement de ce néologisme (ici et *Marc.* I, 27, 1) dont le sens est « fait avec négligence, comme en passant » ; *delibatione* : terme rare (cf. *TLL* s. u. col. 437, 68) dont le sens figuré qu'il a ici (« atteinte légère, effleurement ») apparaît déjà dans le vb. *delibo* (« effleurer, prélever doucement »), cf. *TLL* s. u. col. 441, 21. 76. *Delibatio* au sens propre en *Pat.* 8, 1 ; *Marc.* I, 22, 8 ; *Res.* 7, 2. — **expugnatio** : = *oppugnatio*, cf. *supra*, 3, 3. — **lusionem** : sur les engagements à armes mouchetées (*lusio, prolusio*) qui préludaient aux véritables combats de gladiateurs, cf. J. Carcopino, *Vie quotidienne*, p. 277. Rapprochements avec Cic., *De*

orat., 2, 316-317 ; 325, dans Fredouille, p. 136 ; *supra*, p. 14.
Même métaphore *Marc.* III, 5, 1 : « His proluserim quasi
de gradu primo adhuc et quasi de longinquo ». — **deputa :**
= *puta*, déjà chez Plaute et Térence, mais non dans la
prose classique ; *supra*, 3, 3. Ici + double acc. (s. ent. « ea
quae dicturus sum ») ; pour les différentes constructions de
ce vb. chez Tert., Schneider, p. 126 ; *infra*, 20, 2 ; 22, 1 ;
24, 2 ; 25, 3 ; 30, 1 ; 32, 1. 5 ; 34, 1. — **lector :** Tert.
n'abuse pas du procédé puisqu'il n'interpelle directement
son lecteur qu'en deux autres occasions : *Marc.* III, 6, 1 et
IV, 6, 4. En revanche, dans le même ordre d'idées, il recourt
très fréquemment à l'artifice « diatribique », consistant à
s'adresser à un interlocuteur fictif, du type « habes... » (« et
maintenant tu connais... »), généralement pour conclure
un exposé (cf. *infra*, 24, 3 ; 25, 3 ; Bulhart, *Tert. St.*, § 43 ;
TLL s. u. « habeo », col. 2436, 73) ; également, selon la
tradition satirique, il apostrophe volontiers les destinataires
de ses traités (*Apol.* 1, 1 : « Romani imperii antistites » ;
Marc. I, 1, 5 : « Ne tu, Euxine, ... » ; V, 1, 2 : « Quamobrem,
Pontice nauclere, ... » ; *Mon.* 12, 5 : « Euasisti, psychice, si
uelis... » ; *Iei.* 12, 4 : « Spiritus diaboli est, dicis, o psychice » ;
Pud. 21, 16 : « Quid nunc et ad ecclesiam et quidem tuam,
psychice ? » ; etc. — **ante pugnam :** reprise de *distulerim
congressionem* (*supra*), métaphore qui, avec *supra* 3, 5
(*hunc primum cuneum congressionis*), annonce un ouvrage
de réfutation plus important contre les valentiniens ; cf.
supra, 11, 25. — **imprimam uulnera :** expression attestée
depuis Sén. Rh., *Contr.*, 1, 8, 3, et relativement fréquente,
cf. *TLL* s. u. « imprimo », col. 682, 3 ; R. Braun, *AFLNice*
11 (1970), p. 126.

6, 3. Si... satisfiet : le rire suscité par le sujet lui-même
(les *res*), non par des plaisanteries sur les mots : la distinction
est cicéronienne, cf. Fredouille, p. 152 s. ; *supra*, p. 16 s. —
digna... reuinci : cette constr. (+ inf. act. ou pass.) appartient à la poésie et à la prose impériale ; usuelle chez Tert.
(cf. Hoppe, *Synt.*, p. 49). — **ne :** = *ut non* (annoncé par *sic*) ;
substitution qui apparaît chez Columelle (L. H. S., p. 641),
dont Tert. offre plusieurs ex. (Hoppe, *Synt.*, p. 82). — **ador-**

nentur : cf. « Valentiniana », p. 55-56 ; ajouter : *Nat.* II, 4, 17 : « otium adfectatae morositatis eloquii artificio adornatum » ; cf. aussi *Cult.* I, 1, 2. — **proprie... cedit** : « échoit en propre à » (= *proprie euenit, contingit* ; cf. *TLL* s. u. « cedo », col. 732, 42). *Festiuitas*, terme cicéronien (*De orat.*, 2, 219) : cf. Fredouille, p. 155. — **Congruit** : = *decet* (*TLL* s. u. « congruo », col. 301, 37). — **laetans** : nouvel attribut de la « vérité », après la « simplicité » (*Supra*, 2, 1 s.) et la « scotophobie » (*supra*, 3, 1 s.). Cf. l'allégorie de Patience, dont les « sourcils expriment la joie » et le « rire est plein de menaces » (*Pat.* 15, 4 ; Fredouille, p. 60 s.) ; également notre chapitre « De risu », *ibid.*, p. 149 s. Mais l'idée est tout autant valentinienne : cf. le début de l'*Évang. Vérité*, 16, 31 : « L'Évangile de la Vérité est joie... » ; *Extr. Théod.*, 65, 2 ; *infra*, 12, 2. — **de aemulis... ludere** : au lieu de : + acc. ; de même, substitué à *ridere* + acc., *ridere de* + abl. (*Apol.* 2, 17). — **secura** : *Nat.* I, 6, 1 : « His propositionibus responsionibusque nostris quas ueritas de suo suggerit » ; II, 1, 5 : « Veritas... ipsa de sua uirtute secura est » ; *Apol.* 23, 7 : « Simplicitas ueritatis (= simplex ueritas) in medio est, uirtus illi sua assistit » ; *Scorp.* 1, 4 : « fides de suo tuta est ». Cf. Cic., *Lucul.*, 36 : « Facile etiam nobis absentibus nobis ueritas se ipsa defendet ». — **plane** : ironique (cf. *supra*, 1, 1) = *sane* (nombreux ex. dans Hoppe, *Synt.*, p. 112). — **ne risus... rideatur** : *rideatur* = *derideatur* (cf. *supra*, 3, 3). Opposition traditionnelle entre « faire rire » (de quelque chose ou de quelqu'un) en se montrant plaisant (*rideri*) et « faire rire » à ses dépens, en étant ridicule (*derideri*) ; cf. Cic., *De opt. gen. or.*, 11 : « cum, ... ad causas... adhibiti, derideantur ; nam si riderentur, esset id ipsum Atticorum » ; Pétr., *Satir.*, 61, 4 : « satius est rideri quam derideri » ; Quint., *Inst. or.*, 6, 3, 7 : « a derisu non procul abest risus ». — **officium** : cf. Fredouille, p. 115. — **Denique** : = *ita, itaque* (*supra*, 3, 5).

2ᵉ Partie : LA NARRATIO : LE MYTHE VALENTINIEN
(chap. VII-XXXII)

1. La formation du Plérôme (chap. VII-XIII).

a. L'Ogdoade (chap. VII).

Pour décrire la demeure des dieux valentiniens,
telle expression d'Ennius évoquant l'Olympe serait
inadéquate, tant les étages se superposent les uns
au-dessus des autres (§ 1-2). Au sommet habite le
dieu... Abîme, dont les valentiniens énumèrent tous
les attributs comme si cela suffisait à prouver qu'il
les possède (§ 3-4). Avec ce dieu coexiste d'ailleurs
un autre principe, féminin celui-là, Ennoia, avec
qui il forme la première syzygie (§ 5). De celle-ci
proviennent Noûs et Vérité, ces quatre éons constituant la première tétrade. A leur tour Noûs et Vérité
émettent Verbe et Vie (§ 6), qui eux-mêmes procréent
Homme et Église (§ 7). On a donc l'Ogdoade, principe
du Plérôme tout entier (§ 8).

7, 1. Primus : traditionnel dans l' « éloge » : cf. Lucr.,
De rer. nat., 1, 117 : « Ennius... qui primus... » ; 1, 66-67 :
« primum Graius homo... primusque... » ; etc. Quint., *Inst.
or.*, 3, 7, 16 : « sciamus gratiora esse audientibus quae solus
quis aut primus aut certe cum paucis fecisse dicetur... ».
Pour Tert., cf. *Apol.* 19, 1 *(Fuld.)* : « Primus prophetes,
Moyses... » ; *Cor.* 8, 2 : « Primus litteras Mercurius enar-
rauerit » ; etc. Cf. K. Thraede, art. « Erfinder II (geistesges-
chichtlich) », *RLAC*, t. 5, col. 1230. — **Ennius** : suppression
arbitraire de Kroymann (cf. « Valentiniana », p. 56). Autre
souvenir d'Ennius *(Ann.,* 1, 13 W) en *An.* 33, 8 et
peut-être aussi en *Apol.* 9, 13 : « uel intra uiscera sepulto »
(Ann., 2, 142 W : « Heu ! quam crudeli condebat membra
sepulchro ») ; mais ce vers a été souvent imité (Acc., *Atrée*,
226 Ribbeck ; Lucr., *De rer. nat.*, 5, 990 ; Ov., *Mét.*, 15, 88)
et Tert. a pu s'inspirer en particulier de l'un de ces deux

derniers qu'il connaissait bien ; cf. Waltzing, p. 77 ; R. Braun, « Tertullien et les poètes latins », p. 25, *AFLNice* 2 (1967), p. 21-33. Sur la gloire d'Ennius en Afrique à l'époque de Tert., cf. G.Ch. Picard, *La civilisation de l'Afrique romaine*, Paris 1959, p. 302. — **elati... nomine** : cette interprétation repose sur le sens dérivé de *caenaculum*, « étage supérieur » cf. Var., *Ling. Lat.*, 5, 162 : « Posteaquam in superiore parte cenitare coeperunt, superioris domus uniuersa cenacula dicta » ; cf. *infra*, 31, 2. *Nomine* + génit. : *infra*, 28, 2 (Hoppe *Synt.*, p. 30). — **epulantem** : cette seconde interprétation repose sur le sens premier de *caenaculum*, « salle à manger » : Var., *ibid.* ; « ubi cenabant cenaculum uocitabant » (cf. J. Collart, Comm. *ad loc.*, p. 248-249). Le passage d'Homère auquel Tert. fait allusion n'est guère identifié. Pour Ennius, E. H. Warmington, *Remains of Old Latin*, t. 1, London 1961[3], p. 20-21, suggère de voir dans cette expression une allusion à l'assemblée des dieux réunis pour se prononcer sur le destin de Romulus (cf. Ov., *Mét.*, 14, 812 s.). — **hae-retici** : cf. *supra*, 1, 1. — **quantas** : = *quam multas* (cf. *infra*, 15, 3), de même que *infra*, 7, 3, *tanta* = *tam multa* ; cf. Hoppe, *Synt.*, p. 106. — **supernitates supernitatum** : seules attestations du mot. Le génit. de renchérissement, suivi immédiatement d'un second (*sublimitates sublimi-tatum*), bien attesté dans la langue depuis Plaute, a pu être influencé également, chez les écrivains chrétiens, par les tournures bibliques du type *saecula saeculorum, caeli cae-lorum*, etc. (cf. L. H. S., p. 55) ; mais Tert. n'y recourt que rarement, cf., dans un contexte également polémique, *Pud.* 1, 6 : *episcopus episcoporum*. Pour le plur. de l'abstrait, *supra*, 4, 4. — **in** : valeur finale comme souvent chez Tert. (Hoppe, *Synt.*, p. 39). — **habitaculum** : terme introduit par Aul. Gel., *Nuits*, 5, 14, 21, pour désigner la « tanière » du lion, et qui, avec ce sens ou celui de « maison, habitation », ne se rencontre presque exclusivement qu'en trad. de la Bible et chez les auteurs chrétiens (cf. *TLL* s. u. col. 2466, 20). Comparer les plaisanteries sur les demeures des dieux de Lact., *Inst. diu.*, I, 16, 12, citant Ov., *Mét.*, 1, 173. — **dei sui cuiusque** : chacun des éons constituant le Plérôme, cf. *infra*, 7, 2 : *unicuique deo*.

7, 2. creatori nostro : plutôt que dat. d'intérêt, sans
doute « datiuus auctoris », très fréquent chez Tert. (Hoppe,
Synt., p. 25). Par *creator*, qu'il a rapproché du sens dévolu
à *conditor*, Tert. oppose d'une manière générale le *Deus
Christianorum* au Dieu ou aux entités des hérétiques (cf.
Braun, p. 372 s.). — **disposita sint** : subj. concessif (ironique). *Dispono* (*TLL* s. u. col. 1422, 44), *distribuere* (*TLL*
s. u. col. 1545, 24) : termes d'architecture également (Vitr.,
De arch., 3, 4, 3 ; 5, 15 ; 4, 1, 2 ; 2, 5 ; etc.) ; de même
forma, « configuration, aspect extérieur » (cf. Suét., *Néron*,
16, 1 ; *TLL* s. u. col. 1070, 43). — **scalas** : cf. P. Fest.,
p. 54 : « cenacula dicuntur ad quae scalis ascenditur ».
— **haereses** : cf. *supra*, 1, 1. — **fuerint** : subj. potentiel
(*supra*, 6, 2). — **meritorium** : le contexte, la hauteur et les
dimensions ironiquement prêtées à la demeure des dieux
valentiniens, invitent à la concevoir comme une *insula* et
non comme une *taberna* ; quant au sens de « lupanar ubi
sunt scorta meritoria », il n'apparaît que plus tard, dans
l'*Histoire Auguste* (cf. *TLL* s. u. « meritorium », col. 843,
66). La « concession » faite aux valentiniens consiste donc
en ceci : même si l'on admettait le principe des espaces
hiérarchisés du « ciel », la cosmologie valentinienne, par sa
complication, la diversité des lieux célestes qu'elle postule,
en devient grotesque. Sur l'indifférence des chrétiens aux
représentations cosmologiques, cf. R. Minnerath, *Les chrétiens et le monde*, Paris 1973, p. 36 s. ; à l'inverse, pour leur
importance dans les systèmes gnostiques, Orbe, *Est. Val.*
V, p. 105 s.

7, 3. Insulam Feliculam : « gratte-ciel » situé dans la
IXe région, mentionné par les « Régionnaires », dont un
certain Féliclès fut sans doute le constructeur ou le pro-
priétaire (cf. S. B. Platner-T. Ashby, *A topographical Dictio-
nary of ancient Rome*, London 1929, p. 281 ; L. Homo, *Rome
impériale et l'urbanisme dans l'Antiquité*, Paris 1951, p. 555.
Pour mémoire seulement : E. Nöldechen, « Das römische
Kätzchenhotel und Tertullian nach dem Parthkrieg »,
Zeitschrift für wiss. Theologie 31 (1888), p. 207-249 ; 343-351.
Vraisemblablement Tert. adapte à son propos un thème

satirique : cf. Juv. *Sat.*, 3, 197 s. ; Carcopino, *Vie quotidienne*,
p. 41. Il ne paraît pas y avoir eu d'immeubles à plusieurs
étages en Afrique, cf. G. Ch. Picard, *Civilisation de l'Afrique
romaine*, p. 220. — **tanta** : *supra*, 7, 1. — **tabulata cae-
lorum** : *Scorp.* 10, 1 (sur l'itinéraire des âmes dans l'eschatologie valentinienne) : « Nimirum cum animae de corporibus
excesserint et per singula tabulata caelorum de receptu dis-
pici coeperint » ; *infra*, 32, 1-3 ; Orbe, *Est. Val.*, V, p. 116 s.
Pour l'expression, cf. Sén., *Luc.*, 88, 22 (sur les décors
de théâtre) : « pegmata per se surgentia... et tabulata tacite
in sublime crescentia ». — **substantialiter... personaliter** :
supra, 4, 2 ; 6, 2. Dans le système ptoléméen, Éon Parfait,
Propator, Proarché, Bythos sont des « noms propres » : mais
le premier (Éon Parfait) désigne la substance personnelle
du Dieu suprême en tant que dotée de toutes les perfections
(celles-ci n'apparaissent pas au même degré chez les autres
éons), tandis que les autres noms désignent cette même
substance en tant qu'elle se distingue des autres éons par
le mode d'existence (Propator étant inengendré, les éons
étant «proférés») ; cf. Braun, p. 223 s.; Moingt, II, p. 656.
Sur ces noms Propator (Pro-père) et Proarché (Pro-principe),
cf. Sagnard, p. 296 et 331. Bythos (Abîme) apparaît déjà
chez Valentin, frg. 8 (= Hippol., *Refut.*, VI, 37, 6-8), cf.
Sagnard, p. 125. — **in sublimibus** : Irén., I, 1, 1 : ἐν...
ὑψώμασι — **congruebat** : Tert. n'abuse pas des plaisanteries
sur l'étymologie, cf. *supra*, p. 17. — **Innatum** : ἀγέννητος ;
attesté pour la première fois chez Tert. qui l'applique aussi
au *Deus Christianorum* (Braun, p. 49). — **inmensum
infinitum** : traduisent ἀχώρητος. Comme attribut de Dieu,
inmensus ne se rencontre qu'en *Apol.* 17, 2 et *infinitus*
uniquement pour désigner le Dieu valentinien ou la matière
incréée telle que la conçoit Hermogène (*Herm.* 38, 1), cf.
Braun, p. 52. — **inuisibilem** : ἀόρατος ; comme prédicat
divin, cf. Braun, p. 53. Pour souligner sa transcendance, les
valentiniens décrivent le Dieu suprême surtout en termes
négatifs (Sagnard, p. 331 ; Orbe, *Est. Val.*, I, 1, p. 32 s. ;
cf. *Tract. Tripart.*, p. 51, 28 : le Père est « inengendré » ;
p. 52, 6 « sans commencement » ; p. 52, 7 : « sans fin » ; p. 56,
10-11 : « infini » ; etc.). L'abus de cette théologie apophatique

a entraîné, de la part de Tert., une certaine réserve à l'égard
de cette terminologie (Braun, p. 65 ; *supra*, p. 42 s.). Cf.
en dernier lieu R. Tremblay, *La manifestation et la vision de
Dieu selon saint Irénée de Lyon*, Münster 1978. — **aeternum** :
αἰώνιος, ἀΐδιος. Sur les réserves de Tert. également à
l'égard de l'expression *Deus aeternus*, trop marquée sans
doute par ses attaches avec le culte impérial, cf. Braun,
p. 79. — **definiunt** : Tert. est l'un des premiers à constr. ce
verbe en ce sens avec un double acc. (s. ent. *eum = Bython*)
cf. *Herm.* 2, 4 : « bonum et optimum definiens deum » ; etc.
TLL s. u. col. 346, 48, qui ne cite pas d'autres ex. postérieurs.
— **quasi... definiant** : attribuer un nom ou un qualificatif
à un être ne suffit pas pour qu'il possède effectivement les
qualités qu'on lui prête de cette façon ; cf. *Marc.* I, 7, 2-3 :
« Si communio nominum condicionibus praeiudicat, quanti
nequam serui regum nominibus insultant, Alexandri et
Darii et Olofernae ? Nec tamen ideo regibus id quod sunt
detrahetur. Nam et ipsa idola gentium dei uulgo, sed deus
nemo ea re, qua deus dicitur. Ita ego non nomini dei nec
sono nec notae nominis huius summum magnum in creatore
defendo, sed ipsi substantiae, cui nomen hoc contigit »
(sur la doctrine « linguistique » sous-jacente à ce passage,
cf. Braun, p. 693). Cette idée nous a dissuadé de donner à
esse sa valeur pleine (« comme si c'était fournir la preuve
immédiate de son existence »). *Quasi statim...* : cf. *supra*,
2, 1. (7, 4) — **ut sic... dicatur** : texte et traduction délicats,
mais le sens général ne paraît guère douteux. *Sic (esse)* :
cf. *supra*, 3, 4. — **ante omnia** : = *ante omnes res, ante
mundum* (cf. Moingt, III, p. 1041) ; de même *infra*, 7, 4
post omnia (= *post mundum, postquam mundus fuit*).

7, 4. ut sit expostulo : *expostulo*, relativement fréquent
chez Tert. ; la construction + *ut* est assez rare avant lui (à
partir de Front., *Strat.*, 4, 1, 33), cf. *TLL* s. u. col. 1776,
73. — **huiusmodi** : pratiquement équivalent d'un subst.
indéclinable (cf. *eiusmodi*) ; se rencontre aussi bien dans les
tours prépositionnels qu'en fonction de sujet (cf. Hoppe,
Synt., p. 106 ; L. H. S., p. 70 ; Schneider, p. 158). — **post
omnia inueniuntur** : les « dieux » valentiniens n'étant pas

des dieux « créateurs » sont nécessairement postérieurs
à la création. Argumentation analogue dans la polémique
contre Marcion, dont le Dieu n'est pas, lui non plus, un
Dieu créateur ; or la création est la raison et la preuve de
l'existence de Dieu (cf. M. Spanneut, *Le stoïcisme des Pères
de l'Église*, Paris 1969², p. 281-282). — **non sua** : puisque,
précisément, ils n'ont pas créé le monde. *Sua = propria*
(Hoppe, *Synt.*, p. 103). — **Sit itaque** : cf. nos « Valentiniana », p. 57 ; subj. concessif, *supra*, 7, 2. — **infinitis...
aeuis** : renouvellement de la *iunctura* classique *infinitum
tempus* (Lucr., *De rer. nat.*, 1, 550 ; Cic., *De nat. deor.*, 1, 2.
21.22 ; etc. ; *infinita aetas* : Lucr., 1, 233), avec sans
doute un jeu de mots étymologique *aeon* (αἰών) *-aeuum*.
— **ut ita dixerim** : subj. potentiel (*supra*, 6, 2). — **diuinitatis** : cf. *supra*, 3, 4. — **Epicurus** : cf, d'une part : *Nat.* II,
2, 8 : « Epicurei (deum exposuerunt) otiosum et inexercitum
et, ut ita dixerim, neminem » ; *Apol.* 47, 6 ; *Nat.* II, 3, 4 :
« Epicuri duritia » ; *An.* 3, 2 : « Epicuri stupor » ; d'autre
part : *Marc.* I, 25, 3 (comme celui d'Épicure, le Dieu de
Marcion est *immobilis* et *stupens*) ; II, 16, 2 ; IV, 15, 2.
Cf. W. Schmid, art. « Epikur », *RLAC*, t. 5, col. 784.

7, 5. uolunt : cf. *infra*, 15, 1. — **in ipso et cum ipso** :
pour rendre Irén., I, 1, 1 : συνυπάρχειν δ'αὐτῷ. Cette deuxième
« personne » (cf. *supra*, 4, 2) est une individualité distincte
(*cum ipso*), mais qui ne fait pas nombre (*in ipso*) ; il n'y a
pas dualité d'hypostases à proprement parler, mais dédoublement d'une unité ; elle est une « disposition » (Irén. II, 12, 2 :
διάθεσις) de l'éon mâle ; cf. *infra*, 37, 2. Sur les divergences des
valentiniens au sujet du Dieu suprême, *infra*, 34. Les noms
divers de cette seconde personne (cf. la polyonymie dans
la théorie stoïcienne et les religions païennes) reflètent ses
diverses « modalités » : Ennoia : la pensée première de Dieu
tourné vers lui en un acte intuitif ; Charis (Χάρις), gratuité
de la Pensée destinée à manifester par le Verbe les trésors
cachés en Dieu ; Sigè (Σιγή), transcendance du Divin supérieur à toute parole (cf. sur ces dénominations Orbe,
Est. Val., I, 1, p. 294 s.). Pour le rapprochement et le jeu
des prépositions, cf. *Herm.* 3, 2 ; *An.* 12, 3 ; etc. — **accidit** : il

ne paraît guère possible de conserver *accedunt* (malgré Hoppe,
Synt., p. 43 et Moingt, II, p. 657), dont la désinence *-unt*
s'explique vraisemblablement par la proximité de *nominant*,
et que *forte* invite à rejeter. D'autre part, sur la confusion
graphique entre *accēdo* et *accido*, cf. *TLL* s. u. « accedo »,
col. 253, 73 et s. u. « accido », col. 295, 28 (cf. aussi col. 290,
63. 75 ; etc. 294, 55), confusion qui a sans doute entraîné
l'équivalence sémantique partielle de ces deux verbes, qui
se sont rejoints au sens de « être attribué à », dont Tert. est le
premier témoin (Braun, p. 185). Cf. *Pud.* 19, 24 : « Cui enim
non accidet [-ced- *B*]... irasci... ? » ; d'autre part, *infra*, 14, 2.
— **mouere** : la correction *monere* s'appuie sur ἐννοηθῆναι,
qui chez Irén., I, 1, 1 fait sans doute jeu avec Ἔννοια,
mais le sens n'est pas exatement le même. En revanche
mouere (qui a l'avantage de permettre une pointe satirique
grâce au rapprochement avec *quiete* : cf. *Marc.* I, 25, 3-4)
offre un sens plus satisfaisant : « agiter dans son esprit » (cf.
Cic., *Diu.*, 2, 140 : « (res) in animis mouentur et agitantur »),
construit + *de*, comme *supra* : *ludere de* (6, 3). Moingt, II,
p. 657 et Riley conservent également *mouere* (ainsi que
accedunt) avec une traduction qui ne paraît guère acceptable
(le premier : « Ainsi parviennent-ils à le mouvoir..., à tirer
enfin de soi... » ; le second : « Perhaps they served... to
encourage him to produce... »). — **proferendo** : le vb. le
plus utilisé par Tert. pour rendre προβάλλειν. *Procedere*
(*infra*, 7, 6 ; 35, 2) ; *emittere* (*infra*, 7, 6), *edere* (*infra*, 9, 2)
sont plus rares. Sur l'usage orthodoxe de *proferre-prolatio*,
cf. *Prax.* 8, 1-2 ; Orbe, *Est. Val.*, I, 2, p. 519 s. ; Braun,
p. 294 s. ; Moingt, III, p. 975 s. ; *supra*, p. 44. — **tandem** :
c'est la fameuse question « Cur tam sero ? » posée par Tert.
à Marcion, par les païens aux chrétiens (cf. Fredouille,
p. 283-284), et déjà, à l'intérieur du paganisme, par les
épicuriens aux tenants d'un monde d'origine divine (Lucr.,
De rer. nat., 5, 168). — **hoc** : = *proferre initium rerum*.
Irén., I, 1, 1 est plus clair : καθάπερ σπέρμα τὴν προβολὴν
ταύτην. — **in... locis** : le réalisme de Tert. contraste avec
la pudeur d'Irénée (ὡς ἐν μήτρᾳ). Si *loci* est un euphémisme habituel (cf. Var., *Ling. Lat.*, 5, 15 : « loci mu-
liebres ubi nascendi initia consistunt » ; *An.* 25, 2 : *mulie-*

bribus locis ; 26, 2 : *in locis matris* ; cf. gr. τόποι), il semble
que l'expression *genitales loci* appartienne à la langue
vétérinaire : cf. Colum., *Rust.*, 6, 36, 2 : « iniecta genitalibus
locis (equae)... semina » ; 7, 9, 5 : « feminis (= subus)...
uuluae exulcerantur... ne sint genitales » ; etc. (cf. *TLL*
s. u. « genitalis », col. 1814, 14). — **efficitur** : = *fit*, cf.
Apol. 13, 6 : « maiestas (deorum) quaestuaria efficitur » ;
An. 8, 3 : « extra mare immobilis... nauis efficitur » ; etc.
(Cic., *Diu.*, 2, 3 : « philosophia uir bonus efficitur et fortis »).
— **utique silentio** : jeu étymologique (*supra*, 7, 3). Cf.
Lact., *Inst. diu.* ; I, 20, 35 : « Quis cum audiat deam Mutam
tenere risum queat ?... Quid praestare colenti potest quae
loqui non potest ? ». Pour la valeur ironique de *utique*, cf.
supra, 3, 4. — **Et Nus est quem...** : l'ordre des mots dans
les mss. (« et quem parit Nus est simillimum patri... ») ne
paraît pas grammaticalement acceptable : si, en effet, la
construction du type Virg., *Én.*, 1, 573 : « urbem quam
statuo uestra est » (attraction de l'antécédent au cas du
relatif : cf. L. H. S., p. 567) ou « quam statuo urbem, (ea)
uestra est » est bien attestée, on ne rencontre pas, semble-t-il,
de tour du type « quam statuo uestra est urbem » où la
principale serait enclavée dans la relat. Quant à la ponctuation de Kroymann (acceptée par Marastoni et Riley) :
« Quem parit ? Nus est, simillimum... », elle se heurte à un
problème d'accord, l'acc. *simillimum* n'étant pas justifiable.
Nus (Νοῦς), Intelligence, cf. Sagnard, p. 300 ; Orbe, *Est*,
Val., I, 1, p. 333 s. (en tant qu'hypostase distincte de Bythos.
Noûs procède de la volonté divine ; en tant qu'hypostase
divine, il procède de la Pensée). Tert., *Praes.* 33, 8, traduit
Νοῦς par Sensus. *Simillimum et parem* : autrement dit
« consubstantiel » (cf. *infra*, 18, 1 : *paria et consubstantiua*) ;
cette consubstantialité de Noûs à Bythos est un privilège
de cet éon, elle est solidaire de la connaissance qu'il en a
(cf. Moingt, III, p. 968). — **per omnia** : = *omnino* (cf.
Cypr., *Ep.*, 4, 5 ; 55, 26 ; etc. ; *supra*, 5, 2 (*in totum*).

7, 6. Denique : = *itaque* (*supra*, 3, 5). — **inmensam** :
cf. *supra*, 7, 3. — **incomprehensibilem** : traduit en général
ἀκατάληπτος, mais ici = ἀχώρητος ; cf. Sagnard, p. 313 ;

332 ; Braun, p. 54 ; *infra*, 9, 1 ; 11, 3. Erreur du *TLL* s. u.
col. 996, 22 qui y voit un synonyme de *praeclarus*. — **magni-
tudinem** : cf. Braun, p. 40 s. Sur l'importance du mot dans
le système valentinien, Sagnard, p. 332. — **proprie Monogenes** : à la différence de Pater (Πατήρ) et Initium omnium
('Αρχὴ τῶν πάντων), qui rappellent les noms Propator et
Proarché donnés au Dieu suprême (*supra*, 7, 3), Monogène
est un nom « propre » (*proprie*). Conception analogue dans
Tract. Trip., p. 56-57 : le Fils est l'Intelligence du Père et
a les mêmes propriétés que lui. Si Tert. conserve le nom
grec pour désigner l'éon valentinien (*infra*, 8, 2 ; 10, 3 ;
11, 1 ; 11, 2 ; 33, 2 ; cf. *An.* 12, 1 [*B*]), en revanche, dans son
emploi orthodoxe, il n'utilise que la traduction lat. (*unicus*,
unigenitus), assez rarement du reste (dix occurrences), sans
doute parce que le vocable évoquait trop à ses yeux les
spéculations valentiniennes (cf. Braun, p. 248). — **agnoscitur** : allusion à la cérémonie de la reconnaissance d'enfant
et de la collation du nom le *dies lustricus*, cf. nos « Valentiniana », p. 57. Nos arguments en faveur d'*agnoscitur* contre
la correction *agnascitur*, acceptés par Riley, ont été repoussés
par Marastoni qui considère *agnascitur* comme une allusion
à la notion de « fruit du Plérôme » (p. 133). En fait, cette
notion n'est évoquée que plus loin (*infra*, 7, 7) et, de toute
manière, dans son acception botanique (parallèle à sa signification juridique), *agnasci* a le sens très précis de « pousser
à côté, croître sur, etc. », qui ne saurait convenir ici. C'est
du reste parce qu'il est essentiellement un terme technique
(juridique et botanique ou biologique) qu'il est peu probable
que Tert. ait pu le considérer comme le substitut du simple
nasci. Ce serait, au demeurant, la seule occurrence de ce
verbe dans son œuvre. — **processit** : cf. *supra*, 7, 5
(= προβεϐλῆσθαι) ; Tert. l'utilise également pour désigner la
« procession » du Fils dans le mystère trinitaire (*Prax.* 2, 1 ;
7, 1 (*bis*) ; 7, 6), mais n'a pas pris conscience de l'intérêt de
ce vocable (Braun, p. 294). — **Veritas** : 'Αλήθεια. Sur la
syzygie Noûs-Aléthéia, cf. Orbe, *Est. Val.*, IV, p. 138 s.
— **quanto congruentius...** : mouvement exclamatif familier
à Tert. : cf. *infra*, 36, 1 ; *Apol.* 39, 9 ; *Cult.* II, 10, 5 ; etc.
— **Protogenes** : jeu étymologique (Premier-né), destiné

à faire apparaître l'incohérence des noms portés par les éons
et par conséquent, pour qui admet l'accord de principe
entre le nom et l'être désigné, l'incohérence de la doctrine
elle-même (cf. *infra*, 19, 1 ; *supra*, 7, 3). L'hypothèse de
T. D. Barnes, *Tertullian, A Historical and Literary Study*,
Oxford 1971, p. 221, selon laquelle Tert. ferait une allusion
dérisoire à l'aurige Protogène n'est guère, dans ces conditions,
convaincante, en tout cas n'est guère compatible avec la
chronologie, encore moins avec celle qu'il propose (cf. *ZKG*
1973, p. 319). Sur la suppression arbitraire de cette phrase
ironique par Kroymann, cf. « Valentiniana », p. 58. —
quadriga : cf. *Spec.* 9, 3-4 : « De iugo uero quadrigas Soli,
bigas Lunae sanxerunt. Sed et ' Primus Erichtonius currus
et quattuor ausus / Iungere equos rapidusque rotis insistere
uictor ' (Virg. *Georg.*, 3, 113-114)... Si Romae Romulus
quadrigam primus ostendit... » ; Castorina, p. 197. Métaphore satirique substituée à la référence faite par Irén. I,
1, 1, à la Tétractys pythagoricienne (de même *Haer.*, II,
14, 6) ; Sagnard, p. 337. Cf. *infra*, 36, 1. — **defenditur** :
cf. *Spec.* 29, 3 : « haec spectacula Christianorum... cursus
saeculi intuere, tempora labentia dinumera, metas consum-
mationis specta, societates ecclesiarum defende... » ; Castorina, p. 378. — **factionis** : prolongement de la métaphore.
Cf. P. Fest., p. 76 : « factio et factiosus initio honesta uoca-
bula erant, unde adhuc factiones histrionum et quadri-
gariorum dicuntur. Modo autem nomine factionis seditio
et arma uocantur » ; J. Hellegouarc'h, *Vocabulaire latin
des partis politiques*, p. 100 s. ; 112 s. ; *Carn.* 15, 3 : *Valentini
factiuncula* (diminutif de mépris) ; en *Apol.* 38, 1-2 ; 39, 1
(*negotia Christianae factionis*) c'est le vocabulaire dont
usent les païens pour désigner les chrétiens que rapporte
Tert. (cf. Waltzing, p. 247). — **matrix et origo cunctorum** :
Irén., I, 1, 1 : ῥίζαν τῶν πάντων ; II, 14, 6 : « uelut genesin
et matrem omnium ». *Matrix*, fréquent chez Tert. (cf.
Moingt, IV, p. 112-113), alors qu'il était jusque-là un vocable
essentiellement réservé aux « agronomes » (Varron, Columelle), cf. *TLL* s. u. col. 481, 77. Sur la notion de « racines »
dans le valentinianisme, cf. Sagnard, p. 436. *Cunctorum*
(= τῶν πάντων) : les éons du Plérôme (K. Mueller », Beiträge

zum Verständnis der valentinianischen Gnosis », *NGG* 1920,
p. 179-180), et, secondairement, toutes choses (cf. Sagnard,
p. 425). — **ibidem** : = *statim* (*supra*, 3, 4). — **prolationis** : cf. *infra*, 37, 2 ; *supra*, 7, 5. — **officium** : Irén., I,
1, 1 : ἐφ' οἷς προεϐλήθη. M. à m. : « les devoirs qu'impliquait
sa prolation » (= le fait d'avoir été proféré) ; Tert. utilise
une formule de type « administratif » ou « officiel », cf.
officium legationis (= *legati*) : Caes., *B. C.*, 3, 103, 4 : « con-
fecto legationis officio » (=« après s'être acquitté des devoirs
que comportait la fonction d'ambassadeur ») ; *officium
censurae* (= *censoris*) ; etc. ; ici = *officium prolati*. Cf. *TLL*
s. u. col. 523, 6. Monogène, intermédiaire entre le Dieu
suprême et les éons du Plérôme, a deux fonctions essentielles :
l'une de Principe du Plérôme (cf. *infra*, 8, 1) et en tant que
tel se manifestera comme Logos ; la seconde, de Sauveur
du Plérôme et pour cette fonction se fera connaître comme
Christ (cf. Orbe, *Est. Val.*, III, p. 96). — **emittit** : = προϐάλλειν ; rare chez Tert. à propos du Verbe (*Praes.* 13, 2 ;
Prax. 7, 9 ; cf. *supra*, 7, 5 ; *infra*, 7, 7). — **Sermonem
et Vitam** : Λόγον καὶ Ζωήν. Braun, p. 258 fait remarquer
que pour désigner le cinquième éon valentinien Tert. latinise
régulièrement son nom en Sermo (*infra*, 8, 1 ; 12, 4 ; 36, 2 ;
Praes. 33, 8) alors qu'il conserve Bythos, Sigè, etc. D'ailleurs
supra, 6, 2, il ne s'est pas expliqué sur les motifs de sa dis-
crimination, se bornant à préciser que d'une manière générale
il conserverait les noms grecs. Observons que dans ce §, les
trois derniers éons émis sont latinisés (Veritas, Sermo et
Vita ; toutefois pour ce dernier on a *infra*, 12, 1 : Zoa) :
sans doute la tradition manuscrite est-elle responsable,
en partie, de cette différence de traitement. Sur la syzygie
Sermo-Vita, cf. Orbe, IV, p. 151 s.

7, 7. **utique** : *supra*, 3, 4. — **nec** : = *ne... quidem* (*supra*,
6, 1). — **quale est ut** : tour interrogatif qu'affectionne
Tert. (Hoppe, *Synt.*, p. 82). — **haec soboles** : *Sermo* et
Vita. — **uniuersitatis** : l'ensemble des éons (Irén., I, 1,
1 : πάντων τῶν μετ' αὐτὸν ἐσομένων). *Initium, formatio* :
cf. *supra*, 7, 6 : Monogène en tant que Logos assurera la
formation selon la substance, en tant que Christ la formation

selon la gnose. *Formatio* : le substantif, comme le vb. *formare*, (qui suggèrent l'idée d'organisation, de conformation, opposée à celle de création) se rencontrent chez Tert. à propos du *logos* stoïcien (*Apol.* 21, 10), de l'organisation de la matière par le démiurge (*Herm.* 38, 3 ; 42, 1 ; 42, 2) et dans le système valentinien (*infra*, 11, 3 : formation des éons ; 18, 1 : formation des trois races d'hommes par Achamoth), cf. Braun, p. 386. Le substantif *formatio* appartient par son origine au vocabulaire de l'architecture (Vitruve), *TLL* s. u. col. 1088, 72. — **pleromatis** : πληρώματος. Sur ce terme technique du gnosticisme (= « royaume » invisible et spirituel de Dieu, constitué par les éons, opposé au κένωμα, comme la Lumière aux Ténèbres, « au-delà » du Cosmos et « précosmique », chambre nuptiale où le spirituel s'unira à son prototype céleste), cf. R. A. Markus, « Pleroma and Fulfilment », *VChr* 8 (1954), p. 193-224 ; Orbe, *Est. Val.*, IV, p. 1 s. — **facit fructum** : cette expression, qui en latin apparaît dans Var., *Rus.*, 3, 2, 13 (cf. *TLL* s. u. « fructus », col. 1398, 82), traduit le terme technique gnostique καρποφορεῖν (cf. Sagnard, p. 432), qu'Irénée n'utilise pas, du reste, en *Haer.*, I, 1, 1 (où il a προϐεϐλῆσθαι), mais qu'il emploie à propos de l'émission du couple Homme-Église en I, 8, 5 (commentaire du Prologue de Jean par Ptolémée). — **Hominem et Ecclesiam** : Ἄνθρωπον καὶ Ἐκκλησίαν. Cf. Sagnard, p. 302 s. ; Orbe, *Est. Val.*, IV, p. 154 s.

7, 8. Habes : cf. *supra*, 6, 2 (*lector*). — **ogdoadem, tetradem** : cf. *infra*, 8, 4. L'énumération qui suit reprend, sur le mode satirique, les nombreux attributs de l'Ogdoade : « primitive Ogdoade, mère de tous les éons » (*Haer.*, I, 8, 5) ; « fondamentale Ogdoade, Racine et Substance de Tout » (*ibid.*, I, 1, 1) ; etc. Cf. Sagnard, p. 335. — **ex** : sens prégnant (*supra*, 1, 1). — **coniugationibus** : substitué, sans doute ironiquement, à *coniugium* qui traduit habituellement συζυγία (cf. *supra*, 3, 4). Si, en effet, *coniugatio* apparaît chez Cic., *Top.*, 12 ; 38, pour traduire συζυγία, c'est au sens linguistique du terme (parenté de mots de même racine) ; d'où ses divers sens techniques (métrique, astronomique, etc.) ; première occurrence comme synonyme de *coniunctio*,

copulatio, dans Apul., *Flor.*, 18, 11 (expression proverbiale :
« coniugatione quadam mellis et fellis »), puis ici ; Tert. ne
l'emploie plus ailleurs ; également en contexte valentinien
dans Ps. Tert., *Adu. omn. haer.*, 4, 1, où il est présenté comme
la trad. de la *syzygie* gnostique ; en dehors du valentinianisme : Sol., 26, 3 ; Iul. Val., 1, 23 ; etc. Cf. *TLL* s. u. col.
323, 7. — **cellas** : éclairé par *Res.* 27, 4 s. (*cellae promae*).
— **ut ita dixerim** : subj. potent. (*supra*, 6, 2). — **primor-
dialium** : rend ἀρχέγονον (Irén., I, 1, 1 ; I, 5, 2 ; etc.) ;
attesté pour la première fois chez Tert., cf. Braun, p. 274.
— **census** : Irén., I, 1, 1 : ῥίζαν καὶ ὑπόστασιν τῶν πάντων.
Tert. est le premier à employer *census* avec le sens dérivé
d' « origine », « nature » (de même *censeri* pour *oriri*),
dans la description du système valentinien (*infra*, 21, 1 ;
25, 3 ; 32, 1), mais aussi en dehors de ce contexte (*Nat.* I,
12, 12 : « omne... genus censum ad originem refert » = *Praes.*
20, 7 : « omne genus ad originem suam censeatur necesse
est » ; *Nat.* II, 1, 10 : « Triplici... genere deorum censum
(Varro) distinxit » ; II, 12, 26 : « Exstat apud litteras uestras
usquequaque Saturni census » ; etc.). Cf. Waltzing, p. 61 ;
Waszink, p. 82 ; *TLL* s. u. col. 808, 81. — **sanctitatis** :
cf. *supra*, 5, 1 ; ici ironiquement, pour désigner les éons ; de
même *maiestatis* = *deorum* (*supra*, 1, 2). — **criminum** :
déjà chez Cicéron avec la valeur de *scelus*, *uitium* (cf. *TLL*
s. u. col. 1193, 52). Il s'agit du « crime d'inceste » commis
par les éons (*fraterna conubia*). — **fecunditatis** : = *proles* ;
Tert. n'emploie pas ailleurs le mot avec cette valeur
concrète (cf. *infra*, 8, 5), rarement et tardivement attestée
selon *TLL* s. u. col. 416, 23, qui du reste ne cite pas ce
passage.

b. Achèvement du Plérôme (chap. VIII).

La constitution du Plérôme est achevée par l'émission de vingt-deux nouveaux éons, dix émanant de
Verbe et Vie, douze d'Homme et Église. Chacun
d'eux porte un nom propre (§ 1-2). Réflexions ironiques de Tertullien sur ces noms et sur le nombre
de ces émissions (§ 3-5).

Pleroma : Plenitudo diuinitatis tricenariae

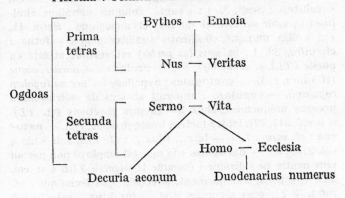

8, 1. in patris gloriam : Irén., I, 1, 2 : εἰς δόξαν τοῦ πατρός, c'est-à-dire « pour manifester la gloire du Père » (cf. *supra*, 7, 6 : « Nus simul accepit prolationis suae officium ») ; *infra*, 12, 4. — **fruticasset** : cf. *supra*, 7, 7 ; *infra*, 39, 2. Subj. de style indir. — **huic numero** : le nombre 8 (l'Ogdoade). Le datif indique le terme du mouvement (= *usque ad*), cf. Hoppe, *Synt.*, p. 27 ; L. H. S., p. 100. — **gestientes** : syllepse de nombre. — **de suo** : tour classique (« de ses fonds », par opposition à *de publico*), particulièrement fréquent chez Tert. avec le sens « de soi-même, tout seul, sans l'intervention d'autrui » ; cf. *infra*, 10, 1 ; Hoppe, *Synt.*, p. 103. — **ebulliunt** : pour traduire Irén., I, 1, 2 : τούτους... τοὺς αἰῶνας... προβεβλημένους. Sans doute terme « technique » (cf. Irén., I, 4, 1 : ἐκβεβράσθαι — *deferuisse* ; I, 30, 2 : ὑπερβλύται — *superebullientem* ; I, 30, 3 : ἀναβλυσθεῖσαν — *superebullit* ; II, 19, 4 : *ebulliens*), mais construit ici, avec une intention sarcastique, + acc. (= *gignere, proferre*) ; autres occurrences en contexte satirique : *Marc.* I, 27, 5 : « Age itaque qui deum non times quasi bonum, quid non in omnem libidinem ebullis, summum quod sciam fructum uitae omnibus qui deum non timent ? » ; *Idol.* 3, 1 : « Idolum aliquamdiu retro non erat. Priusquam huius monstri artifices ebullissent, sola templa et uacuae aedes erant » ; *Scorp.* 1, 5 : « tunc gnostici erumpunt, tunc Valentiniani proserpunt,

tunc omnes martyriorum refragatores ebulliunt » ; emploi
« réaliste » : *Scap.* 3, 4 : « cum... conuiuis uermibus ebul-
lisset » ; seule occurrence du sens étymologique : *Herm.* 41,
1 : « ollae undique ebullientis similitudinem ». — **fetus** :
cf. *infra*, 39, 1 ; ce sens (= *proles*) est surtout attesté en
poésie (*TLL* s. u. col. 637, 50). — **proinde** : = *pariter, aeque*
(cf. *supra*, 1, 3). — **coniuĝales** : hypallage (= *per coniugalem
copulam*). — **copulam** : apparaît au sens de *matrimonium*
presque uniquement chez les auteurs chrétiens (cf. *TLL*
s. u. col. 917, 77). Ici traduction ironique de συζυγία. — **naturae** : cf. *supra*, 1, 3. — **hac... illac...** : cf. *TLL* s. u. « hic »,
col. 2748, 39. — **decuriam** : le mot est employé non pas au
sens neutre de « dizaine » (comme le suggère *TLL* s. u. col.
223, 10), mais, ironiquement, avec son sens technique : cf.
infra, § 2 : *quos decuriam dixi*. — **fundunt** : substitué à
emittunt, proferunt, avec une intention sarcastique (cf.
fundere lacrimas, sanguinem, uoces, etc.). — **aequiperando** :
dat. final, cf. *infra*, 11, 1. *Aequiperare* + dat. (*parentibus*)
est une constr. rare et archaïque (Pac., *Trag.*, 407 R²; Apul.
Plat., 1, 2, 183).

8, 2. Reddo : = *do* (*supra*, 3, 3), *refero*, cf. Quint., *Inst.
or.*, 8, 6, 76 ; Tac., *Hist.*, 4, 67 ; *infra*, 27, 1 ; *An.* 54, 1 ; 58,
1. — **nomina quos** : = *nomina eorum quos* (class.). *Bythios
et Mixis* (Βύθιος καὶ Μῖξις) ; Abyssal, Profond et Mélange ;
Ageratos et Henosis (Ἀγήρατος καὶ Ἕνωσις) : Impérissable,
Non-Senescent et Union ; *Autophyes et Hedone* (Αὐτοφυὴς
καὶ Ἡδονή) : Autocréé, Né-de-soi-même et Plaisir ; *Acinetos
et Syncrasis* (Ἀκίνητος καὶ Σύγκρασις) : Immobile et Mélange ;
Monogenes et Macaria (Μονογενὴς καὶ Μακαρία) : Fils unique
et Félicité — **erunt** : futur d'affirmation (cf. *supra*, 3, 2),
alternant d'ailleurs avec un présent (*reddo*), cf. *infra*, 27, 1 :
reddo, mais 29, 1 : *colligam* (Löfstedt, *Krit. Bemerk.*, p. 64).
Paracletus et Pistis (Παράκλητος καὶ Πίστις) : Paraclet (sens
passif « Appelé à l'aide, Avocat » plutôt qu'« Intercesseur »,
qui est le sens « johannique ») et Foi ; *Patricos et Elpis*
(Πατρικὸς καὶ Ἐλπίς) : Paternel, Semblable au Père et
Espérance ; *Metricos et Agape* (Μητρικὸς καὶ Ἀγάπη) :
Maternel et Amour, Charité ; *Aeinus et Synesis* (Ἀείνους

καὶ Σύνεσις) : Éternellement Intelligent et Prudence ; *Ecclesiasticus et Macariotes* (Ἐκκλησιαστικὸς καὶ Μακαριότης) : Ecclésiastique, Issu d'Église et Béatitude ; *Theletus et Sophia* (Θελητὸς καὶ Σοφία) : Désiré et Sagesse. Dans les deux séries, les éons « mâles » désignent des « attributs », les éons « femelles » des « entités ». Dans la « décurie », les éons mâles développent les attributs de Logos, les éons femelles recréent les composantes de la Vie du Plérôme ; dans la dodécade, les éons mâles sont les attributs de l'Homme idéal, modèle du valentinien, les éons femelles, les vertus de l'Église elle aussi idéale, d'abord les trois vertus théologales (foi, espérance, charité), puis les vertus inhérentes à la Gnose. Dépendant de Logos, la « décurie » décrit un monde angélique et parfait ; issue d'Homme, la dodécade décrit l'histoire spécifiquement humaine du progrès intérieur. Cf. Orbe, *Est. Val.*, IV, p. 183 s. Pour les variantes mineures existant à propos de ces deux listes, Sagnard, p. 147 ; Orbe, *ibid.*, p. 180-181. — **de pari exemplo** : expression (quasi) technique ; cf. Quint., *Inst. or.*, 5, 11, 5, qui distingue en effet trois catégories d'exemples : l'*exemplum simile* (qui peut être soit *totum simile* soit *impar*), l'*exemplum dissimile* et enfin l'*exemplum contrarium*.

8, 3. **Karthaginiensibus** : hésitation de Tert. ou de la tradition sur le suffixe de l'ethnique : *Mart.* 4, 6 : *Carthaginiensibus* ; mais *Res.* 20, 8 : *-niensium TM -nensium PX* ; *Nat.* I, 18, 3 : *-nensem* ; *Pal.* 1, 1 : *-nenses*. Cf. Bulhart, *Praef.*, § 12. — **frigidissimus** : avec des nuances péjoratives diverses, comme qualificatif des orateurs, cf. *TLL* s. u. col. 1330, 23 (Cic., *Verr.*, 2, 121 : « alii etiam frigidiores erant, sed quia stomachabantur, ridiculi uidebantur esse » ; Quint., *Inst. or.*, 12, 10, 12 : « (Ciceronem) in salibus aliquando frigidum »). — **Latinus** : de langue latine malgré son nom grec ; ses origines expliquent sans doute l'exclamation grecque φεῦ. — **Phosphorus** : Φωσφόρος (« Porte-lumière »). Selon F. J. Dölger, « Der Rhetor Phosphorus von Karthago und seine Stilübung über den tapferen Mann », *Antike und Christentum* 5 (1936), p. 272-274, il s'agirait sans doute d'un sobriquet donné par les élèves à leur rhéteur.

De toute façon, comme nom propre, Φωσφόρος est attesté
dans les inscriptions grecques (cf. Pape, *Wörterbuch der
griechischen Eigennamen*, Braunschweig 1870³, p. 1658 s. u.)
et, comme surnom, dans les inscriptions latines (cf. *CIL* VI,
24292 ; 35551 ; 36786 ; etc.). — **uirum fortem peroraret** :
= *uiri fortis orationem peroraret*. Le rhéteur déclame dans le
rôle d'un héros. Le contexte (*uenio...*), la surprise manifestée
par les élèves, invitent à ne pas donner à *perorare* le sens
précis de « conclure, achever », mais celui du simple *orare*
(cf. *supra*, 3, 3). Pour la constr. cf. *Pud.* 21, 6 : « neque
prophetam nec apostolum exhibens » ; Prop., 4, 2, 39 :
« pastorem... curare » (= *pastoris partes agere*) ; Waszink,
p. 409-410. — **scholastici** : mot de la langue impériale
cf. Pétr., *Sat.*, 6. 1 ; Quint., *Inst. or.*, 12, 11, 16 ; Tac., *Dial.*,
15, 3 : « si quis... Ephesum uel Mytilenas concentu scholas-
ticorum et clamoribus quatit » ; etc. — **familiae** : dat.
compl. d'*acclamant* (« à l'adresse de la famille de Phosphorus ») cf. Cat., 67, 14 : « Ad me omnes clamant : ' ... culpa
tua est ' » ; Sén., *Luc.*, 27, 2 : « Clamo mihi ipse : ' Numera
annos tuos... ' » ; 47, 13 : adclamabit mihi tota manus
delicatorum : ' Nihil hac re humilius... ' ». Cf. *infra*, 14, 3.
La plaisanterie repose sur le fait que les *scholastici* feignent
de prendre *uictoria, felicitas, ampliatus*, etc. pour les noms
des personnes constituant la « famille » du rhéteur (cf.
Dölger, *art. cit.*). Effectivement, ils sont tous les sept attestés
dans l'onomastique, cf. I, Kajanto, *The latin Cognomina*,
Helsinki 1965.

8, 4. Audisti : cf. *infra*, 15, 2 ; *supra*, 6, 2 (*lector*). —
Fortunatam : l'éon Macaria ou, plutôt, si l'on en juge par
le choix qui est fait ici, l'éon Macariotes (*supra*, § 2). Sa
traduction latine a-t-elle été introduite dans le texte par
la tradition manuscrite ou par Tert. lui-même pour assurer
la transition avec le § 3 (*fortunatus*) et mieux préparer ainsi
la pointe finale ? Cf. *supra*, 6, 2. — φεῦ : cf. Irén., I, 11, 4
(à propos des incohérences des doctrines valentiniennes) :
Ἰού Ἰού ! καὶ φεῦ φεῦ ! Τὸ τραγικὸν γὰρ ὡς ἀληθῶς ἐπειπεῖν
ἔστιν ἐπὶ τῇ τοιαύτῃ ὀνοματοποιίᾳ καὶ τῇ τοσαύτῃ τόλμῃ ;
I, 15, 4 (au sujet de l'arithmologie de Marc le Magicien) :

ταῦτα δὴ ὑπὲρ τὸ 'Ιού ! καὶ τὸ φεῦ ! καὶ ὑπὲρ τὴν πᾶσαν τρα-
γικὴν φώνησιν καὶ σχετλιασμόν ἐστιν. Ce rapprochement laisse-
rait penser que si l'anecdote du rhéteur Phosphorus n'est pas
inventée de toutes pièces, du moins a-t-elle été retouchée, et
ne constitue peut-être pas, dans ces conditions, sur la vie
« universitaire » carthaginoise un témoignage aussi sûr qu'on
incline à le croire (Monceaux, *Hist. litt. de l'Afrique chrét.*, t. 1,
p. 180 ; G. Ch. Picard, *Civilisation de l'Afrique rom.*, p. 304-
305 ; L. Staeger, *Das Leben im römischen Afrika im Spiegel der
Schriften Tertullians*, Zurich 1973, p. 13). — **Hoc... illud** :
tour class. (cf. Cic., *Tusc.*, 5, 103 : « hic est ille Demosthenes »),
mais ici d'une emphase ironique. *Erit*, fut. à valeur d'insistance (*supra*, 3, 2). — **Pleroma** : cf. *supra*, 7, 7 ; ici suivi de
sa traduction (*plenitudo*). — **arcanum** : cf. supra, 6, 1. —
diuinitatis : cf. *supra*, 3, 4. L'expression *plenitudo diuinitatis*
apparaît également en contexte orthodoxe : *Marc.* II, 13, 5 :
« iustitia... plenitudo est diuinitatis » ; II, 29, 1 : « Quodsi
utraque pars bonitatis atque iustitiae dignam plenitudinem
diuinitatis efficiunt omnia potentis... » ; *Prax.* 14, 2 : « Inue-
nimus... a multis... uisum quidem Deum secundum hominum
capacitates, non secundum plenitudinem diuinitatis ». —
Videamus : ne peut avoir le sens plein de « voyons,
jugeons... », puisque aussi bien Tert. se garde de résumer les
spéculations arithmologiques des valentiniens et reprend
aussitôt son récit (§ 5 : *Interim*). *Videamus* prend donc ici
le sens de « à nous de voir, on verra une autre fois, peu
importe... » qui est généralement celui du tour (bien antérieur
à Tert., mais qu'il utilise avec prédilection) *uiderit, uiderint*
(cf. *infra*, 8, 5 (*interim*) ; 9, 2 ; Schneider, p. 250 ; Ernout-
Thomas, *Syntaxe latine*, p. 251-252). — **priuilegia nume-
rorum** : Tert. saute les explications symboliques des valentiniens rapportées par Irén., I, 1, 3 (les 30 éons du
Plérôme = les trente ans de vie cachée du Sauveur ou
encore la somme des heures dont il est fait état dans la
parabole des ouvriers envoyés à la vigne) et, plus longuement, I, 14-15 (arithmologie de Marc le Magicien),
cf. Sagnard, p. 358 s. ; Orbe, *Est. Val.*, IV, p. 174 s.
Sur l'addition ⟨*et denarii*⟩ proposée par Kroymann, cf.
« Valentiniana », p. 58.

8, 5. Interim : mouvement comparable après *uidero*
dans Cic., *De orat.*, 2, 33 : « de me uidero ; nunc hoc propono »
(« pour ce qui me concerne, je verrai une autre fois ; maintenant... » ; cité par Ernout-Thomas, *Synt. lat.*, p. 251). —
deficit : cf. Min. Fel., *Oct.*, 24, 3 : « Cur enim, si (dei) nati
sunt, non hodieque nascuntur ? Nisi forte iam Iuppiter
senuit et partus in Iunone defecit et Minerua canuit antequam peperit » ; la plaisanterie est d'ailleurs ancienne :
cf. Sén., frg. 119 (= Lact., *Inst. diu.*, I, 16, 10) : « Quid
ergo est... quare apud poetas salacissimus Iuppiter desierit
liberos tollere ? Utrum sexagenarius factus est ?... ». Cf. aussi
Tat., *Orat.*, 1, 3. — **uis, potestas** : équivoque (volontaire ?)
sur ces deux termes (= δύναμις, ἐνέργεια) par lesquels
sont également désignés les éons (cf. Sagnard, p. 637 et
640). La ponctuation adoptée par Kroymann est justifiée :
les parenthèses sont fréquentes chez Tert. (peut-être faut-il
voir dans ce procédé une influence d'Apulée ? cf. Bernhard,
Der Stil des Apul. von Madaura, p. 91 s.). — **quasi** : cf.
supra, 2, 1. — **non et** : = *et non* (*et non... et nulla*) ; pour la
postposition de *et*, véritable tic stylistique de Tert., cf.
Bulhart, *Praef.*, § 90. — **coagula** : si le mot est encore perçu
comme métaphorique dans Plin., *Nat.*, 7, 66 : « germine e
maribus coaguli modo hoc in sese glomerante », il est considéré comme un terme technique dans Aul. Gel., *Nuits*, 3,
16, 20 : « numerum dierum quibus, conceptum in utero,
coagulum conformatur » ; cf. *Carn.* 16, 5 : « Dei uerbum
potuit sine coagulo in eiusdem carnis transire materiam ».
Tanta = tam multa (*supra*, 7, 1). — **et** (*quinquaginta,
Sterceiae*) **et** (*centum, Syntrophi*) : le premier *et = etiam,
quoque* ; le second = *uel, aut.* Tert. répond à une question
de ce type, pour justifier le nombre des apôtres et des disciples : *Marc.* IV, 24, 1 : « Adlegit et alios septuaginta apos-
tolos super duodecim. Quo enim duodecim secundum totidem
fontes in Elim, si non et septuaginta secundum totidem
arbusta palmarum ? ». Sur ses réserves à l'égard de la
symbolique des nombres dans l'exégèse, cf. *Pud.* 9, 1-3
(§ 3 : « Huiusmodi enim curiositates et suspecta faciunt
quaedam et coactarum expositionum subtilitate plerumque
deducunt a ueritate »). — **Sterceiae** : « Bonne d'enfant,

torcheuse » ; cf. Kajanto, *The latin Cognomina*, p. 246.
— **Syntrophi** : « Frère de lait » (élevé avec d'autres) ? ou
« Aide-nourricier » ? ; cf. Pape, *Wörterbuch der griech.
Eigennamen*, p. 1459 ; F. Bechtel - A. Fick, *Die griechischen
Personennamen*, Göttingen 1894, p. 257.

c. Le mythe de Sophia (chap. IX-X).

Seul de tous les éons, Noûs-Monogène a le privilège
de connaître le Père infini, sans avoir toutefois la
possibilité de leur faire partager cette connaissance :
d'où leur agitation et leur douleur (IX, 1-2). Mais
le désir de connaître le Père provoque une agitation
plus grande chez le dernier éon de la dodécade,
Sophia. Jalouse de Noûs, elle s'élance à la « recherche »
du Père, éprouvant avec violence une passion qui
aurait entraîné sa perte si elle n'avait trouvé aide et
secours auprès d'Horos, qui lui permet de déposer
l'Intention qui l'animait en même temps que la
passion qui accompagnait son Intention (§ 2-4).

Il existe une autre version des « malheurs » survenus
à Sophia. Au milieu de l'agitation et des souffrances
que lui fait éprouver sa passion de connaître le Père,
elle devient enceinte et enfante un être de sexe féminin
(X, 1). Le trouble causé en elle par cette naissance
parthénogénétique suscite diverses passions qui
deviendront des substances et seront à l'origine de
la matière. Pour la « guérir », le Père, par l'intermédiaire de Noûs-Monogène, émet alors l'éon Horos
(§ 2-3).

Horos donc, qui est également désigné par d'autres
noms, purifie de ses maux Sophia, la rend à son
« époux » et expulse hors du Plérôme son Intention
et la passion qui lui était survenue (§ 3-5).

9, 1. hoc : l'accord avec l'attribut est exceptionnel dans
la langue impériale (cf. L. H. S., p. 442); toutefois, pour
l'attraction du verbe, cf. *infra*, 20, 2 ; 31, 1. — **exceptio** :
sur l'origine biblique de l'expression et sa traduction par

Tert., cf. Braun, p. 211-212. — **solus Nus...** : cf. *supra*,
7, 6. — **inmensi** : cf. *supra*, 7. 3. — **ǵaudens, exultans** :
leur emploi adject. est class., cf. *TLL* respectivement col.
1952, 60 et 1711, 32. — **illis utique maerentibus** :
« drame bourgeois » (cf. *supra*, p. 17 s.) ; sur *utique*, cf. 3, 4.
— **Plane** : également ironique (cf. *supra*, 1, 1). — **communicare** : cf. *supra*, 6, 2. — **norat** : les formes contractes
sont en fait les seules en usage sous l'Empire, cf. Quint.,
Inst. or., 1, 6, 17. — **quantus... pater** : s. ent. *esset*
(cf. *supra*, 3, 5). *Incomprehensibilis*, cf. *supra*, 7, 6. —
intercessit : là où Irén., I, 2, 1 dit simplement κατέσχεν...
αὐτὸν ἡ Σιγή, Tert. recourt ironiquement à un vb. qui
rappelle la procédure de l'*intercessio*. — **tacere** : cf. pour
le jeu de mots *supra*, 7, 5 ; pour le silence auquel sont tenus
les hérétiques, *supra*, 1, 4 ; cf. Irén., IV, 35, 4, *SC* 100,
p. 874 : « oportet enim eam quae sit sursum Sigen per id
quod est apud eos silentium deformari ». — **praescribit** :
+ inf., dès Tacite (cf. *Pud.* 19, 22 ; etc. L. H. S., p. 346) ;
pour le sens « jussif » du vb. chez Tert., cf. Fredouille, p. 196.
— **uolentis** : ce mécanisme de gnose chez les éons est la
transposition de la psychologie du valentinien : le désir de
connaître le Principe infini est la condition du salut, mais
ne peut être satisfait que progressivement ; cf. Sagnard,
p. 258 ; pour la même doctrine dans les fragments d'Héracléon, *ibid.*, p. 498-499. — **in** : + acc. final (*supra*, 7, 1).

9, 2. macerantur : vb. ancien dans la langue (au propre
comme au figuré), mais absent du lexique de Cic., César,
Salluste et Tac., cf. *TLL* s. u. col. 10, 23 ; Ernout-Meillet
Dict. étym., s. u. p. 375. — **dum... uruntur** : duplication
à des fins de « dramatisation » ; Irén., I, 2, 1 dit simplement :
αἰῶνες ἡσυχῇ πως ἐπεπόθουν... — **ediderant** : exceptionnel
pour rendre προϐάλλειν, cf. Braun, p. 295 ; *supra*, 7, 5.
Sophia est le 12e éon de la dodécade émise par Homme et
Église, et par conséquent le 30e éon du Plérôme, cf. *supra*,
8, 2. — **nouissima natu** : expression plaisamment forgée
d'après *minima natu*. — **uiderit** : cf. *supra*, 8, 4 (s. u.
uideamus). — **soloecismus...** : parce que *aeon* est du masculin (d'où, pour respecter le « solécisme », notre traduction

« l'éon dernière-née »). — **Sophia** : cf. *supra*, 2, 2. Sur le personnage et son mythe, cf. Orbe, *Est. Val.*, IV, p. 235 s. ; G. C. Stead, « The Valentinian Myth of Sophia », *JTS* 20 (1969), p. 75-104 ; G. W. Macrae, « The Jewish Background of the Gnostic Sophia Myth », *NT* 12 (1970), p. 86-101 ; pour le *Tractatus Tripartitus*, où Sophia n'est pas mentionnée comme une figure personnifiée, cf. J. Zandee, « Die Person der Sophia in der vierten Schrift des Codex Jung », *Le origini dello gnosticismo*, Leiden 1967, p. 203-214. — **incontinentia** : class. (cf. *Rhét. Hér.*, 1, 5, 8 ; Cic., *Cael.*, 25 où il est coordonné à *intemperantia*), mais rare, et, au sens moral, « stoïcien », cf. Aul. Gel., *Nuits*, 17, 19, 5 : « Epitectus... solitus dicere est duo esse uitia... taeterrima intolerantiam et incontinentiam, cum aut iniurias... non... ferimus, aut a quibus rebus uoluptatibusque nos tenere debemus non tenemus » ; cf. *TLL* s. u. col. 1018, 1. Avec ce même sens sexuel, *Apol.* 46, 11 ; *Pud.* 1, 16 ; 6, 16 ; etc. Absent chez Irénée, ce trait est conforme à l'esprit du mythe de Sophia, du moins à l'une de ses variantes plus primitives : le thème de la sensualité comme origine de la chute apparaît en effet dans l'*Apokryphon de Jean* (Cod. II, 14, 9-15, 8 ; Cod. IV, 15, 1-5 ; cf. aussi *Tract. Tripart.*, 75, 17-19 ; *Extr. Théodote* 31, 3 ; le thème a sans doute été ensuite intellectualisé et christianisé en désir d'union extatique. *Sui = sua* (cf. Hoppe, p. 18). — **Phileti** : c'est sans doute ironiquement que désormais Tert. désigne effectivement de ce nom (« Bien aimé, Chéri ») l'époux de Sophia, Thélétus (« Désiré »), cf. *infra*, 12, 1 ; 30, 1 ; 32, 5. Cf. Braun, p. 580, n. 1 et nos « Valentiniana », p. 73, n. 22. Ajoutons que Valentin, frg. 6 (= Clém. Alex., *Strom.*, VI, 6, 52, 4) appelle le Christ « bien aimé » (ὁ φιλούμενος), que l'expression « le Fils bien aimé » apparaît dans l'*Évangile de Vérité*, p. 30, 31 et que dans le *Tractatus Tripartitus*, p. 87, 8, le Sauveur est appelé l'« Aimé ». — **sine... societate** : Sophia éprouve ses passions seule, sans être unie à son époux : il s'agit donc, en un sens, d'un adultère, et les « spirituels », issus de Sophia, ont une mère, mais pas de père légitime, cf. *Extr. Théod.*, 68 ; *Tract. Tripart.*, p. 78, 12 et comm. *ad loc.*, p. 348. — **inquirere** : = *quaerere* (*supra*, 3, 3). L'infinitif de but après un vb. de

mouvement est une construction pré- et post-classique
(cf. *infra*, 14, 3 ; Hoppe, *Synt.*, p. 42 ; L. H. S., p. 344 ;
Schneider, p. 178). — **exorsum... fuerat** : extension aux
vb. déponents ou semi-déponents des formes surcomposées
du passif ; fréquente chez Tert. (Hoppe, *Synt.*, p. 60), elle
est plus rare dans la langue (cf. L. H. S., p. 321-322). *Exorior*,
usuel dans toute la latinité pour peindre les « passions de
l'âme » (cf. *TLL* s. u. col. 1577, 7), traduit ici le vb. plus
neutre ἐνήρξατο d'Irén., I, 2, 2. — **deriuarat** : Tert. est le
premier à construire intrans. ce vb., mais sera peu suivi
(cf. *TLL* s. u. col. 638, 43 ; *supra*, 3, 1) ; cf. *Pud.* 21, 9 ;
infra, 29, 2 (mais passif en 25, 2 et 35, 1) ; pour la forme
contracte, *supra*, 9, 1. Le « désir » de connaître le Père s'est,
pour ainsi dire, « concentré » dans l'éon le plus faible, le
plus éloigné du Principe, et donne lieu, en quelque sorte,
à un « abcès de fixation ». Irén., I, 2, 2, dit d'ailleurs, avec
le sens médical du vb., ἀπέσκηψε ; cf. Galen., *Ad Glauconem
de med. meth.*, 2, 9 (Kühn, IX, p. 116) : « Aposcemmata...
affectiones uocant, quum humores loco, quem prius infesta-
bant, relicto in alterum confluunt », ([ἀποσκημμάτα]... ὀνομά-
ζουσι... οὕτω τὰς διαθέσεις ἐκείνας, ὅταν χυμοί τινες ἐνοχλοῦντες
πρότερον ἑτέρῳ μορίῳ καταλιπόντες ἐκεῖνο εἰς ἕτερον μεταστῶσιν).
On rapprochera la comparaison, elle aussi médicale, de
Tert. : « ut solent uitia in corpore... » (cf. aussi *Scorp.* 1,
10 : « si plagam satiauerit, intimatur uirus et properat in
uiscera ; statim omnes pristini sensus retorpescunt, sanguis
animi gelascit, caro spiritus exolescit, nausea nominis
(Christiani) inacrescit »). Pour l'intérêt porté par Tert. aux
sciences naturelles et médicales, cf. W. P. Le Saint, *Tertullian
Treatises on Penance*, London 1959, p. 183 ; Fredouille,
p. 423. — **connata** : = *nata* (cf. *supra*, 3, 3). Sans doute
néologisme (*TLL* s. u. col. 344, 69, signale à tort comme
première attestation de cette forme : Hil., *Trin.*, 5, 11).

9, 3. dilectionis : Irén., I, 2, 2 : ἀγάπης. Nette prédomi-
nance chez Tert. de *dilectio* sur *caritas* pour rendre la notion
d'ἀγάπη, aussi bien sous sa plume qu'en citations scripturaires ; le mot n'est pas attesté avant les anciennes trad.
et Tert., mais il est vraisemblable qu'il était déjà en usage

chez les païens, cf. *Apol.* 39, 16 : « cena nostra de nomine
rationem sui ostendit : id uocatur quod dilectio penes Grae-
cos » ; H. Pétré, *Caritas*, p. 49 s. ; 69 s. — **gaudentem** :
+ *de*, constr. attestée à partir de Pline le Jeune (cf. L. H. S.,
p. 120), fréquente chez Tert. (Hoppe, *Synt.*, p. 34). —
impossibilia : la « passion » de Sophia pour le Père est en
fait *hybris* ; conception proche de Plot., *Enn.*, 4, 8, 5, 16-19 ;
5, 1, 1, 1-5 ; cf. *Tract. Tripart.*, p. 77, 25 et comm. *ad loc.*,
p. 343. — **contendens... erat** : cf. *supra*, 6, 1. — **extenditur
adfectione** : Irén., I, 2, 2 : ἐκτεινόμενον ἀεὶ ἐπὶ τὸ πρόσθεν ;
il s'agit de l'extension vers l'avant (cf. *Phil.*, 3, 13 : τοῖς
δὲ ἔμπροσθεν ἐπεκτεινόμενος), vers l'infini, consécutive à l'élan
pour la recherche du Père. Mais l'expression de Tert. est
ambiguë. — **dulcedinis** : sans doute contresens ou inadvertance, plutôt, de Tert., car de ces lignes il est difficile
de comprendre qu'il s'agit en réalité de la « douceur » du
Père (Irén., I, 2, 2 : ὑπὸ τῆς γλυκύτητος αὐτοῦ) ; ce thème
mystique apparaît également dans l'*Évang. Vérité*, 24, 9 ;
31, 20 ; etc. ; *Tract. Tripart.*, p. 53, 5. Notre traduction
« respecte » cette mélecture. — **deuorari... dissolui** : inf.
en fonction d'abl. = (*a*) *deuoratione*, (*a*) *dissolutione* ; cf.
Hoppe, *Synt.*, p. 42. — **in reliquam substantiam** : Irén.,
I, 2, 2 : ἄν... ἀναλελύσθαι εἰς τὴν ὅλην οὐσίαν, εἰ μή..., « elle
allait se dissoudre dans l'essence du Tout (= du Plérôme), si... » ; cf. aussi I, 3, 3. Il n'est pas sûr, ici non plus,
que Tert. ait saisi le sens exact du passage qu'il traduit :
rien n'indique que, à ses yeux, *substantia* désigne la *substantia
pleromatis* ; même équivoque en *Prax.* 8, 2 où il résume le
« drame » de Sophia en termes à peu près identiques : « Valentinus προβολὰς suas discernit et separat ab auctore et ita longe
ab eo ponit ut aeon patrem nesciat. Denique desiderat nosse
nec potest, immo et paene deuoratur et dissoluitur in reliquam substantiam ». Cf. Braun, p. 179 ; Moingt, II, p. 426 ;
Orbe, *Cristología gnóstica* II, p. 409. — **nec alias quam** :
= *neque ullo alio modo nisi.* — **bono fato** : ironique (d'après
Virg., *Én.*, 6, 546 : *melioribus... fatis* ; Hor., *Carm. saec.*, 28 :
bona... fata ; Sén., *Troad.*, 636 : *meliore fato* ; etc.), mais,
sous l'ironie, la remarque est juste : le drame qui se joue au
sein du Plérôme et dont Sophia est l'un des acteurs essentiels

est prévu et voulu par Dieu pour que le monde visible prenne
naissance ; tout ce qui arrive provient d'une « économie »
fixée par le Père (cf. *Tract. Tripart.*, p. 76, 23 s. qui voit
dans ce monde un reflet du monde supérieur du Plérôme et
ne professe pas à cet égard le pessimisme qu'éprouve pour le
« néant » (le monde visible) l'*Évangile de Vérité* ; cf. comm. *ad.
loc.*, p. 340). — **Horon** : « Limite » (Ὅρος), appelé également
Crux, « Croix » (Σταυρός) ; Lytrotes, « Rédempteur » (Λυτρω-
τής) ; Carpistes, « Celui qui acquitte » ? « Arbitre, Juge » ?
(Καρπιστής), cf. Sagnard, p. 154 ; et *infra*, 10, 3 : Metagogeus,
« Guide » (Circumductor) ; Horothetes « Celui qui délimite » ;
sur toutes ces appellations, cf. Orbe, *Est. Val.*, IV, p. 599 s.
— **incursasset** : vb. du vocabulaire militaire (cf. T.-Liv.,
36, 14, 12). Pour la forme contracte, *supra*, 9, 1. — **quaedam... custos** : pour les parenthèses, cf. *supra*, 8, 5. —
fundamentum... custos : ponctuation incertaine (cf. nos
« Valentiniana », p. 58 ; depuis, Riley, p. 37 : « huic uis est :
fundamentum, uniuersitatis illius extrinsecus custos » ; Marastoni, p. 64 : « huic uis : est fundamentum uniuersitatis
illius ⟨et⟩ extrinsecus custos »), texte lui-même obscur du
fait, sans doute, d'une rédaction trop hâtive de la part de
Tert. Cf. Irén., I, 2, 2 : τῇ στηριζούσῃ καὶ ἐκτὸς τοῦ ἀρρήτου
μεγέθους φυλασσούσῃ τὰ ὅλα συνέτυχε δυνάμει, « elle (= Sophia)
rencontra la puissance (= Horos) qui consolide et garde hors
de la Grandeur Inexprimable (du Père) l'ensemble (des éons) » ;
en réalité, Noûs-Monogène ayant le privilège de connaître le
Père, l'ensemble des éons désigne ici le Plérôme moins la
Tétrade (Bythos-Sigè et Monogène-Vérité) ; autrement dit,
l'une des fonctions d'Horos est de séparer du reste du Plérôme la Tétrade, fonction confirmée dans l'épisode de
l'hémorrhoïsse (*Haer.*, I, 11, 1) ; il s'agit du reste d'une
innovation de Ptolémée : Valentin (cf. *Haer.*, I, 11, 1) dis-
tinguait pour sa part deux Limites (ὅροι), l'une, qui séparait
le premier couple (Bythos-Sigè) des autres éons, l'autre,
qui éliminait Sophia hors du Plérôme (cf. Sagnard, p. 230).
Tert. a donc rendu ici τὰ ὅλα par *uniuersitas* (comme *supra*, 7,
7 et *infra*, 39, 1) et στηρίζειν par *fundamentum* ; si l'on admet
que ἐκτὸς (τοῦ ἀρρήτου μεγέθους) φυλασσούσῃ (τὰ ὅλα) est traduit par *extrinsecus custos*, il faut comprendre : « Horos, gar-

dien des éons (maintenus) à l'extérieur, à l'écart, à distance
(de la Grandeur Inexprimable, c'est-à-dire, en réalité, de
la Tétrade) », autrement dit rapporter l'adv. *extrinsecus* en
fonction adjective à *uniuersitatis* et non à *custos*, ce qui n'est
ni le sens ni la construction les plus obvies. En fait, il semble
bien que Tert. ait retenu de ce passage d'Irénée les deux
fonctions générales d'Horos, celle de « fondement » du Plérôme et d'autre part celle de « limite » du même Plérôme : Horos est en effet la « limite extérieure, inférieure » du Plérôme,
qu'elle sépare du *kenôma* ; cette fonction, qui ressort bien de
infra, 14, 3-4, est peut-être mieux soulignée dans les *Extraits
de Théodote*, 22, 4 ; 42, 1 (école orientale) et dans le « thème B »
(ptoléméen plus récent) rapporté par Hippol., *Philos.*, VI, 31, 5.

9, 4. **persuasa** : terme technique (Irén., I, 2, 4 : πεισθέντα
ὅτι ἀκατάληπτός ἐστιν ὁ πατήρ) ; cf. *supra*, 1, 4. — **inuestiga-
tione** : class. mais relativement rare, et surtout généralement
suivi d'un génit. *rerum* ou *naturae* ; toutefois, Sén., frg. 14 Haase
p. 34 : « amicum (creditis)... inueniri... sine ulla inuesti-
gatione ? » ; *TLL* s. u. col. 167, 55. — **Animationem (Enthymesin)** : c'est-à-dire la Tendance, l'Intention, le désir
fallacieux de Sophia qui est ainsi séparé d'elle et qui, guéri
de la « passion » qui lui est survenue, deviendra la seconde
Sophia, ou encore Achamoth. Pour traduire Ἐνθύμησις Tert.
a recouru, sans doute à dessein, à un mot extrêmement rare
puisqu'il n'est attesté qu'une seule fois dans la langue
païenne, au sens propre du reste (Cic., *Tim.*, 10) ; il ne
l'utilise qu'en deux autres occasions (au sens propre) :
Marc. II, 3, 3 ; *An.* 19, 5 (cf. *TLL* s. u. col. 85, 67) ; le *Vetus
Interpres* a traduit par *intentio*. Pour les majuscules et la
juxtaposition du latin et du grec, cf. « Valentiniana »),
p. 59. — **exposuit** : « purification » opérée par Horos (cf.
Irén., I, 2, 4 : κεκαθάρθαι). Tert. est ici le premier à utiliser
ce vb. métaphoriquement avec pour objet des « passions »,
des « tendances » de l'âme (cf. *TLL* s. u. col. 1760, 8) ; mais
un jeu de mots implicite n'est pas exclu, cf. *infra*, 10, 2.

10, 1. **Sed quidam...** : la variante rapportée jusqu'au
§ 3 (entier, selon G. C. Stead, *JTS* 20 [1969], p. 78 ; jus-

qu'à : ... *ita uariant,* selon Sagnard, p. 34 ; 152-153) et correspondant à Irén., *Haer.,* I, 2, 3-4 (... Μεταγωγέα καλοῦσι ou ... εἶναι θέλουσι selon que l'on suit l'un ou l'autre de ces deux critiques) reflète l'enseignement du « thème B », tel qu'il est transmis par Hippol., *Philos.,* VI, 30, 6 - 31, 5. Deux traits principaux distinguent le mythe de Sophia selon le thème A (Ptolémée ; ici *supra,* 9, 2-4) et selon le thème B (ptoléméen plus récent) : dans l'un et l'autre, l'élan transgresseur de Sophia se manifeste indépendamment de son « époux » ; mais d'une part, selon A, Sophia tente de percer le mystère du Père, alors que, selon B, elle veut imiter le pouvoir génésique du Père en dehors de toute union ; d'autre part, selon A, sa prétention aboutit à la formation et à la déposition d'Enthymesis et de sa passion, tandis que, selon B, elle contribue à l'émission d'un « avorton » ; cf. Stead, p. 78. — **exitum** : cf. *supra,* 3, 4. — **somniauerunt** : *Nat.* I, 11, 1 : « somniastis caput asininum esse deum nostrum » ; II, 13, 1 ; *An.* 28, 5 ; etc. Vb. habituel dans les polémiques (cf. Min. Fel., *Oct.,* 12, 3 : « tu qui immortalitatem postumam somnias »), correspondant ici à Irén., I, 2, 3 : μυθολογοῦσιν. — **deiectionem** : un des premiers ex. de ce sens dérivé presque uniquement attesté chez les écrivains chrétiens (cf. *TLL* s. u. col. 402, 19). — **deformatam** : (s.-ent. *esse*) + abl. causal class. et ancien dans la langue : cf. Acc., *Trag.,* 612 W : « uulnere taetro deformatum » ; Apul., *Apol.,* 74, 7 : « priusquam isto caluitio deformaretur » ; etc. (Luc., 8, 56 : « deformem pallore ducem »). Cf. *TLL* s. u. col. 371, 28. — **credo** : très fréquent en parenthèses (cf. *TLL* s. u. col. 1137, 19). — **incuria** : cf. *Cult.* II, 2, 5 : « naturalis speciositatis... dissimulatione et incuria » ; mais déjà Lucil., 727-728 W : « Hic cruciatur fame / frigore inluuie inbalnitie inperfunditie incuria » ; Apul., *Mét.,* 8, 7, 5 : « inedia denique misera et incuria squalida » ; cf. *TLL* s. u. col. 1081, 4. — **uti quae... dolebat** : relative causale à l'ind. (*uti = ut*), cf. *Apol.* 25, 11 ; 46, 7 ; etc. Hoppe, *Synt.,* p. 74. Pour la ponctuation de la phrase et la correction *uti quae,* cf. « Valentiniana », p. 59. — **opera** : cf. le sens érotique que ce terme a chez Plaute en particulier (*TLL* s. u. col. 662, 25.70). — **conce-**

pit : mais *procreat* ; *uariatio temporis*, cf. Löfstedt, *Spr.
Tert.*, p. 23 s. ; Bulhart, *Praef.*, § 112 ; *infra*, 31, 1. — **sortita
est** : ce sens (« obtenir du sort, de la destinée ») est fréquent
à l'époque impériale ; mais Tert. est le premier à construire
ce vb. avec un inf. (ici *parere*) en fonction d'acc., cf. *An.* 12,
3 ; 37, 1 ; etc. Waszink, p. 160. — **de suo** : cf. *supra*, 8, 1.
— **parere** : cf. Arist., *Hist. an.*, 6, 2, 559b 22-24 : ὦπται γὰρ
ἱκανῶς ἤδη ἀνόχευτοι νεοττίδες ἀλεκτορίδων καὶ χηνῶν τίκτουσαι
ὑπήνεμα ; 560b 30-561a » ; Ps. Arist., *Hist. an.* 10, 6, 637b 12-
21 ; Plin., *Nat.*, 10, 166 : « inrita oua... aut mutua feminae
inter se libidinis imaginatione concipiunt aut puluere nec
columbae tantum, sed et gallinae, perdices, pauones... » ; cf.
d'Arcy Wentworth Thompson, *A Glossary of greek Birds*,
Oxford 1895, p. 21 s. u. Ἀλεκτρυών. Ce trait a sans doute été
suggéré à Tert. par Irén., II, 12, 4 : les éons, privés de leurs
compagnes, en sont réduits à engendrer par eux-mêmes,
comme des poules qui seraient sans coq. — **uultures feminas** : *femina*, comme *mas*, est normalement employé en apposition pour désigner le sexe d'une plante ou d'un animal
(cf. *TLL* s. u. « femina » col. 463, 48 ; s. u. « mas » col. 423,
84) ; sur cette croyance, cf. Plut., *Mor.*, 286c ; Élien, *Nat.
anim.*, 2, 46 ; etc. ; d'Arcy Wentworth, *op. cit.*, p. 48 s. u.
Γύψ. A noter que Tert. utilise ici à des fins polémiques des
données qu'Origène (*C. Celse*, 1, 37, *SC* 132, p. 176) ou Basile
de Césarée (*Hom. sur l'Héxaéméron*, 8, 180a-b, *SC* 26,
p. 460 s.), par exemple, mentionnent à des fins apologétiques :
la parthénogénèse, chez certains animaux, montre que la
conception virginale du Christ s'inscrit dans l'ordre naturel.
Cf. W. Speyer, art. « Geier », *RLAC* t. 9, col. 457.

10, 2. Et tamen... mater... metuere : après ces réflexions sarcastiques, retour au mythe de Sophia (*Et tamen...*)
Au prix d'une légère correction (suppression de *et* devant
metuere) on peut, semble-t-il, conserver la tradition manuscrite. La conjecture *matres* et la ponctuation qu'elle entraîne
(« et tamen sine masculo matres ») aboutissent en fait à une
reprise tautologique de « uultures feminas tantum aiunt ».
Metuere, haerere, curare : inf. de narration, bien adaptés ici
au récit : cf. *Cor.* 1, 2 : « Denique singuli designare, eludere

eminus, infrendere comminus » ; mais, naturellement, Tert.
a peu d'occasions d'y recourir (cf. Hoppe, *Beitr.*, p. 41.
— **insisteret** : = *instaret*, cf. *Marc.* IV, 39, 18 : *insistat* =
Luc 21, 34 : ἐπιστῇ (Vg : *superueniat*) ; *Res.* 24, 13 : *insistat*
= *II Thess.* 2, 2 : ἐνέστηκεν (Vg : *instet*) ; etc. *TLL* s. u.
col. 1925, 26 ; d'autre part, cf. Cic., *Diu.*, 1, 63 : « id ipsum
uident... instare mortem » ; Sén., *Luc.*, 70, 8 : « si certa
mors instabit ». *Finis* : sc. *feminae*. Passage invoqué à
tort par Massuet, *PL* 7, col. 233 pour défendre la dépendance de Tert. par rapport au *Vetus Interpres*. — **haerere de** : la constr. class. de ce vb. en ce sens est *in* +
abl. (Cic., *Fin.*, 1, 20 ; etc. *TLL* s. u. col. 2498, 61). —
curare de : cf. *Apol.* 31, 1 ; 39, 13 ; etc. Hoppe, *Synt.*,
p. 35 ; Tert. utilise aussi la constr. arch. et post-class.
+ dat. (*Apol.* 46, 7) ; dans la langue class. : *curare* + acc.
— **mutuaretur** : emploi passif du déponent trans., cf.
Nat. II, 4, 3 : « (uocabulum) de appellatione ueri dei mutua-
tum (esse) » ; Hoppe, *Synt.*, p. 62 ; P. Flobert, *Les verbes
déponents latins*, Paris 1975, p. 366 ; mais sens actif en
Apol. 45, 4 (*infra*). — **forma... exponendi** : la mythologie
abonde en récits d'enfants abandonnés et exposés pour
divers motifs (cf. P. Grimal, *Dict. Mythologie*, Index II,
p. 565 s. u. « Enfants-Exposé »), parfois repris par les tragiques, par ex. Eur., *Alopé* (trag. perdue) ; *Mélanippée
enchaînée*, *Mélanippée la Philosophe*, également perdues
(= Enn., *Melannipa*) ; pour la comédie, où l'intrigue repose
fréquemment sur un tel stratagème, cf. Pl., *Cist.*, 184-187 :
« Ei rei nunc suam / Operam usque assiduo seruus dat, si
possiet / Meretricem illam inuenire, quam olim tollere, / Cum
ipse exponebat, ex insidiis uiderat » ; Tér., *Heaut.*, 629-630 :
« (puellam) ei (= Corinthiae anui) dedi / Exponendam » ;
Hec., 400-401 : « Continuo exponetur ; hic tibi nihil est
quicquam incommodi, / Et illi miserae indigne factam
iniuriam contexeris » ; comme thème de déclamation, cf.
Sén. Rh., *Contr.*, 10, 4, 16 ; Ps. Quint., *Decl.*, 306. *Formam* :
TLL s. u. col. 1076, 23 mentionne cette occurrence sous la
rubrique : « modus et ratio qua res aliqua agitur (interdum
i. q. ritus, caerimonia) » ; sans doute vaut-il mieux retenir
le sens indiqué col. 1085, 17 : « exemplum quod ad imitandum

proponitur » ; cf. Quint., *Inst. or.*, 1, 6, 16 (*forma loquendi*) ;
Apol. 45, 4 : « leges... uestras... de diuina lege... formam
mutuatas (esse) » ; *Marc.* IV, 8, 5 : « ex forma iam prioris
exempli » ; *Idol.* 18, 5 : « ex forma dominica agere debebis » ;
etc. — **citra pudorem** : contrairement à l'interprétation
souvent proposée (entre autres par Hoppe, *Synt.*, p. 37
citra = « wider, gegen »), la préposition a ici son sens class.
« en deçà de, sans aller jusqu'à, sans », comme en *Carn.* 25,
1 : « citra singularum... opinionum congressionem » ou
Idol. 13, 5 : « citra diei obseruationem ». En fait, Tert., qui
pense surtout aux intrigues de la comédie, feint d'ignorer
les exemples de grossesses « merveilleuses » et « innocentes » :
ainsi celle de Danaé (dont deux tragédies de Livius Andro-
nicus et de Naevius porte le nom), séduite par une pluie d'or
et dont l'enfant fut abandonné (avec sa mère) ; cf. P. Grimal,
op. laud., p. 571 s. u. « Naissance-Sans accouplement ». Quoi
qu'il en soit, le caractère sexuel du mythe de Sophia est
nettement plus accusé dans ce thème B que dans le thème A
précédent, cf. *supra*, 9, 2 s. u. *sine coniugis... societate*. — **in
malis** : = *male* (Cic., *Inu.*, 1, 106 ; *Brut.*, 250 ; etc. Hoppe,
Synt., p. 100). — **deserebant** : = *deficiebant*, cf. *An.* 51, 3 ;
Pal. 2, 6. — **succidit** : = *cadit* (*supra*, 3, 3). — **propin-
quitas** : = *propinqui* (cf. *supra*, 1, 2 ; 4, 3). — **Causa mali
tanti** : le fait que chez Virgile ces mots s'appliquent à Lavinie
est sans doute une raison supplémentaire pour admettre
qu'ils désignent ici Sophia plutôt que Noûs-Monogène,
comme comprennent en général les traducteurs. Au demeurant, la « faute » de Sophia est librement assumée,
même si elle était prévue, les éons étant doués de libre
arbitre (cf. *supra*, 4, 2) ; le *Tract. Tripart.*, p. 75, 35, insiste
d'ailleurs sur le fait que Sophia est seule responsable de sa
chute. Au contraire, loin d'avoir provoqué la faute de
Sophia, Monogène souhaitait faire partager aux autres éons
la connaissance du mystère du Père et il en fut empêché
par Sigé (*supra*, 9, 1). Nous comprenons : la faute de Sophia
est telle et telles ses conséquences, qu'il ne faut pas moins
de l'intercession du Plérôme tout entier en sa faveur auprès
du Père ; si Monogène intervient tout particulièrement,
c'est qu'étant, à tous égards, plus proche du Père, il sera un

intercesseur plus efficace. Sur cette citation littérale, cf.
C. Weyman, *Berliner Philolog. Wochenschr.* 28 (1908),
col. 1014-1015 ; toutefois, à signaler le changement de cas :
causā, apposition à *pro ea* (chez Virgile *causa* est au nominatif).
Autre réminiscence virgilienne en contexte antivalentinien,
à propos des trente éons du Plérôme, *Marc.* I, 5, 11 : « triginta
aeonum fetus » = *Én.*, 8, 43-44 : « ... sub ilicibus sus / triginta
capitum fetus enixa iacebit » ; cf. R. Braun, « Tertullien et
les poètes latins », p. 23, *AFLNice* 2 (1967), p. 21-33. —
exitus : cf. *supra*, 10, 1.

10, 3. operantur : sur ce vb., ici employé absolument,
cf. Braun, p. 382 s. — **peruenit** : cf. *infra*, 16, 3. Pour
l'établissement du texte cf. « Valentiniana », p. 60. Tert.
s'écarte ici légèrement d'Irén., I, 2, 3 : πρώτην ἀρχὴν ἐσχηκέναι
τὴν οὐσίαν τῆς ὕλης, ἐκ τῆς ἀγνοίας καὶ τῆς λυπῆς καὶ τοῦ φόβου
καὶ τῆς ἐκπλήξεως. Cf. *infra*, 15. — **in haec** : Irén., I, 2, 4 :
ἐπὶ τούτοις. — **promit** : = *emit*, cf. *supra*, 3, 3 ; Irén., I, 2,
4 : προβάλλεται, cf. *supra*, 7, 5. Le « thème A » (*supra*, 9, 3)
n'expliquait pas l'origine de l'éon Horos. — **feminam
marem** : cf. Irén., I, 2, 4 : «πατήρ... ῞Ορον... προβάλλεται ἐν
εἰκόνι ἰδίᾳ ἀσύζυγον ἀθήλυντον» (*Vet. Interpr.* : «Pater... Horon...
praemittit in imagine sua, sine coniuge masculo-femina »).
Sagnard traduit p. 349 : « Le Père émit Limite... à sa propre
image : sans conjoint (ἀσύζυγον, *sine coniuge*), sans femme
(ἀθήλυντον, lat. *masculo-feminam*) ». Du rapprochement de
ces textes on a déduit des conclusions divergentes sur la
dépendance éventuelle de Tert. par rapport à la vieille
traduction latine (cf. *infra*, p. 368) : pour Hort, à la
suite de Massuet (W. Sanday-C. H. Turner-A. Souter,
Nouum Testamentum s. Irenaei..., Oxford 1923, p. xii),
Tert. en écrivant *feminam marem* a reproduit la traduction *masculo-feminam* du *Vet. Interpr.* qui lui-même soit
s'est mépris sur le sens de ἀθήλυντον, soit avait sous les
yeux un texte portant ἀρρενόθηλυν ; au contraire, pour
F. C. Burkitt, *JTS* 1923, p. 66, *masculofemina* du *Vet.
Interpr.* et *femina mas* de Tert. n'ont pas le même sens ; par
ce mot hybride Tert. traduit à la fois ἀσύζυγον et ἀθήλυντον,
et sa traduction montrerait qu'il ne disposait pas de celle

du *Vet. Interpr.* (*sine coniuge masculofemina* ou -*minam*).
En réalité, il est vraisemblable que l'original grec comportait
ἀρρενόθηλυν. En effet, sur la nature de Bythos, on discerne
chez les valentiniens deux traditions, dont la seconde présente elle-même deux variantes : d'une part, celle qui considère que Bythos a une « compagne » (Sigè), d'autre part celle
qui considère qu'il est seul (cf. Hippol., *Philos.*, VI, 29, 3-4) ;
mais sa « solitude » peut être conçue de deux façons : soit on
admet que Bythos est « asexué », au-dessus de la distinction
mâle-femelle, soit on considère qu'il réunit les deux sexes,
qu'il est hermaphrodite. Irén., I, 11, 5 (cf. *infra*, 34) rapporte ces trois opinions : οἱ μὲν γὰρ αὐτὸν ἄζυγον λέγουσι,
μήτε ἄρρενα μήτε θήλειαν, μήτε ὅλως ὄντα τι. Ἄλλοι δὲ ἀρρενόθηλυν αὐτὸν λέγουσιν εἶναι, ἑρμαφροδίτου φύσιν αὐτῷ περι-
άπτοντες. Σιγὴν δὲ πάλιν ἄλλοι συνευνέτιν αὐτῷ προσάπτουσιν,
ἵνα γένηται πρώτη συζυγία.
Or la suite d'Irén., I, 2, 4 (τὸν γὰρ πατέρα ποτὲ μὲν μετὰ
συζυγίας τῆς Σιγῆς, ποτὲ δὲ καὶ ὑπὲρ ἄρρεν καὶ ὑπὲρ θῆλυ εἶναι
θέλουσιν) permet de reconstituer ces trois conceptions. Il y a
d'une part ceux qui imaginent Bythos sans compagne (ἀσύζυ-
γος), androgyne (ἀρρενόθηλυς) ; d'autre part ceux qui veulent
qu'il forme un couple (μετὰ συζυγίας) avec Sigè ; enfin ceux
qui le situent au-dessus de toute différenciation sexuelle (μήτε
ἄρρεν μήτε θῆλυ, ὑπὲρ ἄρρεν ὑπὲρ θῆλυ), et qui par conséquent,
comme les premiers cités, le voient sans compagne. D'autre
part, outre le fait que ἀθήλυντον après ἀσυζύγον ne pourrait
être ici qu'une tautologie, il n'y a pas d'autre occurrence
de cet adjectif chez Irénée. Quant au *Vetus Interpres* il traduit régulièrement ἀρρενόθηλυς par *masculofemina* (I, 1, 1 ; I,
21, 5 ; I, 30, 3) ou par *masculofemineus* (I, 18, 2) : on peut
penser qu'il eût choisi un autre vocable pour rendre ἀθήλυντος.
Enfin, paléographiquement, comme le reconnaît lui-même
Hort, *art. cit.*, le passage de ἀρρηνόθηλυν à ἀθήλυντον est
aisément explicable. Pour ce qui est du texte de Tert. (qui
donc ne fournit aucun élément en faveur de sa dépendance
à l'égard du *Vetus Interpres*), ἀσύζυγον n'a pas été traduit,
sans doute parce qu'il paraissait faire double emploi avec
ἀρρηνόθηλυν. Pour expliquer *femina mas* on est tenté en
général de considérer *femina* ou *mas* comme des substantifs

à valeur adjective (cf. *supra*, 4, 4 ; 10, 1 ; Waszink, p. 421 ;
TLL s. u. « femina », col. 462, 1) ; peut-être serait-il plus
juste d'y voir un composé par juxtaposition : cf. *Carn*. 13,
4 : *anima caro*, et 13, 6 : *caro anima* (cf. Mahé, *SC* 217,
p. 383), à côté de *Carn*. 13, 5-6 : *carnea anima* et *caro animalis* ;
Pud. 21, 17 : *ecclesia spiritus, ecclesia numerus* (*supra*, 4, 4).
— **quia... uariant** : Tert. se borne à résumer Irén., I, 2, 4
(cf. *supra* l'opinion des valentiniens qui donnent une compagne à Bythos et de ceux qui le placent au-dessus de toute
sexualité). La remarque est toutefois peu claire pour le
lecteur qui aura retenu de *supra*, 7, 5 que Bythos possède
en Sigè une compagne avec laquelle il forme une syzygie, d'un
type particulier, mais une syzygie tout de même, alors que
l'éon Horos est présenté comme étant seul, sans compagne,
offrant donc de Bythos une « image » en contradiction avec
ce qui a été dit en 7, 5. Cf. *infra*, 34.

Adiciunt... : retour au thème A, après la « variante » du
thème B (10, 1-4). — **Circumductorem** : hapax (cf. *TLL*
s. u. col. 1135, 44). Le mot se trouvait-il dans le texte (et
Metagogeus dans l'interligne), comme peut-être *supra*, 9, 4
(Animatio-Enthymesis) ? ou bien dans la marge ? Cf. *supra*,
6, 2. — **10, 4. praedicant** : cf. *supra*, 1, 1. — **repressam...
purgatam... confirmatam... restitutam** : après avoir
été « persuadée » (*supra*, 9, 4), Sophia est maintenant guérie :
si *repressam* n'a pas d'équivalent dans Irén., I, 2, 4, en
revanche *purgatam* = κεκαθάρθαι, *confirmatam* = ἐστηρίχθαι,
restitutam = ἀποκατασταθῆναι. Cf. Sagnard p. 644 s. u. καθαίρω
et p. 654 s. u. στηρίζω. — **censu** : si souvent chez Tert. *census*
= *origo, natura* (cf. *supra*, 7, 3), il arrive comme ici que le mot
conserve métaphoriquement, et très atténuée, sa couleur
institutionnelle (*infra*, 29, 3 ; 33, 2 ; *Nat.* II, 1, 10 ; II, 12, 3 ;
Marc. II, 10, 5) ; cf. *TLL* s. u. col. 808, 47. — **Enthymesin** :
la séparation et l'expulsion d'Enthymésis constituent la
« purification » de Sophia, cf. Sagnard, p. 262. — **adpendicem** : Irén., I, 2, 4 : σὺν τῷ ἐπιγενομένῳ πάθει (*Vet.
Interpr.* : « cum appendice passione ») ; cf. *supra*, 9, 4 :
« cum passione quae insuper acciderat » = Irén., I, 2, 2 :
σὺν τῷ ἐπιγενομένῳ πάθει (*Vet. Interpr.* : « cum ea quae

acciderat passione »). Introduit dans la langue avec une
acception très concrète (« portions de champs rattachées
à d'autres », cf. Var., *Rust.*, 1, 16, 1 ; 3, 9, 2), exceptionnellement en contexte anthropologique (Cic., *Hort.*, Ruch 86
= Non. 42, 7) : « adpendicem animi esse corpus ») ou affecté
à des personnes (T.-Liv., 21, 5, 11 : « Carpetanorum cum
adpendicibus Olcadum Vaccaeorumque »), *adpendix* est
un terme relativement fréquent chez Tert. (5 occurrences,
dont 3 en contexte psychologique ou moral : ici et *Marc.* I,
25, 2 : « ceteris adpendicibus sensibus et adfectibus » ; *Iei.* 17,
3 : « Adpendices... gulae lasciuia atque luxuria » ; dans les
2 autres, avec un sens plus neutre : *Res.* 8, 4 : « ieiunia et
seras et aridas escas et adpendices huius officii sordes » ;
An. 55, 4 : « prophetae adpendices dominicae resurrectionis »).
Plus que le choix d'*adpendix* par Tert., ce qui a frappé les
commentateurs, c'est, naturellement la double convergence
entre lui et le *Vet. Interpr.* ici et *supra*, 9, 4, convergence
d'autant plus surprenante ici que *adpendix* ne paraît
pas l'équivalent le plus immédiatement attendu (comme
synonyme d'ἐπιγενόμενος les glossateurs anciens donnent
superueniens, *futurus*, cf. *Glossae Graeco-latinae* éd. Gœtz-
Gundermann, t. 2, p. 307 ; t. 7, p. 521). Plusieurs hypothèses
ont été avancées, que nous résumons brièvement dans ce
qui nous paraît être l'ordre croissant de leur vraisemblance :
1. Certains (Massuet, *PL* 7, col. 234 ; d'Alès, *RecSR* 6 [1916]
p. 135 ; etc.) voient dans *Val.* 10, 4 *adpendicem passionem*
un élément déterminant en faveur de la dépendance de
Tert. par rapport à l'ancienne version lat. 2. Pour F. C.
Burkitt, *JTS* 1923, p. 66-67, *adpendix* est un terme médical,
comme on en rencontre plusieurs sous la plume du *Vet. Interpr.* et qu'il rapproche de Cael. Aur., *Chron.*, 2, 8, 114 : « de
iis tussiculis quae aliarum fuerint adpendices passionum » :
cette convergence avec le médecin africain du ve s. (?),
ajoutée à d'autres, signalées par A. Souter, *Nouum Testamentum s. Irenaei...*, Oxford 1923, p. xcv-xcvi, tendrait
à prouver la date tardive de la version latine. 3. Partisan
lui aussi d'une datation tardive pour cette version, H. Jordan
« Das Alter und die Herkunft der latein. Uebersetzung
des... Irenaeus », *Theol. Studien, Th. Zahn... dargebracht*,

Leipzig 1908, p. 158, estime que le *Vet. Interpr.* a emprunté
cette traduction à Tert. 4. L'hypothèse de Hort, *Nouum
Testamentum s. Irenaei*, p. xlii-xliii, a le mérite d'expliquer
la double coïncidence signalée plus haut entre Tert. et le
Vet. Interpr. en *Val.* 9, 4 et 10, 4. Pour Hort, il n'y aurait
rien de vraiment surprenant à ce que Tert. eût rendu ἐπιγινόμενον πάθος (expression attestée dans le vocabulaire
stoïcien) par *adpendix passio* : la traduction serait recherchée,
mais adéquate, surtout si l'on tient compte de la faveur
qu'a ce terme chez lui dans son acception morale et psychologique (*adpendix* serait mis pour *accidens* = ἐπιγινόμενον,
cf. *supra*, 9, 4). Mais cette éventualité ne saurait expliquer
ni l'occurrence du terme sous la plume du *Vet. Interpr.* dont
le littéralisme est bien connu, ni la convergence entre lui
et Tert. En effet, en admettant que le *Vet. Interpr.* ait eu
en main *Val.*, pourquoi se serait-il départi ici, et ici seulement
ou presque, de ses habitudes ? d'autre part, si l'on suppose
qu'il est antérieur à Tert., on n'imagine guère qu'il ait
spontanément recouru à une telle traduction. Il y a d'ailleurs
d'autres termes techniques stoïciens, appliqués justement
aux passions, comme ἑπόμενον, προσαρτήμα, ou προσηρτημένον,
dont *adpendix* pourrait être considéré comme l'équivalent normal. En conclusion, pour Hort, ἐπιγινόμενον et
adpendix sont synonymes ; mais si *adpendix* = ἐπιγινόμενον
chez Tert. est concevable, cette traduction est impensable
sous la plume du *Vet. Interpr.* qui, lui, a dû lire ἐπαρτωμένῳ.
Pour notre part, nous serions tenté de penser, non pas,
comme Hort, que Tert. et le *Vet. Interpr.* ont disposé de
deux textes différents, l'un portant ἐπιγινομένῳ (celui que
Tert. aurait eu sous les yeux), l'autre ayant ἐπαρτωμένῳ
(celui dont disposait le *Vet. Interpr.*), mais que tous deux,
indépendamment l'un de l'autre, ont lu ἐπαρτωμένῳ. En
effet d'autres exemples (cf. *infra* : *crucifixam*) d'accords
entre Tert. et le *Vet. Interpr.* contre Irénée grec permettent
de penser qu'ils ont connu une tradition différente de celle
qu'a eue Épiphane : c'est en tout cas l'hypothèse la plus
économique. Cf. *infra*, p. 368. — **crucifixam** : Irén., I, 2, 4 :
ἀποσταυρωθῆναι d'après Tert. et *Vet. Interpr.* (*crucifixam*) ;
ἀποστερηθῆναι mss. Cf. Sagnard, p. 248, qui, citant *Gal.* 5, 24

(οἱ δὲ τοῦ Χριστοῦ... τὴν σάρκα ἐσταύρωσαν σὺν τοῖς παθήμασιν καὶ ταῖς ἐπιθυμίαις), interprète ce passage comme un cas d'« exemplarisme inversé » appliqué à la « crucifixion » d'Enthymésis. Si les fonctions de Limite (Horos sépare et délimite) et de Croix (Horos consolide, affermit, confirme) se recouvrent, c'est grâce à des superpositions métaphoriques de ce type. — **extra eum** : = *extra censum pleromatis.* *Extra... factam* : = Irén., I, 2, 4 : ἐκτὸς αὐτοῦ γενομένην. Cf. *Marc.* V, 17, 12 = *Ephés.* 2, 13 : « At nunc... in Christo uos, qui eratis longe, facti estis prope in sanguine eius » ; *Pud.* 9, 15 : « longe a Domino... factus [iac- *Oehler*] » ; Löfstedt, *Spr. Tert.*, p. 94 s. — **10, 5. malum... foras** : aparté sarcastique au milieu d'une phrase narrative (cf. *supra*, 9, 2 ; *infra*, 11, 2 ; etc.). Expression proverbiale rapprochée par A. Otto, *Sprichwörter der Römer*, p. 208 n° 1026, du mot rapporté par Diog. Laer., 6, 50 : μηδὲν κακὸν εἰσίτω ; mais cf. *Marc.* V, 7, 2 = *I Cor.* 5, 2.13 : « auferri, iubens, malum de medio » (= *Deut.* 13, 6 ; 17, 7 ; 22, 24) ; *Pud.* 19, 9 = *Apoc.* 22, 15 : « Canes uenefici, fornicator, homicida foras » ; d'autre part, *CIL* IV, 4278 : « fures foras frugi intro ». — **spiritalem... substantiam** : Irén., I, 2, 4 : πνευματικὴν οὐσίαν ; il s'agit d'Enthymésis, non de la « passion » qui l'accompagne et qui donnera la substance des éléments matériels. — **impetum** : Irén., I, 2, 4 : ὁρμήν. Vocabulaire stoïcien, comme est d'origine stoïcienne cette distinction entre une ὁρμὴ φυσική et une ὁρμὴ πλεονάζουσα ou πάθος, qui est « passion », « maladie » ; cf. G. Quispel, « Philo und altchristliche Häresie », *ThZ* 5 (1949), p. 429-436. — **informem et inspeciatam** : Irén., I, 2, 4 : ἄμορφον δὲ καὶ ἀνείδεον (οὐσίαν) ; I, 4, 1 : ἄμορφος καὶ ἀνείδεος ὥσπερ ἔκτρωμα ; Hippol., *Philos.*, VI, 30, 8 : οὐσίαν ἄμορφον καὶ ἀκατασκεύαστον ; VI, 31, 2 : ἔκτρωμα. Enthymésis est encore *informis*, faute de posséder une organisation interne, elle est *inspeciata*, faute d'avoir la beauté et la perfection de l'être ; cf. *infra*, 14, 1 : « nec forma nec facies ulla ». Les gnostiques appliquaient à Enthymésis, fruit de la « passion » de Sophia, l'«annonce» de la passion du Christ par *Is.* 53, 2 : « οὐκ εἶχεν εἶδος οὐδὲ καλλός. »; cf. Moingt, II, p. 484. Cf. d'autre part Orbe, *Est. Val.*, IV, p. 313 s. ; *Herm.* 40, 2 :

« Quid hodie informe in mundo, quid retro speciatum in
materia, ut speculum sit mundus materiae ? » Stob., *Ecl.*, 1,
10, 16 (*Dox. Graec.*, p. 275) ; ὕλη ἄμορφος καὶ ἀνείδεος ; etc.
Inspectatus : hapax (cf. *TLL* s. u. col. 1943, 13). — **nihil** :
rien de mâle, de pléromatique ; la substance spirituelle,
« pneumatique » (Pneuma = Rouah, qui est féminin) est
du féminin, et Enthymésis est une femme issue d'une femme
(Sophia) ; de même chaque spirituel valentinien est enfant
de la Femme ; au contraire, le Père comme le Plérôme sont
du masculin ; à la fin des temps, chaque valentinien (substance femelle) sera uni à son ange du Plérôme (substance
mâle). — **fructum infirmum** : par opposition à ce que
sera l'éon Jésus, « fruit parfait » du Plérôme (*infra*, 12, 4).
Pour qualifier *fructus*, l'adj. *infirmus* n'est guère habituel
dans la langue (seule *iunctura* signalée par *TLL* s. u. « fructus », col. 1397, 67). — **feminam** : en fonction adjective,
cf. *supra*, 10, 1 et 3.

d. Émission des éons Christ et Esprit-Saint (chap. XI).

Pour affermir et consolider définitivement le Plérôme, Monogène procède à l'émission d'un nouveau
couple Christ et Esprit-Saint : couple infâme puisqu'il
réunit deux éons de sexe masculin (§ 1). Admettre
qu'Esprit-Saint est féminin ne heurte pas moins la
nature, car celui-ci se voit assigner la même fonction
que son « compagnon » masculin, Christ, une fonction
d'harmonisation au sein du Plérôme et d'enseignement
— conception qui est du reste à l'origine d'une scission
à l'intérieur du valentinianisme. Le rôle de Christ est
d'enseigner aux éons la nature de leurs unions et la
fonction révélatrice de Monogène (§ 2). Ce dernier point
n'appelle pas de remarque particulière ; en revanche,
comment croire que l'incompréhensibilité du Père
puisse être cause de la permanence éternelle des éons,
tandis que sa compréhensibilité serait celle de leur naissance et de leur formation ? (§ 3-4). Quant à Esprit-
Saint, sa mission consiste à apprendre aux éons à
rendre grâce au Père et à goûter le véritable repos (§ 4).

11, 1. extorrem : ironique, contraste avec l'expression technique d'Irén., I, 2, 5 : μετὰ τὸ ἀφορισθῆναι. — **coniugi reducem** : cf. *supra*, 10, 4 : *coniugio restitutam. Extorrem, reducem*, équivalents de subst. verbaux (par imitation de la construction participiale = *post eiectam Enthymesin et post Sophiam reductam*), cf. Hor., *Od.*, 1, 37, 12 : *una sospes nauis* ; Tac., *An.*, 1, 36, 2 : *gnarus hostis* ; L. H. S., p. 393. — **ille iterum** : allusion sarcastique à l'activité de Monogène (*supra*, 9, 1 ; 10, 3), encore soulignée par la reprise de *ille* devant ses deux noms (*supra*, 10, 3 : *Monogenes Nus*). — **de patris... prospectu** : Irén., I, 2, 5 κατὰ προμήθειαν τοῦ Πατρός ; cf. *supra*, 9, 1 : *de patris nutu*. D'autre part, *Spec.* 1, 5 : « consilio potius et humano prospectu, non diuino praescripto ». — **solidandis... figendo** : dat. final de l'adj. vb., construit de façon autonome et substitué à *ad* + gérond. ou *ut* + subj. : tour de la syntaxe impériale, fréquent chez Tert., cf. *supra*, 8, 1 ; *infra*, 16, 1 ; 32, 4 ; Hoppe, *Synt.*, p. 55. Irén., I, 2, 5 : εἰς πῆξιν καὶ στηριγμὸν τοῦ Πληρώματος. — **concussio** : apparaît chez Sén., *Nat.*, 6, 25, 4 au sens de « tremblement de terre » (cf. *Marc.* IV, 39, 10) ; Tert. est le premier à lui donner la valeur métaphorique de *perturbatio* (*Apol.* 7, 3 ; *An.* 10, 1 ; etc.) ; cf. *TLL* s. u. col. 117, 39. — **excludit** : « faire éclore », dans la langue des volaillers (cf. Lucr., *De rer. nat.*, 5, 801-802 : « Principio genus alituum uariaeque uolucres / Qua relinquebant exclusae tempore uerno » ; Quint., *Inst. or.*, 2, 16, 16 ; *TLL* s. u. col. 1271, 83) ; associations de sens et confusions graphiques fréquentes avec *excudo* (cf. *infra*, 36, 1 ; *TLL* s. u. col. 1290, 68) et *excutio* ; cf. B. Rehm, *Glotta* 26 (1936) p. 266 s. ; A. Ernout, *Latomus* 5 (1946), p. 265-266. — — **copulationem** : assez rare ; employé par Cicéron (réunion d'hommes ou assemblage de choses), Quintilien (sens grammatical), Apulée (sens philosophique : *Socr.*, 152 : « corpus atque animum... quorum communio et copulatio sumus ») ; ici comme équivalent de συζυγία (*coniugium*) avec sans doute une intention satirique ; ce terme ne reparaît pas ailleurs sous la plume de Tert. (cf. *TLL* s. u. col. 919, 20). — **putem** : cette 1re pers. du subj. en incise est, semble-t-il, exceptionnelle (la remarque vaudrait également pour *cre-*

dam); peut-être *Res.* 47, 17, fournit-il un autre exemple (si
toutefois *putem* n'y dépend pas de *ut*) : «Age nunc, quod ad
Thessalonicienses ut ipsius solis radio putem scriptum... » —
masculorum : cf. *infra*, 11, 2.

11, 2. femina... Spiritus Sanctus : Tert. ignore que
l'hébr. rūah̲ (« esprit ») est du féminin, comme il ignore le
sens du nom donné à Enthymésis, Achamoth (= hébr.
h̲okhmōth, « sagesse »), cf. *infra*, 14, 1. En fait Tert. ne
connaissait de l'hébreu que quelques mots courants, quelques
noms (mais il ne paraît pas savoir qu'Isaac signifie « rire »,
cf. Fredouille, p. 150, n. 25) ; cf. sur ce point les conclusions
de C. Aziza, *Tertullien et le judaïsme*, Paris 1977, p. 216,
qui, trop prudemment, semble-t-il, hésite à repousser caté-
goriquement l'hypothèse selon laquelle Tert. aurait pu
connaître l'hébreu. Sans vouloir tirer de ces « ignorances »
des conclusions qu'elles n'autorisent certainement pas, on
peut toutefois penser qu'elles ne devaient guère favoriser,
à tout le moins, de véritables discussions exégétiques et
textuelles avec les rabbins de Carthage. — **erit** : cf. *supra*,
3, 2. — **uulneratur** : sans doute au sens érotique ; cf. avec
un vb. de sens voisin, *Pal.* 4, 4 : « pugil Cleomachus... cum
incredibili mutatu de masculo fluxisset, intra cutem caesus
et ultra... ». La suite explique ce sarcasme (*munus enim...
unum*) : si l'on peut assigner aux deux éons (dans l'éventualité où ils seraient de sexe différent) la même mission, c'est
qu'ils sont en mesure d'accomplir, à tous égards, les mêmes
fonctions. — **concinnationem** : première attestation de
ce vocable qui rend ici l'idée de καταρτισθῆναι (Irén., I, 2,
5). — **officium** : cf. *Praes.* 28, 5 : « Spiritus Sanctus...
neglexerit officium » ; cf. *supra*, 7, 6. — **scholae** : seul
passage où Tert. applique ce terme aux hérétiques ; ailleurs
il désigne naturellement l'école du grammairien, du rhéteur,
etc. (*Test* 1, 6 ; *Idol.* 10, 3. 7 ; *supra*, 8, 3), les écoles ou
les sectes philosophiques (*Apol.* 46, 10 ; *Praes.* 7, 4 ; etc.),
mais aussi le christianisme (*Scorp.* 9, 1 ; 12, 1) ; métaphoriquement : *Pal.* 4, 2 et sans doute *Apol.* 35, 6. — **cathedrae** :
seul passage également où le mot se rapporte aux hérésies ;
ailleurs il est employé soit au sens propre (« siège ») : *Spec.* 3,

6 ; *Orat.* 16, 4 ; soit en citation scripturaire : *Ps.* 1, 1 (*in cathedra pestilentiae*) : *Spec.* 27, 4 ; *Marc.* II, 19, 2 ; IV, 42, 8 ; *Pud.* 18, 4 ; ou *Matth.* 23, 2 (*super cathedram Moysi*) : *Mon.* 8, 7 (*bis*) ; pour *Praes.* 36, 1 : *cathedrae apostolorum* (sens matériel, selon Refoulé, *SC* 46, p. 137, n. 1 ou symbolique, selon M. Maccarrone, « Apostolicità, episcopato e primato di Pietro », *Lateranum* 42 [1976], p. 104 ?). — **inauguratio** : néologisme, dont il n'y a que deux autres attestations (Serv. *auct. Aen.*, 4, 262 ; P. Fest. p. 343, 10), cf. *TLL* s. u. col. 839, 22. *Quaedam*, pour atténuer ou excuser le néologisme. — **diuidendae doctrinae** : pour le vb. cf. *supra*, 4, 4. Renseignement précieux qui nous éclaire sur la séparation du valentinianisme en deux branches, l'une orientale, l'autre occidentale (cf. *supra*, 4, 3 et p. 39 s.). Si pour Ptolémée (école italique) Christ et Esprit-Saint participent à la même mission, c'est naturellement parce qu'ils ont été émis ensemble dans ce dessein. Au contraire, Théodote (école orientale) enseignait que Christ était issu de Sophia, après son exclusion du Plérôme, et qu'après avoir abandonné Sophia il était remonté au Plérôme, où il priait les éons pour elle (cf. *Extr. Théod.*, 23, 2 ; 32, 2-3 ; 33, 3 ; 39) ; quant à Esprit-Saint, toujours pour l'école orientale, identifié à Sophia (cf. Hippol., *Philos.*, VI, 35, 7), il fournit sa substance spirituelle (« pneumatique ») au Sauveur engendré en passant par Marie (*ibid.*, 35, 4). Cette école orientale était donc en accord avec l'enseignement de Valentin, tel qu'il est résumé par Irén., I, 11, 1 : Christ fut émis par la Mère, exclue du Plérôme, en vertu du souvenir qu'elle conservait des meilleures choses, non sans honte ; Esprit-Saint, par la Vérité (trad. lat. ; par Église, gr.) pour examiner et faire fructifier les éons (Cf. *Évang. Vérité*, p. 26, 26 - 27, 7, où Esprit-Saint est présenté comme émanant de la Vérité) ; cf. H.-Ch. Puech-G. Quispel, *VChr* 8 (1954), p. 30-31. — **inducere** : construit avec double acc. (= *docere*), cf. *infra*, 11, 4 ; *An.* 9, 7, Waszink, p. 175-176 ; *TLL* s. u. col. 1237, 14. — **coniugiorum** : cf. *supra*, 3, 4. — **uides... plane** : cf. *supra*, 10, 5. — **innati** : Irén., I, 2, 5 : ἀγεννήτου ; cf. *supra*, 7, 3, la définition de Bythos, mais ici substantivation de l'adj. — **coniectationem** : apparaît chez Plin., *Nat.*, 2, 22, avec

un sens analogue et une valeur satirique comparable :
« Inuenit... medium sibi ipsa mortalitas numen quo minus
etiam plana de deo coniectatio esset » ; cette valeur péjorative n'est pas rare, cf. *ibid.*, 2, 162 ; Aul.-Gel., *Nuits*, 14,
1, 33 ; pour Tert., *An.* 46, 3, (*imbecillitatem coniectationis
incusant*), qui est la seconde occurrence de ce vocable dans
son œuvre. Cf. *TLL* s. u. col. 311, 55. — **idoneos** : également
+ gén. gérond. *Res.* 14, 3 ; *Pud.* 20, 1 ; mais + dat. gérond.
infra, 25, 2 ; *Res.* 36, 2. — **generandi** : cf. « Valentiniana »,
p. 60. — **agnitionem** : Irén., I, 2, 5 : ἐπίγνωσιν. Terme
de la langue impériale (une seule attestation chez Cic., *De
nat. deor.*, 1, 1) et surtout chrétienne (= ἐπίγνωσις). —
quod... sit : extension du subj. à un tour qui normalement
ne le comporte pas, sans doute sous l'influence des constr.
du type *dico*, *scio*. etc. + subj., cf. *infra*, 28, 1 ; Hoppe,
Synt., p. 75. *Est* + inf. = ἔστιν, ἔξεστιν (Irén., I, 2, 5 :
οὐκ ἔστιν οὔτε ἰδεῖν οὔτε ἀκοῦσαι αὐτόν), cf. *supra*, 1, 3 ;
infra, 17, 1 ; Hoppe, *Synt.*, p. 47. — **capere... neque com-
prehendere** : Irén., I, 2, 5 : ἀχώρητος... καὶ ἀκατάληπτος.
Supra, 7, 3, Tert. a rendu l'idée d'infinitude (ἀχώρητος)
par *inmensus*, *infinitus* (Braun, p. 52) ; d'autre part, pour
l'idée d'incognoscibilité (ἀκατάληπτος), il a utilisé (*supra*, 7,
6 ; 9, 1) *incomprehensibilis* (cf. Braun, p. 52). Le tour ici
choisi est déjà dans Cic., *Luc.*, 18. — **non uisu... non au-
ditu** : cf. Irén., I, 2, 5 (*supra*). Insaisissable par l'esprit,
la divinité suprême l'est également par les sens : cf. *supra*, 7,
3 : *inuisibilem* (Braun, p. 53). *Inaudibilis* est absent du
lexique de Tert. Sur cette activité de l'éon Christ, cf. Orbe,
Est. Val. III, p. 141 s. — **compotiri** : néologisme (sur
potior, *-iri*), attesté ensuite chez Paul N. + acc. (deux
occurrences), cf. Flobert, *Verbes déponents latins*, p. 153.

11, 3. tolerabo quod : au lieu de la prop. inf. attestée
en poésie depuis Ennius, en prose depuis Salluste (L. H. S.,
p. 356) ; pour le développement de *quod* complétif chez
Tert. (le plus souvent + subj., cf. *supra*, § 2), cf. Hoppe,
Synt., p. 75. — **ne nos...** : pour le maintien du texte des
mss. cf. « Valentiniana », p. 60-61. Tert. souligne donc une
analogie extérieure entre valentinianisme et orthodoxie

sur le rôle médiateur du Fils (cf. entre autres textes : *Apol.*
21, 28 : « Dicimus et palam dicimus et uobis torquentibus
lacerati et cruentati uociferamur : ' Deum colimus per
Christum '. Illum hominem putate, per eum se cognosci et
coli Deus uoluit » ; cf. J. Stier, *Die Gottes- und Logos-Lehre
Tertullians*, Göttingen 1899) avant d'ironiser sur le contenu
de l'enseignement donné aux éons par ce Christ. Sur le
dédoublement Christ-Fils Unique (Monogène) pratiqué par
les « multiformis Christi argumentatores », cf. *Carn.* 24 ;
Prax. 27-28. — **Maģis** = *potius* (déjà chez Catulle et
Cicéron), cf. *Apol.* 9, 12 ; 14, 1 ; 24, 4 ; etc. Hoppe, *Beitr.*,
p. 84 ; L. H. S., p. 497. — **quod docebantur** : cf. *supra*,
§ 2 (*quod* + subj.) — **incomprehensibile** : première attestation de cet adj. neutre avec valeur de subst. (cf. *TLL*
s. u. col. 996, 43) ; en revanche, dans cet emploi *comprehensibile* se lit peut-être chez Cic., *Ac.*, 1, 41 (cf. *TLL* s. u.
col. 2154, 78) ; les deux sont réunis en *Apol.* 48, 11 : « ut
omnia aemulis substantiis sub unitate constarent, ex uacuo
et solido, ex animali et inanimali, ex comprehensibili et
incomprehensibili, ex luce et tenebris, etc. ». Cf. Irén., I,
2, 5 : τὸ ἀκατάληπτον... τοῦ πατρός. — **perpetuitatis** :
rend Irén., I, 2, 5 : τῆς αἰωνίου διαμονῆς. Ce sens de « durée
permanente, éternité » est virtuellement contenu dans
l'expression class. *ad perpetuitatem*, « pour toujours ». La
« comprehensibilité » (*comprehensibile*) du Père est le Fils
(cf. *infra*, § 4) : cette fonction de Fils-Monogène-Noûs est
à rapprocher de celle qui est dévolue à Logos-Verbe (et Vie),
supra, 7, 7. Pour l'interprétation de ce passage, cf. Sagnard,
p. 312, qui le rapproche du commentaire du Prologue johannique de Ptolémée tel qu'il est rapporté par Irén., I, 8, 5 ;
cf. aussi Orbe, *Est. Val.* II, p. 51 s. Cf. *supra*, 7, 7, s. u.
« formatio ». — **dispositione** : sens neutre et général,
éclairé ici par le contexte (*doctrinae, quod docebantur*) : au
sens d' « arrangement », de « disposition » (que le mot a en
particulier dans la rhétorique) s'ajoute l'idée plus active
de « conception, élaboration » : cf. *Nat.* II, 9, 1 (où le mot
désigne la théologie tripartite de Varron) ; *Herm.* 14, 4
(la classification, la doctrine d'Hermogène) ; etc. *Supra*, 1,
3. — **insinuatur** : cf. *Marc.* I, 19, 5 ; *Mon.* 8, 7. Sens méta-

phorique et construction non attestés antérieurement à
Tert. (cf. *TLL* s. u. col. 1916, 81 ; 1917, 56). — **adprehendi,
inadprehensibile, adprehensibile** : sans différence de
sens avec *comprehendi, -ensibile, incomprehensibile* (cf.
supra, § 2). — **natiuitatis** : propriété de ce qui est soumis
aux lois biologiques (et terrestres) de la naissance (cf. *supra* :
generatio) ; cf. Braun, p. 319. — **egentium perpetuitatis** :
par opposition aux « origines éternelles » du Fils et de l'Esprit
dans la théologie trinitaire, cf. Moingt, III, p. 1015 s.

11, 4. Filium : Noûs-Monogène, qui assure (par l'intermédiaire de Logos-Verbe, qui procède de lui) aux éons la « formation » selon la substance, puisqu'il est cause de leur individuation ; quant au Christ (qui procède également du Fils =
Noûs-Monogène), il est chargé de leur donner la « formation »
selon la « gnose », c'est-à-dire la saisie du Père, qui ne peut se
faire que par le Fils (cf. Sagnard, p. 401). — **adprehendatur** :
reprise ironique pour souligner d'une part le pouvoir limité
de médiation attribué au Fils-Monogène, puisqu'il a besoin
pour cela du Christ, d'autre part l'incapacité des éons à
« saisir » par eux-mêmes non seulement le Père, mais encore
ce qu'il y a de « saisissable » en lui, c'est-à-dire le Fils. —
edocuit : cf. *supra*, 1, 4. — **propria** : pour séduisante que
soit la correction de Kroymann (*prouincia* ; cf. *supra*, § 2 :
munus), elle ne s'impose sans doute pas, d'autant que :
d'une part, Tert. emploi presque toujours *prouincia* au sens
concret de « territoire administratif » (deux exceptions :
An. 42, 3 et *infra*, 20, 1, mais le sens « géographique » sub-
siste) ; d'autre part, il s'agit d'une seule mission (*unum
munus*) répartie entre les deux éons : à *Christi erat* (§ 2)
correspond *Spiritus Sancti propria* (*erant*). Sur cette activité
d'Esprit-Saint, cf. Orbe, *Est. Val.* III, p. 146 s. — **per-
aequati** : rare et technique (« niveler », « égaliser » la terre).
Peraequatio est un néologisme de Tert. qui, contrairement
à ce que suggère Waszink, p. 309, n'est sans doute pas un
emprunt à la langue juridique ; cf. *infra*, 12, 3. — **gratiarum
actionem** : Irén., I, 2, 6 : εὐχαριστεῖν ; selon Orbe, *Est.
Val.* IV, p. 336 s., non pas « prière d'action de grâce », mais
communion au substrat divin transmis par la gnose ; cf.

infra, 30, 3. — **inducerentur** : cf. *supra*, 11, 2. — **quietem** : rapproché par Orbe, *ibid.* p. 341, des *Actes de Thomas*, 27.

e. Émission du Sauveur (Jésus) (chap. XII).

Au sein du Plérôme toute altérité est donc désormais abolie entre les éons mâles d'une part, entre les éons femelles d'autre part (§ 1). Goûtant la joie du vrai repos tous chantent des hymnes en l'honneur du Père (§ 2), et ils mettent en commun ce qu'ils possèdent de meilleur comme s'ils participaient à une sorte de pique-nique (§ 3). Le résultat de cette collecte, c'est l'éon Jésus, Fruit parfait du Plérôme, qui n'est pas sans rappeler le choucas d'Ésope, la Pandore d'Hésiode, etc. Les valentiniens auraient pu d'ailleurs lui trouver un nom bouffon plus approprié à sa nature ! (§ 4-5). Enfin, pour le servir, sont émis des anges qui lui sont consubstantiels (§ 5).

12, 1. forma... scientia : les éons sont nom, forme et gnose (cf. *Extr. Theod.*, 31, 3). Le rôle d'Esprit-Saint a été de les rendre égaux non pas en substance, puisque celle-ci était déjà identique pour tous en tant qu'êtres pléromatiques, mais en individualité, en personnalité (*forma*) et en connaissance, en gnose (*scientia*) ; cf. Moingt, II, p. 511-512. Il s'ensuit que leurs noms sont interchangeables (« Refunduntur in Nus omnes, etc. »). — **peraequantur** : cf. *supra*, 11, 4. — **aliud... alteri** : toute altérité, toute différence est abolie, tout au moins chez les éons de même « sexe ». Notre traduction tente de rendre l'opposition entre *aliud* (autre chose, nature différente) et *alteri* (prochains, autrui). — **Refunduntur** : = *confunduntur*, cf. *supra*, 3, 3. Ironique ; Irén., I, 2, 6 : γενομένους. — **Ouidius...** : sur la connaissance que Tert. avait de ce poète, cf. R. Braun, *AFLNice* 2 (1967), p. 29 ; pour les réminiscences ovidiennes dans le « portrait » de Marcion (*Marc.* I, 1, 4-6), Fredouille, p. 46.

12, 2. Exinde : Irén., I, 2, 6 : ἐπὶ τούτῳ (trad. lat. *in hoc* ; cf. S. Lundström, *Studien zur latein. Irenäusüber-*

setzung, Lund 1943, p. 110-111). — **constabiliti** : vb. rare, attesté chez Plaute (*Capt.*, 453), Térence (*Ad.*, 771), Lucrèce (2, 42), puis chez Tert. et les écrivains chrétiens (cf. *TLL* s. u. col. 503, 48) ; traduit ici Irén., I, 2, 6 : στηριχθέντα ; cf. *infra*, 39, 1. — **requiem ex ueritate** : = *requiem ueram* (cf. *supra*, 11, 4) ; cf. *Marc.* I, 6, 2 : « ex aequo (= aequos) deos confessus » ; *An.* 28, 3 : « testimonium quoque ex falso (= falsum) est » ; etc. Hoppe, *Synt.*, p. 102. — **gaudii fructu** : cf. Cic., *Cat.*, 2, 8 : *fructus libidinum* ; *Lael.*, 87 : *fructus uoluptatum* ; Lucr., 2, 971 ; 5, 1410 : *fructus dulcedinis* ; etc. Aul. Gel., *Nuits*, 14, 1, 36 : « futurum gaudii fructum spes praeflorauit ». — **hymnis** : Irén., I, 2, 6 : ὑμνῆσαι. Sénèque est peut-être le premier à avoir fait cet emprunt au grec (Frg. 88 : « nisi Cereri fecissent et hymnos cecinissent ») ; cf. aussi Apul., *Flor.*, 18, 39. Chez Tert., en contexte chrétien et liturgique : *Orat.* 28, 4 ; *Vx.* II, 8, 8 ; etc. (cf. E. Dekkers, *Tertullianus en de geschiedenis der liturgie*, Brussel-Amsterdam 1947, p. 31 s.). Sur ces cantiques offerts spontanément au Père, cf. Orbe, *Est. Val. IV*, p. 341 s. (nombreux parallèles dans les littératures gnostique et hermétique). — **concinunt** : vb. de la langue poétique (cf. Hor., *Od.*, 4, 2, 33 : *Concines... Caesarem*) et post-classique, presque uniquement (cf. *TLL* s. u. col. 52, 42). — **Diffundebatur... laetitia** : cf. Cic., *Fin.*, 5, 70 : « (eum) tanta laetitia perfundi arbitramur ». Dans cet emploi, *diffundi* est tout aussi classique (cf. Cic., *Lael.*, 48). — **filiis, nepotibus** : asyndète, cf. *supra*, 3, 4. — **Quidni... liberato** : pour l'établissement du texte, cf. « Valentiniana », p. 61-62. *Omni = pleno, perfecto*, comme souvent chez Tert. (cf. *An.* 26, 1 ; 28, 2 ; etc. Waszink, p. 336). — **pleromate liberato** : cf. *supra*, 11, 1. — **nauclerus** : plutôt que « capitaine de navire » ou « pilote », sans doute celui qui, à bord, représente l'armateur et a la responsabilité commerciale du transport des passagers et des marchandises : Tert. paraît connaître en effet ce sens technique (cf. *Marc.* I, 18, 4 ; III, 6, 3 ; IV, 9, 1 ; V, 1, 2 ; *Praes.* 30, 1 : dans tous ces passages il s'agit de Marcion ; J. Rougé, *Recherches sur l'organisation du commerce maritime...*, Paris 1966, p. 229 s.). — **nauticorum lasciuias gaudiorum** : « classicisme » dans le choix de la place des déterminants (cf. Cic., *Tusc.*, 4, 40 : « Fratris repulsa consulatus »), maniérisme dans l'emploi du génitif (pléonastique) d'inhérence : *lasciuias gaudiorum* (cf. Bernhard, *Der Stil des Apuleius*, p. 174) ; mais cf. déjà Lucr., *De rer. nat.*, 5, 1400 : *lasciuia laeta*. Sur cette scène de vie quotidienne, cf. L. Stäger, *Das Leben im römischen Afrika im Spiegel der Schriften Tertullians*, Zurich 1973, p. 53.

12, 3. symbolam : calque de συμβολή (« écot pour un pique-nique », d'où aussi « pique-nique » : cf. Aristoph., *Ach.*, 1210 ; Xén., *Banquet*, 1, 16) qui apparaît dès Pl., *Curc.*, 474 : *symbolarum collatores*, « collecteurs d'écots », « amateurs de pique-nique » ; d'où *Epid.*, 125 : le repas lui-même. Cf. Tér., *Eun.*, 540 ; etc. Le mot appartient essentiellement au vocabulaire de la comédie (cf. Cic., *De orat.*, 2, 233 : « collectam a couiua... exigis »). Tert. ne l'emploie qu'ici (*bis*). Cf. A. d'Alès, « ' Symbola ' (Tertullien, *Adv. Val.* 12) », *RecSR* 25 (1935) p. 496. — **ad... exultant :** cf. + *de* : *Apol.* 49, 4 ; *Marc.* IV, 32, 2 ; + *in* et abl. : *Pat.* 11, 9 (cf. Cic., *Sest.*, 88 ; *Tusc.*, 2, 65 ; etc.) ; + abl. : *Spect.* 30, 7 (cf. Cic., *Cat.*, 1, 23 ; *Sest.*, 133 ; etc.). — **quod... florebat** : *TLL* s. u. col. 918, 12 ne mentionne que cet exemple d'acc. grec. — **peraequatione** : cf. *supra*, 11, 4 ; 12, 1. — **(12, 4) unum... omnes** : il n'est peut-être pas nécessaire de supposer une lacune avant *unum* comme veut Kroymann, cf. « Valentiniana », p. 62 ; ni Riley ni Marastoni ne l'ont d'ailleurs suivi.

12, 4. ex aere collaticio : cf. Otto, *Sprichwörter*, nº 29 ; *CIL* X, 411 : « (Volceis) ex pecunia publica et conlaticia, quam municipes et incolae sua uoluntate contulerunt » ; Ps. Quint., *Decl.*, 6, 1 : *sepultura collaticia*. — **compingunt** : cf. *supra*, 6, 1. — **Iesum** : récapitulant toutes les « vertus » du Plérôme, il est émis non par « prolation » mais par « collation » : cf. Orbe, *Est. Val.*, III, p. 156 s. ; IV, p. 346 s. Pour les épithètes et les noms qu'il reçoit : Orbe, *ibid.*, IV, p. 356 s. ; sur l'épithète τὰ ῞Ολα (Omnia), A. H. B. Logan, « The Meaning of the Term « the All » in Gnostic Thought », *Studia Patrist.*, 14, 3 (1976), p. 203-208 (= *TU* 117).

Après Horos, Christ et Esprit-Saint, cet éon Jésus est donc en fait le trente-quatrième du Plérôme : cf. Irén., II, 12, 6. — **de patritis** : s. ent. *nominibus* (cf. *cognominant*) ; Irén., I, 2, 6 : πατρωνυμικῶς. — **defloratione** : création de Tert. qui ne reparaît pas ailleurs dans son œuvre et qui est rarement attestée par la suite (trois occurrences dans *TLL* s. u. col. 361, 38). — **constructum** : cf. *infra*, 26, 2 et 39, 1 ; mais aussi en contexte christologique orthodoxe : *Marc.* V, 5, 9 : « si nec natus ex uirgine Christus nec carne constructus... ». — **gragulum Aesopi** : cf. *infra*, 13, 1 : *Soteris pauoninum ornatum*. Sur la postérité de cette fable (éd. Chambry, 162 ; = Phèdre 1, 3 ; Babrios 72 ; allusions dans Horace, *Ep.*, 1, 3, 15 ; Lucien, *Pseudol.*, 5) cf. D. Bieber, *Studien zur Geschichte der Fabel*, Berlin 1906, p. 34 ; 50. Autre allusion à une fable (perdue) d'Ésope (*L'âne sortant d'un puits*) dans *Marc.* IV, 23, 3. ; cf. A. d'Alès, « Tertullien helléniste », *REG* 50 (1937), p. 329-362. *Gragulum* : cette graphie, qui remonte à l'étymologie varronienne (*gregatim*), est fréquente (cf. Var., *Ling. lat.*, 5, 76 ; édit. Collart, p. 193 ; *TLL* s. u. « graculus » col. 2133, 39). — **Pandoram Hesiodi** : allusion au mythe de la première femme, créée avec l'aide de tous les dieux : Hés., *Théog.*, 571 s. ; *Trav.*, 60 s. Autre référence à Pandore dans *Cor.* 7, 3. Déjà Irén., II, 21, 2 : « de quo (= Salvatore) et Hesiodus poeta splendide significauit Pandoram, id est *omnium munus*, nominans eum, ob hoc quod ex omnibus optimum munus in eo sit collocatum, etc. » ; cf. aussi II, 14, 5 ; 30, 4. — **Acci patinam** : allusion à une *satura* d'Accius (cf. Diomède, p. 482 : « olim carmen, quod ex uariis poematibus, satura uocabatur, quale scripserunt Pacuuius et Accius ») ? Elle est rapprochée par Krahner, *Zeitschr. für die Altertumswiss.* 10 (1852) col. 396-397, de Cic., *Fam.*, 9, 16, 7 : « Nunc uenio ad iocationes tuas, cum tu secundum Oenaum Accii non, ut olim solebat, Atellanam, sed, ut nunc fit, mimum introduxisti. Quem tu mihi Popilium, quem Denarium narras, quam tyrotarichi patinam ! » (cf. aussi *Att.*, 4, 8, 1). Selon Pfligersdorffer, *Innsbrucker Beitr. zur Kulturwiss.* 3 (1955), p. 218, qui propose de lire *Arri*, il faudrait voir une référence à Hor, *Sat.*, 2, 3, 86 : « epulum arbitrio Arri » (somptueux repas funèbre, cf. Cic., *In Vat.*, 30) ou *ibid.*, 243 s. « Quinti progenies Arri, par nobile fratrum, / nequitia et nugis prauorum et amore gemellum, / luscinias soliti inpenso prandere coemptas, / quorsum abeant ? » ; peut-être une confusion s'est-elle introduite avec le célèbre plat de l'acteur Esopus (cf. Plin., *Nat.*, 10, 141 : « Clodii Aesopi, tragici his-trionis, patina HS C̄ taxata » ; *ibid.*, 35, 163) dont le fils est mentionné dans le passage d'Horace cité (v. 239) et auquel Tert. fait allusion en *Pal.* 5, 6 (« Aesopus histrio... centum milium patinam confiscauit ») ; toutefois, contre cette explication ingénieuse : le fait qu'elle ne rend pas compte exactement de l'intention de Tert., qui est de se gausser non pas du caractère magnificent ou somptuaire de l'éon de Ptolémée, mais de sa nature mêlée et hétéroclite. — **Nestoris cocetum** : la mixture (κυκέων) de farine d'orge, de fromage râpé et de vin, préparée par Hécamède pour être offerte à Patrocle sous la tente de Nestor (*Iliade*, XI, 624 s.). En dehors de ce passage, le terme *cocetum* n'apparaît que ches les glossateurs, où il désigne un mets composé de miel et de pavot (cf. *TLL* s. u. col. 1396, 4). — **miscel-laneam Ptolemaei** : selon Oehler, t. 2, p. 398, Tert. songe-rait à la Καινὴ ἱστορία de Ptolémée Chennos. Plus probable-ment, Tert. vise ici l'hérétique que son invention bigarrée (l'éon Jésus) rend digne de figurer sur cette liste... Cf. Juv., *Sat.*, 11, 20, où l'adj. désigne déjà une nourriture mélangée (« sic ueniunt ad miscellanea ludi ») ; ici. s.-ent. *escam* ou *saginam*. Cf. *TLL* s. u. « miscellaneus », col. 1078, 35 ; Pfligersdorffer, *art. cit.*

12, 5. **Quam** : pour *quanto* (+ compar.), cf. *Spec.* 19, 3 ; *Idol.* 2, 3 ; Löfstedt, *Spr. Tert.*, p. 11. — **propius** : com-prendre sans doute : « propius a re, a uero » ; cf. *Marc.* IV, 13, 6 : « adfectauit carissimo discipulorum (= *Pierre*) de figuris suis peculiariter nomen communicare, puto propius quam de non suis ». — **de... scurris** : sens prégnant de la prép. (« en tirant de, en empruntant à, en s'inspirant de »), cf. *Marc.* IV, 13, 6 (*supra*) ; ci-dessus en 12, 4 : *de patritis* (*nominibus*). Pour l'établissement du texte, cf. « Valentiniana », p. 62. *Osciae* : cf. Acr. ad Horat. 1 *Sat.* 5,

54 : « Campania Oscia dicta est ». — **Pancapipannirapiam** :
on peut sans doute conserver ce *uerbum sesquipedale* (= *pan*,
capere, *pannus*, *rapere*) qui rappelle le titre d'une *fabula
atellana* de Pomponius, les *Pannuceati*, les « Arlequins »
(cf. J.-P. Cèbe, *Caricature et parodie dans le monde romain*,
p. 39), et également le substantif *panniculus* qui désigne
le *stupidus* du mime, habillé de la tunique d'Arlequin, ou
encore Juv. *Sat.*, 3, 158 : « inter / pinnirapi cultos iuuenes ».
De cette création, rapprocher *Pal.* 4, 3 : *ille scytalosagitti-
pelliger* (= Hercule). — **extrinsecus** : cf. *supra*, 9, 3 et
infra 18, 2. — **inornassent** : néologisme (= *ornassent*, cf.
supra 3, 3) qui apparaît en deux autres passages (*Res.* 16,
8 et *An.* 19, 3), attesté une seule fois postérieurement (Sol.,
20, 11) selon *TLL* s. u. col. 1763, 15. La substitution du
pl. q. pft. du subj. à l'impft. (normalement attendu ici,
proferunt étant un prés. « historique ») est fréquente chez
Tert. (trait de langue populaire), cf. Hoppe, *Synt.*, p. 69 s. ;
Bulhart, *Praef.*, § 37 ; L. H. S., p. 321-322 ; l'explication
de Hoppe, *ibid.*, p. 70 (*inornassent = inornasse uiderentur*)
ne nous paraît pas s'imposer. Pour la forme contracte,
cf. *supra*, 9, 1. Irén., I, 2, 6 dit plus simplement (rappelant
d'ailleurs *supra*, 12, 4) : εἰς τιμὴν τὴν αὐτῶν (trad. lat. :
ipsorum), mais il faut sans doute lire avec Holl : αὐτοῦ,
comme nous y invite ce passage de Tert. — **proferunt** :
Irén., I, 2, 6 est plus précis : συμπροβεβλῆσθαι. — **par
genus** : en apposition ; Irén., I, 2, 6 : ὁμογενεῖς. Cf. Orbe,
Cristología gnóstica, I, p. 119-121. — **consubstantiuos** :
s. ent. : *eos esse contendunt*. Tert. n'emploie que dans ce
traité (*infra*, 18, 1 et 37, 2) ce néologisme compromis à ses
yeux par les abus qu'en faisaient les gnostiques (cf. Braun,
p. 198-199). — **ambigue** : cf. *supra*, 6, 1. Irén., I, 2, 6 :
δορυφόρους... αὐτῷ... ὁμογενεῖς Ἀγγέλους συπροβεβλῆσθαι. Pour
Moingt, III, p. 961, « l'ambiguïté » qui « troubla Tertullien »... « tient principalement au verbe συμπροβέβλῆσθαι » :
en réalité, il semble plutôt que l'imprécision que Tert. s'est
empressé de dénoncer concerne ὁμογενεῖς, bien qu'il sût
que l'identité consubstantielle n'implique pas l'identité
de toutes les propriétés individuelles. — **coaequales** :
apparaît chez Pétrone et Columelle (cf. *TLL* s. u. col. 1372,

17), mais employé surtout à partir des premières trad. de
la Bible et de Tert. (cf. *Apol.* 11, 14 ; *Herm.* 8, 3 ; 9, 1 ; 40,
1 ; *An.* 33, 4).

f. Résumé et transition (chap. XIII).

Les chapitres précédents ont exposé la formation
et la constitution du Plérôme et décrit les événements
qui s'y sont déroulés (§ 1). Mais ce n'était que la
première partie du mythe, le premier acte d'une
tragédie, qui se prolonge maintenant à l'extérieur
du Plérôme (§ 2).

13, 1. ordo : « agencement du récit » (cf. *infra*, 33, 1),
d'où ici « récit » ; cf. *Pud.* 9, 11 : « Plus est igitur, si nec
expedit in Christianum conuenire ordinem filii prodigi » ;
TLL s. u. col. 956, 625. — **primam professionem** : = *id
quod primum profitentur de...* Irén., I, 3, 1 : πραγματεία. —
pariter : renforce *et* ; cf. *Apol.* 24, 3 : « exercitu... deorum
pariter et daemonum » ; Blaise, *Dict.*, s. u. p. 594. — **nas-
centium... aeonum** : cf. chap. 7-8. *Generantium* = *pro-
creantium, proferentium* (cf. *supra*, 11, 3). — **Sophiae...
casum** : cf. chap. 9-10. *Ex desiderio patris* : cf. *supra*, 9, 1 :
in desiderium sui. — **Hori... auxilium** : cf. chap. 9, 3 et
10, 4. — **Enthymeseos... expiatum** : cf. chap. 9, 4 et
10, 4. *Expiatum* (= *expiationem*) : création de Tert. qui ne
reparaît pas dans son œuvre et très rarement reprise ensuite
(deux occurrences, dans Ps. Ruf. et Aug., selon *TLL* s. u.
col. 1702, 4). *Coniunctae passionis* : cf. *supra*, 9, 4 (*cum
passione*) et 10, 4 (*illam adpendicem passionem*). — **Christi...
paedagogatum** : cf. chap. 11. *Paedagogatum* : hapax
(Hoppe, *Beitr.*, p. 138). — **aeonum... reformatum** : cf.
chap. 11, 4 - 12, 3. *Reformatum* (= *reformationem*) : hapax
(Hoppe, *Beitr.*, p. 139). — **Soteris... ornatum** : cf. chap.
12, 4. — **angelorum... antistatum** : cf. *supra*, 12, 5.
Comparaticium : hypallage ; cf. *supra*, 12, 4 (*par genus* ;
consubstantiuos). Seule attestation de cet adj. (= *comparem*) ;
la forme de Cod. Theod., 7, 6, 3 (a. 377) a un autre sens
(« fourni par contribution », de *comparo*) : cf. *TLL* s. u. col.

2005, 47 (mais l'hésitation sur le sens de l'adj. ici n'est
guère justifiée). *Antistatum* (=*eminentiam, supra*, 12, 5) :
hapax (cf. *TLL* s. u. col. 184, 62 ; Hoppe, *Beitr.*, p. 133).

13, 2. inquis : cf. *supra*, 6, 2 s. u. *lector*. — **ualete et
plaudite** : formule finale traditionnelle dans la comédie
(cf. Pl., *Mén.*, 1162 : « Nunc spectatores ualete et nobis
clare plaudite » ; etc.). — **proicite** : cf. Hor. *A. P.*, 97-98 :
« ... uterque / proicit ampullas et sesquipedalia uerba ». La
correction de Kroymann (*explodite*) est séduisante (cf. Hor.,
Sat., 1, 10, 76-77 : « ... nam satis est equitem mihi plaudere,
ut audax / contemptis aliis explosa Arbuscula dixit » ;
Aus., *Lud. sept. sap.*, 188 : « Pars plaudite ergo, pars offensi
explaudite »), mais sans véritable justification. — **coetum** :
= *congressum, turbam* (cf. *TLL* s. u. col. 1444, 26). —
decucurrisse : au sens de « avoir lieu, se dérouler », à
partir de Sénèque (cf. *TLL* s. u. col. 231, 49 s.) ; cf. *Marc.* IV,
1, 3 ; *An.* 10, 7 ; etc. — **tragoediae scaena** : cf. Irén., I,
4, 3 : τραγῳδία πολλὴ λοιπὸν ἦν ἐνθάδε ; I, 9, 5 : τῇ σκηνῇ
ταύτῃ. — **trans siparium** : cf. Cic., *De prou. cons.*, 14 : *post
siparium*. — **coturnatio** : hapax (*TLL* s. u. col. 1086, 32 ;
Hoppe, *Beitr.*, p. 134). — **exitus** : au sens d' « événements,
péripéties tragiques » (cf. *supra*, 3, 4) ; *TLL* s. u. col. 1537, 5,
à tort, semble-t-il, comprend = *scaena, exodium*. — **sub
uisu patris** : la leçon des mss (*sinu*), acceptée par tous les
éditeurs sans exception, ne nous paraît guère pouvoir être
maintenue. On rencontre chez Tert. en référence à *Luc*
16, 22 (εἰς τὸν κόλπον Ἀβραάμ = *in sinum Abrahae*) soit
in sinu Abrahae (*Marc.* III, 24, 1 ; IV, 34, 10 ; *Idol.* 13, 4 ;
An. 7, 4 ; 55, 2), soit *de sinu Abrahae* (*Marc.* III, 24, 2) ;
d'autre part : *de sinu Socratis* (*An.* 46, 9) ; *de sinu mortis*
(*Res.* 28, 2) ; *in sinu* [-*um* : *OB*] (*Pud.* 6, 7), « tout bas » ;
(*gladius*) *sub sinu* (*Cult.* I, 7, 2) ; il n'y a pas de citation
textuelle de *Jn* 1, 18 (εἰς τὸν κόλπον τοῦ πατρός = *in sinu
Patris* ; en *Pat.* 5, 7 « in uno patris sinu » est sarcastique
[= Satan]). Outre que *sub* pour *in* ne paraît guère attesté,
l'expression johannique (bien qu'utilisée par les gnostiques,
cf. *Extr. Théod.*, 6, 2 ; 7, 3 ; G. Quispel, « L'inscription de
Flavia Sophè », *Gnostic Studies*, t. 1, p. 64.) n'a pas de raison

d'être rappelée ici, même en contexte ironique. En revanche
l'expression anthropomorphique *sub uisu patris* est beaucoup
mieux adaptée à ce passage sarcastique ; elle est d'ailleurs
préparée par *supra*, 11, 1 : « de patris cura atque prospectu »
et 11, 2 : « uisu... eius (= patris) ». Une réminiscence de
Luc 16, 22 ou de *Jn* 1, 18 aura conduit à substituer *sinu*
à *uisu*. — **hori custodis** : cf. *supra*, 9, 3. — **in libero** : cf.
Apol. 1, 1 : « in aperto et edito » ; *supra*, 3, 1.

2. Achamoth et Démiurge. Cosmogonie (chap. XIV-
XXIII).

   a. Formation d'Achamoth selon la substance (chap.
   XIV).

   Créature déchue et avortée, Achamoth (Enthymésis) se trouve rejetée hors du Plérôme, dans les
espaces étrangers à la lumière. Mais, pris de pitié
pour elle, l'éon Christ la rejoint pour lui donner la
formation selon la substance (§ 1), et réintègre le
Plérôme, aussitôt ce devoir accompli (§ 2). Prise de
désir pour lui, elle tente de le retrouver, mais se
voit arrêtée par Horos à la limite du Plérôme (§ 3).
Dans cette situation, elle est accablée par diverses
passions : le chagrin, la crainte, la consternation,
l'ignorance, auxquelles s'ajoutent la « conversion »
vers celui qui l'avait vivifiée (§ 4).

14, 1. Namque Enthymesis : ce chapitre reprend donc
l'histoire d'Enthymésis interrompue en 10, 4(5) (= Irén., I,
2, 4), les chap. 11-12 (= Irén., I, 2, 5-6) ayant été consacrés
à Christ et Esprit-Saint et, d'autre part, à l'éon Jésus.
Tert. passe sous silence les paragraphes I, 3, 1-5 d'Irén.,
qui reproduisent une seconde liste de citations scripturaires
invoquées par les valentiniens (cf. *supra*, p. 22). — **siue** :
traditionnel pour désigner une même divinité sous ses
différentes appellations, en particulier dans les prières, cf.
G. Appel, *De Romanorum precationibus*, Giessen 1909,
p. 30 ; E. Norden, *Agnostos Theos*, Berlin 1923², p. 144.

— **Achamoth** : ni Hippolyte (« thème B »), ni les *Extr. Théod.* ne désignent de ce nom la seconde Sophia, la Sophia exclue du Plérôme c'est-à-dire Enthymésis ; Sagnard en avait déduit (p. 165-166) que ce nom n'avait pas été donné par Ptolémée, mais qu'Irénée, l'ayant rencontré dans une source secondaire, l'avait utilisé à la fois par commodité et dans un dessein satirique. En fait, Achamoth ou Echmoth apparaît pour désigner la seconde Sophia dans au moins deux traités valentiniens de Nag Hammadi, d'une part la *Première apocalypse de Jacques*, 35, 5-9, d'autre part l'*Evangile de Philippe*, Sent. 39 (cf. G. W. Macrae, « The jewish Background of the Gnostic Sophia Myth », p. 94-95, *NT* 12 (1970), p. 86-101 ; G. Sfameni Gasparro, « Il personnaggio di Sophia nel Vangelo secondo Filippo », p. 264, *VChr* 31 (1977), p. 244-281). Cette distinction entre les deux Sophia serait, selon Ps. Tert., *Adu. omn. haer.*, 4, 7, une innovation de Ptolémée et Secundus ; Valentin, suivi par l'école orientale (*Extr. Theod.*, 31, 3 ; cf. *supra*, 11, 2), n'aurait conçu qu'une seule Sophia, d'ailleurs exclue du Plérôme après sa faute (cette Sophia unique est appelée, au demeurant, Achamoth dans Ps. Tert., *ibid.*, 4, 3-4 ; *Ev. Phil.*, Sent. 39, désigne par Achamoth ou Echamoth Sophia, par Echmoth la « Sophia de la mort » : cf. J.-E. Ménard, comm. *Ev. Phil.*, p. 156 ; R. M. Grant, *LODG*, p. 143 ; 154 ; G. Sfameni Gasparro, *art. cit.*, p. 264 s.) ; cette opposition entre Sophia supérieure et Sophia inférieure se retrouve dans des courants gnostiques autres que valentiniens, par ex. dans l'*Écrit sans Titre* (N. H. 2, 5), 160, 1 (cf. Tardieu, *Trois mythes gnostiques*, p. 97). — **quod... scripta** : pour l'établissement du texte, cf. nos « Valentiniana », p. 63 ; sur ce type de constr. part. cf. Hoppe, *Synt.*, p. 59 ; Waszink, p. 89. — **ininterpretabili nomine** : cf. *supra*, 11, 2 ; *infra*, 14, 2. L'ironie est soulignée par le néologisme *ininterpretabilis* que Tert. n'emploie pas ailleurs (cf. *TLL* s. u. col. 1635, 70). — **cum... passionis** : cf. *supra*, 9, 4 ; 10, 4 ; 13, 1. *Indiuiduae* : cf. *Pat.* 5, 7 : « (inpatientiam et malitiam) indiuiduas... adoleuisse » ; 15, 7 : « cum ergo spiritus dei descendit, indiuidua patientia comitatur eum ». — **aliena** : + gén., cf. *infra*, 26, 2 : *salutis alienum* (cf. 30, 3 s. u. *legitimum*) ; cette constr.

est attestée dans Lucrèce et dans les ouvrages philosophiques
de Cicéron (cf. L. H. S., p. 79). — **uacuum atque inane** :
cf. Lucr., *De rer. nat.*, 1, 439 : « hoc id erit uacuum quod
inane uocamus » ; 507 : « quacumque uacat spatium quod
inane uocamus » ; 523 : « omne quod est spatium uacuum
constaret inane » ; etc. Chez Lucr. *uacuum* et *inane* sont
pratiquement équivalents : peut-être *uacuum* correspond-il
plutôt à ἀσώματον et *inane* à κενόν (Ernout-Robin, comm.
au *De rer. nat.* t. 1, p. 105 ; cf. aussi Bailey, comm. t. 2,
p. 652-653). Cette référence sarcastique à Épicure est propre
à Tert. (Irén., I, 4, 1 : ἐν σκιᾷ καὶ κενώματος τόποις) ;
elle lui permet d'éviter de formuler l'opposition gnostique
Plérôme-Kénôme, lumière-ténèbres (cf. Sagnard, p. 270-271 ;
Orbe, *Est. Val.*, IV, p. 313 s.). Pour l'allusion à Épicure,
cf. *supra*, 7, 4. — **miserabilis** : Cic., *Brut.*, 90 : + *propter* ;
Curt., 4, 10, 22 : + *ob* ; Quint., *Inst. or.*, 6, 1, 11 : + *in* et
abl. — **nec forma nec facies** : s. ent. *illi* (= Achamoth).
Irén., I, 4, 1 : ἄμορφος καὶ ἀνείδεος ὥσπερ ἔκτρωμα ; cf.
supra, 10, 4 (5) : *informem et inspeciatam.* Tert. traduit *Is.*
53, 2 (οὐκ εἶχεν εἶδος οὐδὲ κάλλος) : « non habebat speciem
nec decorem » (*Iud.* 14, 2 ; *Marc.* III, 7, 2 ; III, 17, 1) ou :
« nec formam habuit nec speciem » (*Carn.* 15, 5). Tert.
a-t-il eu conscience de cette application scripturaire (cf.
Moingt, II, p. 484) ? et, dans l'affirmative, la « traduction »
qu'il proposerait de ce verset ici serait-elle destinée à le
dissimuler ? *Forma et facies* est en effet, depuis Naev., *Trag.*,
3 W : « Contemplo placide formam et faciem uirginis », une
iunctura souvent attestée en des contextes divers (Pl.,
Mil., 1027 ; Lucr., *De rer. nat.*, 5, 1176 ; Cic., *Off.*, 1, 15 ;
Ov., *Ars*, 2, 108 ; Quint., *Inst. or.*, 2, 15, 6 ; etc.). — **defectiua** : ce serait la première attestation de cet adj. : cf. *infra*,
38, 1 : « defectricem illam uirtutem » (=Achamoth), où
defectrix est un hapax. Au sens général de « défectueux »,
« imparfait », se rencontre surtout chez les écrivains chrétiens
(cf. Aug., *Conf.*, II, 6, 12 : *quaedam defectiua species*) ; plus
fréquent avec sa valeur technique grammaticale (« défectif »),
cf. *TLL* s. u. col. 290, 56. — **abortiua** : apparaît pour la
première fois chez Hor., *Sat.*, 1, 3, 45, mais surtout attesté
chez les écrivains chrétiens (cf. *TLL* s. u. col. 126, 30).

— **genitura** ; Tert. semble le premier à donner à ce terme
le sens de « créature, être créé » ; cf. *An.* 23, 5 ; *infra*, 22, 1 ;
Waszink, p. 302. Pour l'établissement du texte et l'anacoluthe, cf. nos « Valentiniana », p. 63-64. — **Dum ita
rerum habet** : = *dum ita (se) habet (illa)*, par imitation
du tour gr. οὕτω τῶν πραγμάτων ἔχουσα. Cf. *Herm.* 39, 3 :
« quando quae hodie uidentur aliter habeant quam pristina
fuerunt » ; *Cult.* I, 3, 2 : « hoc si non tam expedite haberet » ;
Hoppe, *Synt.*, p. 20 et 63 ; Waszink, p. 354. Il n'est pas
exclu pourtant, à notre sens, que *dum ita rerum habet* = *dum
ita res (se) habet* ; cf. le tour familier *bene habet*, « tout va
bien » ; d'autre part pour le gén., cf. *Pal.* 4, 7 : *tunc locorum*
(d'après *tunc temporis*). — **flectitur** : sens moyen, cf. Ov.,
Mét., 2, 718 ; Plin., *Nat.*, 8, 105 ; etc. *TLL* s. u. col. 894,
78. — **a superioribus** : cf. *infra*, 22, 2 : *superiorum magis
gnarum* ; sur l'emploi des adj. et part. neutres aux cas
obliques, Hoppe, *Synt.*, p. 97-98. — **deducitur per Horon** :
parenthèse, cf. *supra*, 8, 5. Traduit Irén., I, 4, 1 (Χριστόν)
διὰ τοῦ Σταυροῦ ἐπεκταθέντα. Il y a « extension » de Christ
sur (la) Croix : Christ descend jusqu'à (la) Limite (Ὅρος =
Σταυρός) du Plérôme pour secourir Achamoth ; par induction
à partir du calvaire historique du Christ, les valentiniens
opèrent une transposition mythique, d'où l'extension de
Christ en croix (« exemplarisme inversé »), cf. Sagnard,
p. 245 ; *supra*, 9, 3. Si ce sens de *deducitur* est « classique »
(cf. Cic., *Or.*, 113 : *deduxerat... manum* ; Manil., 1, 324 ;
457 ; etc. *TLL* s. u. « deduco », col. 282, 48), la formulation
est obscurcie du fait que Tert. désigne l'éon en le nommant
Horos au lieu de Crux. — **aborsum** : = *abortiuum*. — **ut** :
en seconde position, cf. *supra*, 5, 2. — **de suis uiribus** :
la « dynamis », la puissance (Irén., I, 4, 1 : τῇ ἰδίᾳ δυνάμει)
émanée de l'éon Christ. Cf. Sagnard, p. 449. — **informet...
formā** : cf. Irén., I, 4, 1 : μορφῶσαι μόρφωσιν. *Formā* =
formatione : sur cette double « formation », cf. Sagnard,
p. 159 s. ; 262 s. ; Orbe, *Est. Val.*, IV, p. 377 s. Christ et
Esprit-Saint qui avaient donné aux éons du Plérôme la
formation selon la « gnose » (cf. *supra*, 11, 1 s.) donnent
à Achamoth la formation selon la « substance » ; elle recevra
la formation selon la « gnose » du Sauveur (*infra*, 16).

14, 2. **peculio** : ironique ; cf. *infra*, 25, 1. — **odor in-corruptibilitatis** : Irén., I, 4, 1 : τινα ὀδμὴν ἀφθαρσίας. Achamoth n'est donc pas complètement dépourvue de l'Esprit. Sur ce thème, rapprochements scripturaires et valentiniens (en particulier *Év. Vérité*, 33, 39 s.) dans Orbe, *Est. Val.*, IV, p. 379 s. ; ajouter P. Meloni, *Il profumo dell'-immortalità : L'interpretazione patristica di Cantico* 1, 3, Roma 1975 (sur le symbolisme du parfum, figurant l'Esprit-Saint dans la théologie gnostique du IIe siècle, cf. p. 60). Pour l'expression, cf. *Mart.* 2, 4 : « uos odor estis suauitatis » (= *Gen.* 8, 21 ; *Éphés.* 5, 2) ; elle ne heurtait pas la langue païenne (cf. Cic., *Cluent.*, 73 : *odor suspicionis* ; *De orat.*, 3, 161 : *odor urbanitatis* ; etc. Cf. *TLL* s. u. « odor », col. 469, 3 s.). *Incorruptibilitas* : plutôt qu'une création de Tert. (dix occurrences dans son œuvre), sans doute un emprunt à la langue philosophique contemporaine (cf. Braun, p. 62). — **quo** : = *ut eo* ; sans comparatif, attesté à toutes les époques, plus fréquent dans la langue tardive : cf. L. H. S., p. 679 ; pour Tert., cf. *infra*, 26, 2 ; *Apol.* 27, 1 ; 47, 1 ; etc. — **compos** : = *conscia* ; cf. *An.* 2, 2 ; 24, 4 ; 34, 3 ; etc. *infra*, 21, 1 ; Waszink, p. 558. Importance de la prise de conscience dans le mécanisme de gnose, cf. Sagnard, p. 409. — **casus** : cf. *supra*, 10, 2. — **potiorum** : cf. *supra*, 14, 1 : *a superioribus*. — **desiderio** : cf. *infra*, 14, 3. — **suppararetur** : le sens exact est difficile à préciser ; sans doute = *pararetur* (cf. *supra*, 3, 3), *se pararet* (cf. Cic., *Or.*, 122 : *se parare ad discendum* ; T.-Liv., 21, 31, 1 : *se parare ad proelium*) constr. + dat. (*desiderio*). Irén., I, 4, 1 : ὅπως ... ὀρεχθῆ τῶν διαφερόντων. Sur ce vb. attesté presque uniquement chez Tert., *supra*, 4, 3. *Potiorum* : cf. *supra*, 14, 1, s. u. *superioribus*. — **non sine...** **societate** : cf. *supra*, 9, 2 : « sine coniugis Phileti societate ». — **Vsus... rerum** : cf. les expressions *causae rerum, natura rerum*, etc, où le gén. *rerum* est explétif. — **ex liberalita-tibus** : déjà chez Tacite et Suétone, avec valeur concrète, pour désigner les « largesses impériales », cf. *Apol.* 29, 3 ; *Cor.* 1, 1 ; Hoppe, *Synt.*, p. 92 s. Ici le tour prépositionnel est pratiquement l'équivalent de l'adv. *liberaliter* ; allusion ironique à la multiplicité des noms que peuvent recevoir les éons, conformément à ce que Sagnard, p. 240 s. a appelé

la « loi de filiation nominale », et qui trahit l'une des pré-
occupations constantes de Tert. (cf. 7, 3 ; 7, 6 ; 19, 1 ;
supra, p. 17). — **accedere :** = « être attribué à » ; sur ce
sens, cf. *supra*, 7, 5 ; Braun, p. 185. — **Enthymesis :**
c'est-à-dire le « désir fallacieux » qui s'est manifesté (*actu*)
par une conduite « désordonnée », provoquant la chute de
l'éon (cf. *supra*, 9, 2-4). — **Achamoth... quaeritur :** cf.
supra, 11, 2. — **de matre :** Irén., I, 4, 1 : (καλεῖσθαι) Σοφίαν...
πατρωνυμικῶς (ὁ γὰρ πατὴρ αὐτῆς Σοφία κλῄζεται). Achamoth
s'appelle Sophia *comme son père* dans la mesure où elle ne
provient que d'un seul principe (sa « mère Sophia »), cf.
Sagnard, p. 163. Tert. a modifié le texte d'Irénée, sans
doute pour ne pas avoir à donner d'explication sur cette
apparente anomalie (cf. *infra*, p. 366). — **ex angelo :** obscurité. Cf. Irén., I, 4, 1 : (καλεῖσθαι) καὶ Πνεῦμα ἅγιον ἀπὸ
τοῦ περὶ τὸν Χριστὸν Πνεύματος.

14, 3. **Accipit :** = *concipit* ; cf. *Marc.* IV, 34, 16, où
accipere = *suscipere* et *Res.* 52, 18 ; *Pud.* 18, 12, où *concipere*
= *suscipere* ; cf. Hoppe, *Synt.*, p. 45 ; *supra*, 3, 3. — **desiderium :** = *cupiditatem*, cf. *supra*, § 2. — **lumen :** terme
technique du valentinianisme, cf. Sagnard, p. 659 s. u.
φῶς. — **inquirere :** inf. final après vb. de mouvement,
cf. *supra*, 9, 2, où comme ici *inquirere* = *quaerere* (cf. *supra*,
3, 3). — **Quem si... quomodo... :** comment chercher ce
que l'on ne connaît pas ? adaptation ironique de la célèbre
aporie du *Ménon*. — **ut... operatum :** part. accordé avec
valeur circonstantielle soulignée par la conjonction, cf.
supra, 14, 1. *Operatum* : cf. Braun, p. 382 s. — **matris eius :**
Sophia (d'en haut) ; allusion à l'action bienfaisante d'Horos
sur elle (*supra*, 9, 3-4). — **inclamauerit in eam :** constr.
attestée chez Aul. Gel., *Nuits*, 5, 9, 6 ; cf. *supra*, 8, 3. —
Iao : forme brève et populaire de Yahvé, qui se répand aux
approches et au début de l'ère chrétienne dans les milieux
syncrétistes et apparaît fréquemment dans les textes ma-
giques : cf. O. Eissfeld, « Jahwe-Name und Zauberwesen »
ZMR 42 (1927), p. 176 s. (= *Kleine Schriften*, I (1962),
p. 162 s.) ; cf. aussi F. Wutz, *Onomastica Sacra*, t. 1, Leipzig
1914, p. 124 : Ἰαὼ κύριος ἢ θεὸς ἢ ἀόρατος ; K. Mueller,

« Beiträge zum Verständnis der valentinianischen Gnosis »,
NGG 1920, p. 194 ; Orbe, *Est. Val.*, IV, p. 397 s. ; Tardieu,
Trois mythes gnostiques, p. 62 s. (Iao comme archonte plané-
taire). — « **Porro Quirites** » : cf. Labér. (= Macr., *Sat.*, 2,
7, 4) : « Porro Quirites, libertatem perdimus » ; Apul., *Mét.*, 8,
29, 5 : « Nec diu tale facinus meis oculis tolerantibus, ' Porro
Quirites ' proclamare gestiui ». — « **Fidem Caesaris** » :
cf. *Nat.* I, 10, 33 : « iam per deos deierandi periculum euanuit,
potiore habita religione per Caesarem deierandi... facilius
enim per Caesarem peierantes punirentur quam per ullum
Iouem ! » ; I, 17, 6 : « Sed aliud, opinor, est non iurare per
genium Caesaris » ; Schneider, p. 227 ; Apul., *Mét.*, 9, 42,
1 : « militum pro comperto de nobis adseuerantium fidemque
Caesaris identidem implorantium ». Pour l'acc. exclamatif,
cf. Sén. Rh., *Contr.*, 1, 4, 11 : « fili, tuam fidem, ostende...
manus me non perdidisse » ; Ps. Quint., *Decl.*, 16, 1.

14, 4. in scripturis : les ouvrages gnostiques (cf. Irén.,
I, 4, 1 : ὅθεν τὸ ᾽Ιαὼ ὄνομα γεγενῆσθαι φάσκουσι ; I, 21, 3 ;
30, 4. 10). Tert. n'emploie que très rarement ce mot
pour désigner des ouvrages profanes ou auxquels il ne
reconnaît aucune autorité, cf. J. E. L. Van der Geest, *Le
Christ et l'Ancien Testament chez Tertullien*, Nijmegen 1972,
p. 4-5. — **quominus** : à cause de l'idée d'empêchement
implicitement contenue dans *depulsa* : cf. Tac., *An.*, 11, 34,
5 : « Vibidiam depellere nequiuit quin (quid : *M*) multa
cum inuidia flagitaret... ». — **habens** : + inf. = *potens*,
déjà chez Cic., fréquent chez Tert. et dans la langue tardive
(cf. Hoppe, *Synt.*, p. 43). — **Crucem... Horon** : cf. *supra*,
9, 3. — **Catulli Laureolum** : ce mime célèbre représentait
un brigand mis en croix et livré aux bêtes. Cf. Juv., *Sat.*, 8,
185-188 : « ... uocem, Damasippe, locasti / sipario, clamosum
ageres ut Phasma Catulli. / Laureolum uelox etiam bene
Lentulus egit, / iudice me dignus uera cruce » ; Catullus
est encore cité par Juv., *Sat.*, 12, 29 s. ; 13, 111 ; allusions
à son mime Laureolus : Mart., *Spect.*, 7, 4 ; Suét., *Calig.*, 57,
9 ; Josèphe, *Ant. Jud.*, 19, 94 ; cf. H. Bardon, *Littérature
latine inconnue*, t. 2, p. 128-129 ; mais Tert. ignore, ou feint
d'ignorer, la possibilité de remplacer l'acteur par un con-

damné (cf. Mart., *Spec.*, 7). Autres mimes d'autres mimographes (Hostilius, Lentulus) et pantomimes cités en *Nat.* II, 14, 44 ; *Apol.* 15, 1-2 ; *Pal.* 4, 4 ; cf. R. Braun, « Tertullien et les poètes latins », *AFLNice* 2 (1967), p. 30 ; J. H. Waszink, « Varrone nella letteratura cristiana dei primi secoli », *Atti. Congr. Intern. Studi Varroniani*, Rieti 1976, p. 209-223 (selon l'auteur, Tert. a sûrement connu les Satyres ménippées et les Pseudo-tragédies de Varron, dont des citations se trouvent sans doute dispersées dans *Val.* et *Pal.*). — **quia... fuerit exercitata** : *exercitare* est construit ici avec un double acc. (= *docere*) ; ce sens et cette construction ne paraissent guère attestés ailleurs (*TLL* s. u. col. 1387, 34). Le temps surcomposé, fréquent chez Apulée (cf. Callebat, *Sermo cotidianus*, p. 302) et dans la langue tardive, n'a pas de valeur particulière. Pour *quia* + subj., cf. Hoppe, *Synt.*, p. 76. Pour *nullus* comme négation déclinée (= *non*) en fonction autre que sujet ou attr., cf. *Apol.* 21, 9 : « Dei filius nullam de impudicitia habet matrem » (mais déjà Cic, *Att.*, 7, 20, 1 : « bellum nostri nullum administrant ») ; cf. Ernout-Thomas, *Syntaxe latine*, p. 153 ; L. H. S., p. 205. — **ut destituta, ut... intricata** : cf. *supra*, 14, 3 : *ut... operatum. Destituta* : cf. *infra*, 15, 4. *Intricata* : cf. Pl., *Pers.*, 457 : « Nunc ego lenonem ita hodie intricatum dabo ». — **passioni... perplexae** : cf. *supra* 9, 4 ; 13, 1 ; Irén., I, 4, 1 : τοῦ πάθους... πολυμεροῦς καὶ πολυποικίλου ὑπάρχοντος. — **adfligi** : cf. Cic., *Tusc.*, 3, 43 : « si quem tuorum adflictum maerore uideris ». — **maerore... metu... consternatione... ignorantia** : Irén., I, 4, 1 : παθεῖν λύπην μέν... φόβον δέ... ἀπορίαν τε ἐπὶ τούτοις, ἐν ἀγνοίᾳ δὲ τὰ πάντα. Cf. *supra*, 10, 3 les passions de sa mère Sophia (d'en haut). Ces quatre passions ne sont pas sur le même plan : comme dans le stoïcisme, c'est l'ignorance qui entraîne les autres (cf. Orbe, *Est. Val.*, IV, p. 251) ; sur les interférences entre ce vocabulaire stoïcisant et le récit de la Passion du Christ, cf. Orbe, *ibid.*, p. 421 ; pour les appuis scripturaires dont se prévalaient les valentiniens, Irén., I, 8, 2. — **inceptum** : *supra*, 14, 3 : « prosiluit et ipsa lumen eius inquirere... fortasse adprehendisset si non... ». — **luce** : cf. *supra*, 14, 3 : *lumen*. — **sicut... ita et** : *et* est usuel chez Tert. pour soutenir le

second membre d'une corrélation quelle quelle soit (*is...
qui et* ; *tot... quot et* ; *ita... sicut et* ; *sicut... ita et* ; *ubi... illic
et* ; etc. Cf. Löfstedt, *Spr. Tert.*, p. 25 s.). — **uita** : même
crainte de la part de sa mère Sophia (cf. *supra*, 10, 2). —
consternatione : = *pauore, perturbatione* ; le mot se
rencontre à partir de Tite-Live (cf. *TLL* s. u. col. 508,
13). — **nec ut mater...** : le texte n'est pas sûr, mais le
sens n'est guère affecté par cette incertitude, cf. « Valentiniana », p. 64. — **deterius** : s. ent. *est* ; en fonction
prédicative l'adv. est attesté à toutes les époques, en particulier dans la langue familière (cf. Pétr., *Sat.*, 64, 2 :
solebas suauius esse) ; mais aussi Sall., *Jug.*, 87, 4 : *laxius
licentiusque futuros* ; cf. L. H. S, p. 205. — **fluctu** : abl.
abs. sur le même plan « logique » que *maerore, metu,
consternatione, ignorantia*. Pour le sens métaphorique, cf.
Lucr., *De rer. nat.*, 6, 34 : « uoluere curarum tristis in
pectore (hominum) fluctus » ; Sén., *Thy.*, 36. — **conuer-
sionis... conuersionem** : il ne s'agit plus d'une « passion »,
mais d'une « disposition », cf. Irén., I, 4, 1 : διάθεσιν τὴν
τῆς ἐπιστροφῆς ἐπὶ τὸν ζωοποιήσαντα. Sur cette notion, qui
se situe entre la formation selon la substance et la formation selon la gnose, cf. P. Aubin, *Le problème de la « conversion* », Paris 1963, p. 96 s. ; Orbe, *Est. Val.*, IV, p. 406 s.
— **uiuificata fuerat et... temperata** : cf. *supra*, s. u. :
« fuerit exercitata ». *Vivificata* : Irén., I, 4, 1 : ζωοποιήσαντα
Ce vb. n'apparaît chez Tert. qu'en citation, textuelle ou
implicite (cf. Braun, p. 540). *Temperata* : = *instituta, parata*,
cf. *Apol.* 21, 30 : « ... diuinitatem, non qua (Christus)...
homines... ad humanitatem temperaret » ; *Pud.* 21, 8 :
« magis euersoris fuisset... ceteros ad delinquentiam tem-
perare » ; Hoppe, *Beitr.*, p. 108.

b. Les éléments du monde (chap. XV).

    Les philosophes qui croient la matière éternelle
vont pouvoir apprendre son origine ! (§ 1). En effet,
selon les valentiniens, de la conversion d'Achamoth
procède l'âme du monde et celle du Démiurge, tandis
que les autres éléments sont issus de son chagrin et

de sa crainte. C'est ainsi que l'élément liquide est né
de ses larmes (§ 2). On aura une idée de ses souffrances
par la quantité et la diversité des larmes qu'elle a
versées ! Il lui est arrivé pourtant de rire, en pensant
à l'éon Christ (§ 3-4) ; c'est de son rire que provient
la lumière (§ 5).

15, 1. materia quam innatam : cf. *supra*, 7, 13 et 11, 2
(= ἀγέννητος, dans la définition de Bythos) ; Braun, p. 49 s.
Pour cette allusion ironique à la philosophie, cf. *Apol.* 11, 5 :
« Totum enim hoc mundi corpus siue innatum et infectum
secundum Pythagoram, siue natum factumue secundum
Platonem... » ; 47, 8 : « Sic et de ipso mundo, natus innatusue
sit, decessurus mansurusue sit, uariant ». L'idée que pour
Pythagore la matière est incréée est en fait une interprétation
tardive de la doctrine ; chez les platoniciens eux-mêmes
elle n'apparaît clairement qu'avec Apul., *De Plat.*, 1, 191 :
« materiam uero inprocreabilem incorruptamque (Platon)
commemorat » ; elle est en revanche exposée par Arist.,
Phys., I, 9, 192a28 (ἄφθαρτον καὶ ἀγένητον) ; 209b11 ; pour
les stoïciens, cf. *SVF* I, § 509 (« ingenita materia... una
cum materia mundus ingenitus ») ; II, § 408 (ὕλη... ἀγένητός
τε καὶ ἄφθαρτος οὖσα) ; cf. J. C. M. Van Winden, *Calcidius
on Matter, His Doctrine and Sources*, Leiden 1959, p. 75 s.
Pour la polémique de Tert. contre Hermogène sur ce sujet,
cf. J. H. Waszink, « Observations on Tertullian's treatise
against Hermogenes », *VChr* 9 (1955), p. 129-147. — **uolunt** :
polémique et même péjoratif comme *supra*, 7, 5 et *infra*,
26, 2 ; 30, 1 ; 36, 1 ; 38 — mais cicéronien. — **originem et
substantiam** : Irén., I, 4, 2 : ταύτην (= τὴν ἐπιστροφήν)
σύστασιν καὶ οὐσίαν τῆς ὕλης γεγενῆσθαι λέγουσιν, ἐξ ἧς ὅδε ὁ
κόσμος συνέστηκεν. En toute rigueur de termes, il ne saurait
y avoir, pour la philosophie grecque, de *substantia materiae*, puisque aussi bien la matière (ἡ ὕλη) « est antérieure
à toutes les catégories, y compris celle de l'*ousia* » (J. Moreau,
Aristote et son école, Paris 1962, p. 99). — **in... struem
mundi** : *in* final, cf. *Herm.* 43, 1 : « (materia) stetit in dei
compositionem » ; *supra*, 7, 1. Tert. réserve de préférence
strues, struo, et les mots de la même famille, à la création

de l'homme ; toutefois *Herm*, 40, 1 : « in hac exstructione mundi » ; cf. Braun, p. 387. — **Mercurius ille Trisme-gistus** : sur la place emphatique de *ille*, cf. *TLL* s. u. col. 361, 50 s. Première attestation de la forme latine *Trismegistus*. Le document le plus ancien où le nom d'Hermès (= Thoth) serait associé à une forme de l'adj. est un ostracon découvert à Saqqâra récemment (daté de 168-164 a. C.) et sur lequel on peut lire : τὰ ῥηθέντα μοι ὑπὸ μεγίστου καὶ μεγίστου θεοῦ μεγάλου Ἑρμοῦ ; la forme Τρισμέγιστος est plus tardive, sans doute postérieure à l'ère chrétienne ; cf. W. B. Emery, *JEA* 52 (1966), p. 3-8 ; T. C. Skeat-E. G. Turner, *JEA* 54 (1968), p. 199-208. Sur l'assimilation Thoth-Hermès-Mercure, cf. A. J. Festugière, *La révélation d'Hermès Trismégiste*, t. 1, Paris 1950³, p. 67 s. — **magister omnium physicorum** : nombreuses allusions à Trismégiste dans le *De anima* : 2, 3 ; 15, 5 ; 28, 1 ; 33, 2. Tert. connaissait peut-être la littérature hermétique par Albinus (cf. *An.* 28, 1), mais une connaissance directe n'est pas exclue (cf. Was-zink, p. 47*). De tous ces passages il ressort que *physicus* doit être entendu au sens ancien de φυσικός (philosophe traitant de la nature et du monde) et non au sens hellé-nistique du mot (savant spécialisé dans l'occultisme) ; l'hésitation de Festugière, *op. cit.*, p. 79, n. 2, n'est donc pas fondée, d'autant que Tert. ne paraît connaître que le premier sens : cf. en particulier *Apol.* 46, 8 : « Thales ille princeps physicorum », mais également *Nat.* II, 1, 10-11 ; 2. 1.14 ; 5, 13 ; 6, 7 ; 9, 1.8 ; *Marc.* I, 13, 3 ; *Carn.* 20, 6 ; *An.* 15, 5. **recogitauit** : = *cogitauit*, cf. *supra*, 3, 3.

15, 2. Audisti : cf. *supra*, 8, 4 ; 6, 2 s. u. *lector*. — **con-uersionem** : cf. *supra*, 14, 4. — **anima... mundi** : sur cette doctrine, cf. J. Moreau, *L'âme du monde de Platon aux stoïciens*, Paris 1939 ; son influence sur le gnosticisme, Sa-gnard, p. 579. D'autre part, cf. *An.* 33, 2 : « Mercurius Aegyptus... dicens animam digressam a corpore non refundi in animam uniuersi » ; voir aussi *An.* 12, 1. — **constitisse** : cf. *infra*, 24, 2. — **Demiurgi... dei nostri** : Tert. n'utilise le terme Demiurgus qu'en référence au valentinianisme. En dehors de ce traité, il n'apparaît qu'une seule fois, en

Scorp. 10, 2, dans une phrase prêtée aux valentiniens ;
cf. Braun, p. 380-381. — **maerorem et timorem** : Irén., I,
4, 2 : ἐκ δὲ τοῦ φόβου καὶ τῆς λύπης τὰ λοιπὰ τὴν ἀρχὴν
ἐσχηκέναι. En fait, les quatre « passions » sont à l'origine
des quatre éléments (le saisissement de stupeur donne la
terre ; la crainte, l'eau ; la tristesse, l'air ; l'ignorance, le
feu), comme le précise Irén., I, 5, 4, mais Tert. ne reproduit
pas ce passage ; il y a d'ailleurs quelques incertitudes dans
ces classifications, à l'intérieur même de la notice d'Irénée,
incertitudes dues sans doute à la pluralité des sources ;
cf. Sagnard, p. 178-179 ; pour le *Tract. Tripart.*, 98, 2-3,
cf. comm. *ad loc.*, p. 378.

15, 3. aestimandum : souvent employé (comme *exis-
timare*) pour désigner une pure conjecture, une vue de
l'esprit (cf. *infra*, 24, 1). Tert. l'applique donc volontiers
aux hérétiques ou aux philosophes : cf. *Herm.* 18, 1 : « ut
Hermogenes existimauit, habuit deus materiam longe
digniorem et idoniorem, non apud philosophos aestimandam,
sed apud prophetas intellegendam » ; *infra*, 30, 1 ; de même
pour *aestimatio* (= *suspicio*, *praesumptio*), cf. *Apol.* 45, 2 :
humana aestimatio. — **exitum duxerit** : *exitus*, cf. *supra*,
10, 1-2. *Ducere* = *habere* (cf. *Nat.* I, 5, 8 : *ducere nomen*),
ferre. Cf. *TLL* s. u. col. 2159, 3. — **quantis... inundauerit** :
interr. indirecte développant *hinc* plutôt que prop. relative
équivalant à « lacrimarum generibus (abl. instr. de mesure)
quantis inundauerit », où le subj. serait d'indétermination
(cf. *Apol.* 50, 9 : « flagella... tantum honoris... conferunt
quantum sanguinis fuerint » ; Waltzing, p. 323). Pour
quanti = *quot*, cf. *supra*, 7, 1. — **Habuit et salsas...** :
passage ironique partiellement inspiré d'Irén., I, 4, 4. —
guttas : poétique pour *lacrimae* (cf. Ov., *Pont.*, 2, 3, 90).
— **bituminosas** : chez Vitruve et ici seulement (cf. *TLL*
s. u. col. 2022, 65). — **ferruginantes, sulphurantes** :
néologismes sarcastiques (le premier est un hapax, cf. *TLL*
s. u. col. 575, 23) pour *ferrugineus* et *sulphureus*. — **utique
et** : = *et utique* ; cf. *supra*, 8, 5. — **Nonacris... Lyncestarum... Salmacis** : cf. *An.* 50, 3 : « Legimus quidem
pleraque aquarum genera miranda, sed aut ebriosos reddit

Lyncestarum uena uinosa aut lymphaticos efficit Colo-
phonis scaturigo daemonica aut Alexandrum occidit
Nonacris Arcadiae uenenata ». Cf. pour les textes latins,
Vitr., 8, 3, 16 : « est in Arcadia Nonacris nominata terrae
regio quae habet in montibus e saxo stillantes frigidissimos
humores. Haec autem aqua Στυγὸς ὕδωρ nominatur, quam
neque argenteum neque aeneum neque ferreum uas potest
sustinere, sed dissilit et dissipatur... » ; 8, 3, 17 : « ... sunt
nonnullae acidae uenae fontium, uti Lyncesto » ; Ov.,
Mét., 4, 271-388 (légende de la nymphe Salmacis), et spéc.
385-386 : « Quisquis in hos fontes uir uenerit, exeat inde /
Semiuir et tactis subito mollescat in undis » ; 15, 229-231 :
« ... Lyncestius amnis, / Quem quicumque parum moderato
gutture traxit, / Haud aliter titubat quam si mera uina
bibisset » ; Sén., *Q. N.*, 3, 20, 6 (= Ov., *Mét.*, 15, 329 s.) ;
3, 25, 1 : « Quaedam aquae mortiferae sunt nec odore nota-
biles nec sapore. Circa Nonacrin in Arcadia Styx appellata
ab incolis aduenas fallit... » ; Plin., *Nat.*, 2, 230 : « Lyncestis
aqua quae uocatur acidula uini modo temulentos facit » ; 2,
231 : « Iuxta Nonacrim in Arcadia Styx... pota ilico necat ».
Cf. *RE* 13, 2 s. u. « Lynkestis », col. 2469 ; 17, 1 s. u. « Nona-
kris 1. », col. 859-860 ; 25, 2 s. u. « Salmakis 2. », col. 1977.
— **Alexandrum** : cf. Plut., *Alex.*, 77, qui rapporte, sans
y croire, les conditions dans lesquelles Alexandre aurait été
empoisonné par Antipater avec la complicité d'Aristote
qui aurait fourni l'eau de Nonacris ; Arr., 7, 27, 1-2 ; etc.
Waszink, p. 522. — **Lyncestarum** : s. ent. *aqua* ; cf. *Cult.* II,
2, 5 : « sciatis... naturalis speciositatis (*s. ent.* suggestum)
oblitterandum » ; *Prax.* 12, 4 : « ad cuius (*s. ent.* imaginem)
faciebat » ; 15, 8 : « sine rationis (*s. ent.* gubernaculo) » ;
G. Thörnell, « Studia Tertullianea I », p. 3, *UUÅ* 1917 ;
Löfstedt, *Spr. Tert.*, p. 5-7 ; cf. aussi *supra*, 7, 4, s. u.
huiusmodi. — **se soluerit** : rare et poétique en ce sens, cf.
Ov., *Ars.* 2, 237 « ... feres imbrem caelesti nube solutum » ;
Stace, *Ach.*, 1, 929-930 : « ... Cara ceruice mariti / fusa noui
lacrimas iam soluit et occupat artus » ; cf. aussi Lucr., *De
rer. nat.*, 6, 706 ; Stace, *Th.*, 9, 530. — **quae masculos
molles** : s. ent. *efficit*. Cf. Mart., 14, 174 : « masculus intrauit
fontes, emersit utrumque ». Sur le pouvoir « démoniaque »

de l'eau, cf. *Bapt.* 5, 4 : « An non et alias sine ullo sacramento immundi spiritus aquis incubant adfectantes illam in primordio diuini spiritus gestationem ? Sciunt opaci quique fontes et auii quique riui et in balneis piscinae et euripi in domibus uel cisternae et putei qui rapere dicuntur, scilicet per uim spiritus nocentis ; nam et esietos et lymphaticos et hydrophobas uocant quos aquae necauerunt aut amentia uel formidine exercuerunt ».

15, 4. **pipiauit** : ce vb. ne se rencontre qu'ici et en *Mon.* 16, 5 : *infantes pipiantes* (*pipan-* mss). Sur cette onomatopée, cf. Ernout-Meillet, *Dict. étym.*[4], p. 509. — **luctus et lacrimas** : = *lacrimas luctus, luctuosas.* — **Proinde** : = *pariter,* cf. *Apol.* 6, 10 ; 9, 16 ; etc. Porte sur *ducta sunt.* — **corporalia elementa** : Irén., I, 4, 2 : ἀπὸ δὲ τῆς λύπης καὶ ἐκπλήξεως τὰ σωματικὰ τοῦ κόσμου στοιχεῖα (= la terre) ; cf. Sagnard, p. 179 ; *supra,* 15, 2. *Corporalis,* apparaît chez Sénèque, aussi bien au sens de « relatif au corps humain » qu'au sens de « qui est un corps, matériel », cf. *TLL* s. u. col. 993, 3. — **circumstantia** : Tert. paraît être le seul à avoir utilisé ce terme avec le sens précis de « circonstance malheureuse, danger pressant, etc. », cf. *Orat.* 10 ; *Bapt.* 17, 3 ; *Res.* 30, 9 ; etc. *TLL* s. u. col. 1173, 2. — **circumspectu** : au sens propre, chez Cicéron, Tite-Live, etc. (cf. *Iei.* 5, 2 ; *Pal.* 3, 3)) ; au sens figuré, comme ici, cf. Ov., *Tr.,* 4, 6, 44 : « in circumspectu sui mali » ; Sén., *De otio,* 5, 4 ; Apul., *Mét.,* 11, 19, 3. Cf. *TLL* s. u. col. 1168, 65. — **destitutionis** : *supra,* 14, 4 : *ut destituta.* Pour ce sens (= *desolatio, solitudo*), cf. *Apol.* 37, 6 ; *An.* 38, 6. — **qua... recordans** : *qua* (« dans la mesure où, en tant que, parce que ») est fréquent chez Tert., en particulier avec un part., cf. Hoppe, *Synt.,* p. 59 ; L. H. S., p. 653 ; *infra,* 33, 2 ; *supra,* 6, 3 ; 14, 1. *Recordor* + gén. : constr. post-class. (cf. L. H. S., p. 81). — **Christi** : la leçon des mss (*conspecti Christi*) maintenue par tous les éditeurs n'est pas recevable puisque *supra,* 14, 3, il a été précisé que l'éon Christ avait donné à Achamoth la formation selon la substance sans qu'elle eût eu la possibilité de le voir (*ut inuisibiliter operatum*) ; il est donc hautement vraisemblable que *conspecti* s'explique ici par une

réminiscence de *circumspectu*. — **eodem gaudii risu** : pour
l'établissement du texte, cf. « Valentiniana », p. 65. L'équivalence *idem = ipse*, plus rare que l'inverse, est attestée en
Apol. 9, 2 ; cf. Waltzing, p. 70 ; Bayard, *Le Latin de saint
Cyprien*, p. 133. *Gaudii risu* (= *laeto risu*), gén. d'inhérence
(cf. *supra*, 12, 2 : *lasciuias gaudiorum*) ou, peut-être, de
définition : cf. Aug., *Ciu. Dei*, XVI, 31 : « risus ille etiamsi
gaudii fuit » (*cf. Apol.* 18, 2 : *uiros... iustitiae* ; Hoppe, *Synt.*,
p. 18-19). — **effulsit** : normalement construit avec l'abl.
(*ex- fulgeo*) : cf. Virg., *Én.*, 9, 731 : « noua lux oculis (Turni)
effulsit », ou, métaphoriquement, Tac., *Dial.*, 20, 4 : « ⟨sensus⟩
aliquis arguta et breui sententia effulsit ».

15, 5. Cuius... cogebat ? la ponctuation de Kroymann
n'est pas indispensable (cf. « Valentiniana », p. 65). La phrase
présente partiellement le rythme d'un septénaire trochaïque :
« Cŭiŭs hōc | prōuĭ|dēntĭ|aē bĕnĕ|fĭcĭŭm | quae ĭllām | rĭdē|re
cogebat ? ». Littéralement : « De quelle providence relevait
(s. ent. *erat*) ce bienfait, elle qui l'incitait à rire ? ». — **prouidentiae** : longtemps Tert. est demeuré réservé à l'égard de
ce terme lié à une conception stoïcienne, non chrétienne,
du monde, d'où les contextes ironiques ou dépréciatifs dans
lesquels il apparaît : cf. *infra*, 25, 1 ; *Apol.* 18, 7 ; *An.* 17, 11 ;
20, 5. Ses scrupules ont été peu à peu dissipés : cf. *Res.* 6, 3 ;
Iei. 4, 1 ; *Prax.* 26, 6. Braun, p. 132 s. — **elementum** : la
lumière considérée ici comme un « élément » (= *ignis*) par
similitude avec la lune, le soleil, etc. ; mais *TLL* s. u. col.
347, 8, ne mentionne pas d'autres exemples de cet emploi. —
radiauerit : subj. pft. à valeur potentielle, cf. *supra*, 6, 2.
— **instrumentum** : sur la polysémie de ce terme chez
Tert. cf. Braun, p. 463. Ici au sens concret de « éléments
constitutifs, équipement », cf. *Spec.* 2, 2 : « (Deus) ea (=
saxa, caementa, marmora) ad instrumentum terrae (= ad
instruendam terram dedit) ». — **saeculo** : = *mundo* (*supra*).
Pour *saeculum* avec ce sens neutre (« monde, terre »), cf.
A. P. Orbán, *Les dénominations du monde chez les premiers
auteurs chrétiens*, Nijmegen 1970, p. 185 ; *Marc.* I, 17, 4 ;
23, 7 ; etc. Sans doute complt. de *defuderit* (rare et poétique
avec un acc. désignant une chose autre que liquide, *TLL*

s. u. col. 376, 5), cf. Hor., *Ép.*, 1, 12, 28-29 : « ... aurea
fruges / Italiae pleno defundit Copia cornu ». — **inlumina-
torem** : néologisme, que Tert. emploie aussi avec une valeur
métaphorique (*Apol.* 21, 7 ; *Marc.* IV, 17, 13). — **rigatorem** :
autre néologisme. Pour l'emploi des noms d'agent en *-tor*,
-trix, en fonction adjective, cf. Hoppe, *Synt.*, p. 94. — **horrore** : + gén. objectif ; cf. *infra*, 18, 2 : « cum magno horrore
blasphemiae ». — **Omnem...** : le texte des mss peut être
conservé (cf. « Valentiniana », p. 65). — **discussisset** :
irréel, comme *poterat* et *noluisset*. — **uel ne** : = *uel ut...
non*, « fût-ce même dans des conditions telles que », cf.
Apol. 21, 2 ; *Scap.* 4, 1 : *uel quia* ; *Apol.* 23, 19 ; *Prax.* 2,
3 : *uel ne* ; etc. Pour *ne* = *ut non*, cf. Hoppe, *Synt.*, p. 82 ;
Waszink, p. 139-140. — **desertores suos** : Christ et Esprit-
Saint (cf. *supra*, 14, 2). Ce passage sarcastique sur le « rire
illuminateur » d'Achamoth n'a pas son équivalent dans Irénée.

c. Formation d'Achamoth selon la « gnose » (chap. XVI).

La mission de former Achamoth selon la « connaissance » est confiée à l'éon Sauveur Jésus. Il
s'avance donc vers elle, entouré de son escorte angélique (§ 1). A sa vue, Achamoth se couvre d'un voile,
le salue et le contemple. Il l'accueille, lui donne la
formation selon la gnose et la purifie de toutes ses
passions (§ 2). De celles-ci, il fait une matière incorporelle, qui pourra se transformer en corps matériels.
Il y eut ainsi deux substances, l'une, mauvaise, issue
des passions d'Achamoth, l'autre, passible, issue de
sa « conversion ». Telle est la « matière » qui a opposé
Tertullien à Hermogène (§ 3).

16, 1. enim : = *enimuero* (cf. *Apol.* 13, 6 ; 16, 3 ; etc.).
Reprise du récit concernant le salut d'Achamoth qui avait
été interrompu à la fin du § 14, 4. — **more materno** :
cf. *supra*, 10, 3 : « (Sophia) conuertit ad patrem... in preces
succidit ». — **quem... pigebat... proficisci** : Tert. reproduit
une réflexion ironique qui est déjà dans Irén., I, 4, 5 :
... εἰκὸς ὅτι ὤκνησεν ἐκ δευτέρου κατελθεῖν, τὸν Παράκλητον...

ἐξέπεμψεν. — **uicarium praeficit** : la correction de
Kroymann (*uicarium praefecti*) ne paraît guère avoir de
justification. Pour les emplois courants du mot et son
usage trinitaire chez Tert., cf. Moingt, IV, p. 254-255. —
Paracletum Soterem : cf. *Extr. Théod.*, 23, 1-2 : « Les
valentiniens appellent Jésus le Paraclet, car il est venu
plein d'éons [i. e. en tant que Fruit des éons] en tant qu'il
est sorti du Tout [i. e. du Plérôme] ; car le Christ, abandon-
nant la Sagesse qui l'avait émis [doctrine de l'école orientale]
et étant entré au Plérôme, demanda du secours pour la
Sagesse qu'il avait laissée au dehors : et par suite de l'as-
sentiment des éons, Jésus est émis comme un Paraclet
[= aide pour l'éon qui a transgressé Sagesse] » ; *SC* 23,
p. 104-107 (trad. légèrement retouchée) ; cf. Orbe, *Est.
Val.*, IV, p. 434 s. Tert. le désigne ici en juxtaposant deux
de ses noms, cf. *supra*, 10, 3 : *Monogenes Nus.* — **erit** :
cf. *supra*, 3, 2. — **largito... omnibus** : à quelques détails
près, les traducteurs ont compris : « le Père lui ayant donné
le pouvoir suprême sur tous les éons, en les lui soumettant
tous », ou « pour que tous ceux-ci lui soient soumis ». Grammaticalement possible, cette traduction n'est guère satisfaisante pour plusieurs raisons. D'une part, elle aboutit à
une tautologie. Elle ne répond pas, d'autre part, à l'esprit
du mythe : il ne s'agit pas de donner au Sauveur tout pouvoir
sur le Plérôme (qui a retrouvé son unité et sa sérénité), mais
de transférer au Sauveur toute la « dynamis » individuelle
de tous les éons pour qu'il puisse agir efficacement *en dehors*
du Plérôme, pour que ce fruit du Plérôme en ait aussi la
« puissance » dans la mission qu'il va accomplir *à l'extérieur*.
Une telle interprétation supposerait d'ailleurs, de la part
de Tert., un contresens sur Irén., I, 4, 5 : ἐνδόντος αὐτῷ
πᾶσαν τὴν δύναμιν τοῦ πατρὸς καὶ πᾶν ὑπ᾿ ἐξουσίαν παραδόντος
καὶ τῶν Αἰώνων δὲ ὁμοίως (*Vetus Interpr.* : « praestante
ei uirtutem omnem Patre et omnia sub potestate tra-
dente, et aeonibus autem similiter »). En réalité, le seul
obstacle, du point de vue du sens général, à une équivalence
satisfaisante entre le texte d'Irénée et celui de Tert. est la
présence de *eis* (*subiciendis eis omnibus*), qui, dans l'état
de la tradition, ne peut que renvoyer à *uniuersorum aeonum*.

Une suppression, facile à admettre du point de vue paléo-graphique (*eis* entraîné par « largito *ei* »), rend la phrase plus intelligible, plus cohérente à l'exposé du mythe, et évite d'imputer à Tert. un contresens sur un passage qui n'offre aucune difficulté d'interprétation. *Subiciendis omnibus* paraît être d'ailleurs l'écho des formules de *I Cor.* 15, 27-28 et *Éphés.*, 1, 22, qui s'associent tout naturellement à celle de *Col.* 1, 16 que Tert. trouve dans Irénée. Pour le pluriel neutre aux cas obliques (*subiciendis omnibus*), cf. *supra*, 14, 1 ; pour le dat. final de l'adj. vb., cf. *supra*, 8, 1. — **apostolum** : cf. *supra*, 2, 3. L'une des rares références scripturaires invoquées par les valentiniens mentionnées par Tert. (cf. *supra*, p. 22), sans doute parce qu'il ne se sens pas gêné, au moins d'un point de vue extérieur, par l'utilisation qu'ils en font. Sur l'emploi de *condere* par Tert., surtout en citations ou en commentaires de l'Écriture, cf. Braun, p. 351-352 ; cf. *infra*, 20, 1. — **officio** : cf. Ov., *Mét.*, 15, 691-692 : « ... turbaeque sequentis / Officium... dimittere » ; Pline, *Pan.*, 76, 9 : « Ipsius quidem officium tam modicum... ut antiquus aliquis magnusque consul sub bono principe incedere uideretur » ; Suét., *Iul.*, 71 : « inter officia prosequentium fascesque lictorum » ; etc. — **coaetaneorum** : apparaît chez Apulée ; Irén., I, 4, 5 : μετὰ τῶν ἡλικιωτῶν... ; cf. *supra*, 12, 5. — **credas et** : = *et credas* ; cf. *supra*, 8, 5.

16, 2. Ibidem : = *statim* (cf. *supra*, 3, 4 ; 7, 6). Sans doute ici en fonction adjective (= *cito aduentu*), cf. Waszink, p. 84-85, — **pompatico** : mot rare, qui apparaît chez Front., *ad M. C.*, 3, 17, avec un sens rhétorique (*pompaticas orationes*) ; cf. aussi Apul., *Mét.*, 10, 29, 3, avec le sens qu'il a ici : « Ad conseptum caueae prosequente populo pompatico fauore deducor » ; *Cult.* II, 9, 4. — **uelamentum sibi obduxit** : par imitation du tour *sibi aliquam rem induere*. Illustration scripturaire : *I Cor.* 11, 10, cf. Irén., I, 8, 2 ; *Extr. Théod.*, 44, 2. — **ex officio** : cf. Apul., *Mét.*, 11, 19, 1 : « Adfatis... ex officio singulis » ; *uenerationis et uerecundiae*, couple synonymique tout à fait dans la manière d'Apulée (cf. Bernhard, *Stil des Apul.*, p. 165). *Primo* : avec double valeur, celle de l'adj. (le « premier ») et celle de l'adv. (« en premier lieu »), cf. Tac.,

An., 13, 1, 1 : « Prima nouo principatu mors Iunii Silani... paratur ». — **suggestum** : = *pompam, comitatum* ; cf. *Res.* 12, 2 : « nox cum suo... suggestu (= stellis) » ; au sens figuré : *Pud.* 5, 6 : « Pompam quandam atque suggestum aspicio moechiae, hinc ducatum idololatriae antecedentis, hinc comitatum homicidii insequentis ». *Fructiferum* : apparaît chez Sén., *Luc.*, 98, 2, et rarement attesté avant Tert. qui lui-même ne l'emploie qu'ici (cf. *TLL* s. u. col. 1367, 13). Irén., I, 4, 5 : σὺν ὅλῃ τῇ καρποφορίᾳ. Il s'agit naturellement des anges qui escortent le Sauveur (*supra*, 16, 1) ; sur cette notion de « fruit » dans le valentinianisme, cf. *supra*, 8, 1. — **Quibus... uiribus** : Tert. paraît avoir quelque prédilection pour cette attraction du relat. au cas de l'antécédent ; cf. *infra*, 30, 1 : « qua uolunt interpretatione » ; *Apol.* 28, 1 : « me conueniat Ianus iratus qua uelit fronte » ; etc. — **Κύριε χαῖρε** : selon Rönsch, *Das Neue Testament Tertullians*, p. 137, allusion à *Matth.* 26, 49 « χαῖρε, ῥαββί » ; dans ce contexte satirique une telle référence nous paraît toutefois peu vraisemblable. De toute évidence Tert. tire un effet ironique de cette formule de salutation grecque ; cf. Lucil. ap. Cic., *Fin.*, 1, 9 (Warm. 92-93) : « Χαῖρε, inquam, Tite !... Χαῖρε, Tite ! » ; Perse, *Chol.*, 8 : « Quis expediuit psittaco suum « Chaere » / Picasque docuit uerba nostra conari ? » ; dans cet emploi comme titre de politesse κύριε n'apparaît dans les textes qu'à date relativement récente (*Jn* 12, 21 ; etc.). L'addition *dicens* de Kroymann n'est pas nécessaire, cf. *infra*, 3, 5 ; 31, 1 ; Hoppe, *Synt.*, p. 145. — **confirmat** : terme technique (cf. *supra*, 10, 4 ; Sagnard, p. 654 s. u. στηρίζω). Irén., I, 4, 5, ne mentionne pas cette étape du mécanisme de gnose chez Achamoth : en revanche elle fait partie de la formation de Sophia d'en haut (*supra*, 10, 4). Sans doute Tert. a-t-il vu là l'occasion d'un jeu de mots (*confirmat-conformat*). *Conformare* = *formare* (cf. *infra*, 27, 3 ; *supra*, 3, 3) ; Irén., I, 4, 5 : κἀκεῖνον μορφῶσαι αὐτὴν μόρφωσιν τὴν κατὰ γνῶσιν. — **agnitione** : = *scientia* (*supra*, 12, 1 ; 14, 1 ; *infra*, 30, 1), *sententia* (*supra*, 12, 3). — **expumicat** : hapax (cf. *TLL* s. u. col. 1813, 7). — **non eadem neglegentia...** : expliqué par ce qui suit : « exercitata... uiriosa ». Au contraire Sophia (d'en haut) avait

pu être purifiée, par Horos, de ses passions, sans qu'il eût
à en tenir compte, parce qu'elles étaient moins vigoureuses
(cf. *supra*, 10, 4). — **in exterminium** : *in* final (cf. *supra*, 7,
1). *Exterminium* : création de Tert., cf. *Iud.* 8, 1 et 17 ;
11, 6 (citation d'*Éz*.). Irén., I, 4, 5 : οὐ γὰρ ἦν δυνατὸν
ἀφανισθῆναι ⟨αὐτά⟩.

16, 3. uiriosa : dérivé de *uires*, très rarement attesté ;
sous la forme adv. en *An.* 19, 4 ; cf. Waszink, *Mnemosyne*
12 (1944), p. 74-75. — **massaliter** : attesté uniquement
chez Tert., ici et *Fug.* 13, 3 (avec un sens différent : « en
masse, en totalité »), cf. Hoppe, *Beiträge*, p. 145. — **solidata** : cf. *supra*, 11, 1. — **incorporalem** : accueillie par
Riley, cette correction est indispensable (cf. « Valentiniana »,
p. 66), malgré Marastoni (p. 177). — **paraturam** : Tert.
fait preuve d'une grande prédilection pour ce terme
qu'il a forgé, et qui a presque toujours un sens concret
(= *apparatus, instrumentum, materia*), cf. H. Fine, *Die
Terminologie der Jenseitsvorstellungen bei Tertullian*, Bonn
1958, p. 57 ; *infra*, 26, 2. Bien venu ici (« préparatif, apprêt,
dispositif ») pour désigner un état de transition entre la
passion incorporelle et la matière proprement dite. A noter
que, contrairement au stoïcisme, les passions sont conçues,
par les valentiniens, comme des « incorporels », puisqu'elles
sont issues, malgré tout, du Plérôme. — **indita... natura** :
abl. abs. succédant à un part. accordé (*commutans*) : *variatio*
recherchée par les historiens (Salluste, Tite-Live, Tacite,
Suétone) et Apulée (cf. Bernhard, *Stil des Apul.*, p. 42).
— **habilitate** : = *uirtute, facultate* ; cf. *Res.* 58, 6 (= *utilitas*) ; *TLL* s. u. col. 2465, 47. — **posset** : suj. *paratura*
(cf. « Valentiniana », p. 66). — **peruenire in** : cf. *supra*, 10,
1. — **aequiperantias corpulentiarum** : = *aequas corpulentias* ; cf. *Apol.* 22, 6 : « eadem... obscuritate contagionis »
(= *contagione pariter obscura*) ; *An.* 32, 6 : « agrestes amaritudines frondium » (= *amarae frondes*) ; Waszink, p. 388.
Aequiperantia est un hapax (*TLL* s. u. col. 1011, 57). *Corpulentia*, terme rare qui apparaît chez Plin., *Nat.*, 1, 11, 118 ;
11, 283 (« embonpoint, obésité »). Tert. l'emploie le plus
souvent au sing., « matérialité, corporéité, densité » (= *cor-*

poralitas), cf. *An.* 9, 8 : « corpulentia animae ex densatione solidata est » ; *Res.* 17, 3 : « (anima) habet corpulentiam propriam » ; *Carn.* 3, 7 : « uti conuersi in corpulentiam humanam angeli nihilominus permanerent » ; etc. ; trois fois seulement au plur. (= *corpora, substantiae*), cf. *An.* 5, 2 ; 24, 4 ; ici, « la matière constitutive de l'être », synonyme de *substantia*, comme l'indique le contexte immédiat ; cf. Braun, p. 183. Pour l'emploi fréquent des abstraits au plur., *supra*, 4, 4. — **condicio** : le sens ontologique est bien marqué (*qualitas, natura, status*), cf. *supra*, 14, 4 ; *infra*, 29, 4. Sur ce terme, cf. Braun, p. 362 s. — **de uitiis** : les quatre « passions » d'Achamoth (cf. *supra*, 14, 4). — **de conuer- sione** : cf. *supra*, 15, 2. — **passionalis** : Irén., I, 4, 5 : ἐμπαθῆ. Mais Tert. a créé cet adj. antérieurement, dès *Test.* 2, 3 : « si deus irascitur, corruptibilis et passionalis est » ; cf. aussi *Test.* 4, 1 : « sine carnis passionalis facultate ». Ce néologisme ne reparaît pas ailleurs sous sa plume. — **erit** : cf. *supra*, 3, 2. — **materia** : jeu de mots (ὕλη et ὑπόθεσις). En réalité, seule la substance issue des passions constitue la « matière », cf. *supra*, 15, 2 ; *infra*, 17, 2 ; 20, 1. — **commisit** : sens qui apparaît chez Suétone ; cf. *An.* 2, 5 ; *Prax.* 30, 1 ; sens différent *supra*, 1, 4 ; 3, 2 ; *infra*, 25, 3. — **cum Hermo- gene** : rappel de l'*Aduersus Hermogenem* (entre 198 et 206, cf. Braun, p. 721) ; du *De censu animae*, écrit également contre Hermogène quelques années plus tard, nous ne possédons que des allusions par le *De anima*, écrit peu de temps après (208-211) ; cf. aussi *Praes.* 30, 13 et 33, 9. Tert. est, avec Hippol., *Philos.*, VIII, 17 ; X, 28, notre principale source sur Hermogène (cf. Waszink, *Treatise against Herm.*, p. 3). — **operatum** : (s. ent. *esse*). Vb. utilisé en particulier dans *Herm.* pour souligner un aspect de la création qui n'est pas l'aspect essentiel, celui de travail ou d'œuvre organisatrice de Dieu, cf. Braun, p. 383 ; cf. *infra*, 20, 3.

d. Enfantement des spirituels par Achamoth (chap. XVII).

Délivrée enfin de tous ses maux, Achamoth éprouve une grande joie. La contemplation des lumières

angéliques lui fait même concevoir un fruit spirituel
(§ 1), qu'elle enfante. Trois causes ont donc produit
trois genres de substances (§ 2).

17, 1. ecce : adv. expressif adapté au style narratif ;
fréquent en particulier chez Apulée (cf. Callebat, *Sermo
cotidianus*, p. 88 ; 422). Tert. l'utilise le plus souvent en
tête de phrase (comme Apulée) ; mais également, dans le
cours d'une phrase, au début de la prop. principale. Les
occurrences en citations scripturaires sont plus nombreuses
d'un tiers environ. — **frugescit** : Irén., I, 4, 5 : ἐκτὸς τοῦ
πάθους γενομένην. Création de Tert. qui n'utilise ce vb.
qu'ici et en *Res.* 22, 8 (également au sens figuré) ; une seule
attestation postérieure (Prud., *Sym.*, 2, 914, au sens propre)
selon *TLL* s. u. col. 1403, 15. Sur cette notion technique
cf. *supra*, 7, 7 ; 8, 1 ; etc. — **concalefacta** : très rare, mais
attesté chez Cicéron au sens propre ; pour le sens métaphorique, *TLL* s. u. col. 3, 81, ne signale, outre cette occurrence, qu'Irén. (lat), I, 13, 3 (= διαθερμανθεῖσα) et Non.,
p. 92. — **angelicorum luminum** : Irén., I, 4, 5 : τῶν σὺν
αὐτῷ φώτων... τουτέστιν τῶν ἀγγέλων τῶν μετ' αὐτοῦ. Pour
l'expression « anges de lumière », cf. *Act.* 12, 7 ; *II Cor.* 11,
14. Au pluriel τὰ φῶτα désigne soit les anges soit les éons ;
au sing., le Christ, le Sauveur, le Père ou le Plérôme, cf.
Sagnard, p. 659 s. u. φῶς. — **ut ita dixerim** : cf. *supra*, 6,
2. — **subfermentata** : hapax (cf. Hoppe, *Beitr.*, p. 145).
— **pudet** : précaution, renforcée par *quodammodo*, pour
annoncer *subsuriit. Exprimere* : « s'exprimer » et non
pas « traduire », car Irén., I, 4, 5, écrit simplement : διδάσ-
κουσιν. — **subsuriit** : hapax (conjecture de Ph. le Prieur) =
suriit (cf. *supra*, 3, 3). — **et ipsa** : = *ipsa* (cf. *Apol.* 4, 6 ;
30, 1 ; etc. L. H. S., p. 483). — **illos** : = *angelos* ; syllepse
de genre (*angelicorum luminum*). — **intumuit** : première
occurrence au sens de *fieri grauidam* ; puis Lact., *Inst.*, 4,
12, 1 ; Jér., *Epist.*, 22, 2, 1 (= *Gen.* 38, 24). Cf. *TLL* s. u.
col. 99, 16. — **laetantis, ex laetitia prurientis** : pour
l'asyndète et l'établissement du texte, cf. Hoppe, *Beitr.*,
p. 53 ; nos « Valentiniana » p. 66-67. — **imbiberat** : cf. Cic.,
Verr., 1, 42 : « nisi de uobis malam opinionem animo imbi-

bisset » ; d'autre part, *Vx.* I, 7, 3 : « facultatem continentiae...
imbibamus ». — **intimarat** : apparaît chez Apul., *Plat.*, 2,
5, 227 : « cui (uirtus) fuerit fideliter intimata » ; *Mund.*, 287.
Cf. *TLL* s. u. col. 17, 44. Pour la forme contracte, *supra*, 9, 1.
Irén., I, 4, 5 est beaucoup plus clair : « Quant à Achamoth,
dégagée de sa passion, elle conçut de joie, la vision des
Lumières qui étaient avec le Sauveur, c'est-à-dire des anges
qui l'accompagnaient. Devenue grosse à cette vue, elle
enfanta des « fruits » à leur image, enfantement spirituel
à la ressemblance des « pages » du Sauveur » ; cf. Sagnard,
p. 388 s.

17, 2. denique : cf. *supra*, 3, 5 ; 6, 3. — **trinitas** : Tert. est
notre premier témoin de ce vocable. L'a-t-il forgé (Moingt III,
p. 746) ? ou plutôt emprunté aux valentiniens eux-mêmes,
(Braun, p. 151 s.) ? Les premières occurrences du mot dans
son œuvre sont en référence à l'anthropologie valentinienne
(cf. *Praes.* 7, 3 ; *An.* 21, 1 ; mais *An.* 16, 4 à propos des
trois parties de l'âme chez Platon). Cf. aussi K. Woelfl,
Das Heilswirken Gottes durch den Sohn nach Tertullian,
Roma 1960, p. 86-87. — **generum** : Irén., I, 5, 1, est plus
précis : τριῶν... τούτων ὑποκειμένων κατ' αὐτούς (= le
substrat, le fond de l'être). Cf. *infra*, 29, 1. — **materiale** :
= ὑλικόν. Cf. *supra*, 16, 3 : *de uitiis pessima*. — **animale** :
= ψυχικόν. Cf. *supra*, 16, 3 : *de conuersione passionalis*.
— **spiritale** : = πνευματικόν. *Ex imaginatione* : jeu de
mots : *imago* (cf. *supra*, 17, 1 : *ad imaginem ipsam*) et *cogi-
tatio* : l'imagination d'Achamoth, frappée par la vue des
anges, lui a fait concevoir une substance à leur image,
c'est-à-dire spirituelle. Si, dans le passage correspondant
d'Irén., I, 5, 1, on lit simplement : τοῦ δὲ ὁ ἀπεκύησεν,
τουτέστι τὸ πνευματικόν, en revanche telle « formule » des
Marcosiens est plus explicite : Irén., I, 13, 6 (Sagnard,
p. 418) : « Toi (= Sophia d'en haut) que les « Grandeurs »
(= les anges) qui contemplent sans cesse la Face du Père
prennent pour guide et pour conductrice, afin, par toi, de
tirer en haut leurs « formes » (= les natures spirituelles des
gnostiques), — ces « formes » qui sont nous-mêmes et que
la Femme à l'audace magnanime (= Achamoth), frappée

par l'image (du Sauveur et de ses anges) a, pour le bien du
Pro-Père, émises à leur image, alors qu'elle avait présentes
à l'esprit comme dans un songe les réalités d'en haut... ».
Imaginatio : rare et peu attesté avant Tert., cf. Plin., *Nat.*,
10, 166 : « inrita oua... mutua feminae inter se libidinis
imaginatione concipiunt » ; 20, 68 (= *somnia*) ; Tac., *An.*,
15, 36, 1 : « prouincias Orientis... secretis imaginationibus
agitans ».

e. Le Démiurge (chap. XVIII).

Achamoth aurait voulu « former » chacune de ces
trois substances, mais, étant elle-même de nature
spirituelle, elle ne peut agir sur le spirituel (§ 1).
Elle se tourne donc vers l'élément psychique, et
façonne le Démiurge, autrement dit notre Dieu,
Père et Roi de tout ce qui est venu après lui — si
l'on peut dire ! En effet, à son insu, Achamoth le
guidait dans son œuvre (§ 2). Le nom qu'on lui donne,
Métropator, reflète d'ailleurs cette ambiguïté. Mais
on l'appelle également Père des psychiques, c'est-à-
dire des êtres de droite, Démiurge des hyliques,
c'est-à-dire de ceux de gauche, enfin Roi des uns et
des autres (§ 3).

18, 1. trium... liberorum : les trois substances issues
diversement d'Achamoth. Cf. *infra*, 31, 2 s. u. *leges Iulias.*
— **exercitior** : + dat. selon *TLL* s. u. col. 1378, 40, uniquement ici et Hégés., 2, 13, 2. — **non ita** : = *ita non*, cf. Löfstedt, *Spr. Tert.*, p. 48 ; Bulhart, *Praef.*, § 90-91 ; *supra*, 8,
5. — **ut et** : cf. *supra*, 14, 4. — **fere enim...** : adaptation
d'un principe qui remonte aux présocratiques (Anaxagore,
Héraclite, Démocrite) cf. Théophr., *De sensibus*, § 2 (Diels,
Dox. gr., p. 499) : τὸ μὲν ὅμοιον ἀπαθὲς ὑπὸ τοῦ ὁμοίου ;
§ 49 (*ibid.*, p. 513) : οὐ γὰρ ἀλλοιοῦται τὸ ὅμοιον ὑπὸ τοῦ
ὁμοίου. — **paria et consubstantiua** : cf. *supra*, 12, 5. — **in
alterutrum** : non classique au sens réciproque ; fréquent
chez Tert., cf. Hoppe, *Synt.*, p. 103-104 ; L. H. S., p. 178.
— **societas naturae** : cf. *An.* 25, 8 : « quo facilius anima

cum anima conseretur ex societate substantiae quam spiritus
nequam ex diuersitate naturae »; cf. *supra*, 11, 2 : *societas
officii*. — **negauit** : pft. « gnomique ».

18, 2. prolatis... disciplinis : Irén., I, 5, 1 : προβαλεῖν
τε τὰ παρὰ τοῦ Σωτῆρος μαθήματα. Précision qui complète
ce qui n'est que suggéré par *conuertit* (plus explicitement,
Irén., I, 5, 1 : τετράφθαι δὲ ἐπὶ τὴν μόρφωσιν τῆς γενομένης
ἐκ τῆς ἐπιστροφῆς αὐτῆς ψυχικῆς οὐσίας). Ces « enseignements » sont les « images » des éons (faites en leur honneur,
cf. *infra*, 19, 1), qui fourniront au Démiurge les « idées »
et les « formes » de l'univers. Ces « enseignements » tirés du
Sauveur (ou plutôt que le Sauveur produit par Achamoth)
donnent à la substance psychique (et donc au Démiurge)
une première formation sensible. Cf. Sagnard, p. 406-407.
— **horrore** : cf. *supra*, 15, 5. — **fingit** : Irén., I, 5, 1 :
μεμορφωκέναι. Dans ses écrits de théologie orthodoxe Tert.
réserve *fingere* (= gr. πλάττειν) à la création de l'homme
(Braun, p. 399). — **deum... omnium praeter haereticorum** : Tert. saisit l'occasion de souligner l'accord, au
moins partiel, du paganisme et du christianisme sur l'existence de Dieu, pour mieux rejeter les gnostiques : cf.
Carn. 15, 4 : « ethnici non credendo credunt, at haeretici
credendo non credunt » ; *supra*, 3, 2-3. Sur le dualisme
auquel aboutit le valentinianisme (Bythos d'une part,
Démiurge de l'autre), *Res.* 2, 2 : « alterius diuinitatis haeretici » ; 2, 8 : « certi enim (haeretici) quam laborent in alterius
diuinitatis insinuatione aduersum deum mundi omnibus
naturaliter notum de testimoniis operum... » ; 14, 7 : « nescio
quis (deus) haereticorum ». — **Demiurgum** : cf. *supra*, 15,
2. — **uniuersorum quae...** : Tert. résume le passage correspondant d'Irénée, en retenant surtout la fonction de
« fabricateur » ; Irén., I, 5, 1 : τὸν πατέρα καὶ βασιλέα πάντων,
τῶν τε ὁμοουσίων αὐτῷ. — **Ab illo...** s. ent. *facta sunt* (ou
formata sunt : cf. Irén., I, 5, 1 : μεμορφωκέναι) ; sur les
ellipses, fréquentes chez Tert. cf. *supra*, 3, 5. — **si tamen** :
mouvement sarcastique, cf. *supra*, 1, 1. — **nihil sentiens
eius** : part. prés. + gén. pour désigner une action momen-
tanée n'est pas classique (cf. Ernout-Thomas, *Syntaxe*

lat., § 71-72 ; L. H. S., p. 80). *Nihil = non*, appartient à la
langue usuelle, particulièrement fréquent en lat. tardif
(Bulhart, *Praef.*, § 76 ; L. H. S., p. 454) ; cf. *Mart.* 2, 7 :
« nihil [non *FLVX*] uides alienos deos » ; *Fug.* 13, 1 « nil
[non *XVL*] minanti ». Autre interprétation possible : *nihil
eius*, « rien de celle-ci ». — **sigillario... ductu** : le subst.
sigillarius (cf. *supra*, 12, 5) est également employé en
fonction adjective en *An.* 6, 3 : « uelut sigillario motu
superficiem intus agitante » ; cf. Hor., *Sat.*, 2, 7, 82 ; Perse,
5, 128-129 ; l'image remonte à Plat., *Lois* 1, 644e ; Arist.,
De mot. anim., 7, 701b1 ; cf. Waszink, p. 136-137. — **Extrinsecus** : en fonction adj. déjà Lucr., *De rer. nat.*, 1, 1042 :
« *plagae... extrinsecus* » (« les chocs provenant de l'extérieur »), cf. *ibid.* 1, 528 : *plagis extrinsecus icta* ; 1, 1055 :
ictibus externis ; cf. *Praes.* 4, 7-8 : « nominis Christiani extrinsecus superficies, etc. » ; *Pal.* 1, 1 : « pallii extrinsecus habitus ». D'autre part, *Prax.* 19, 1 : « (haeretici) ipsum creatorem
aut angelum faciunt aut ad alia quae extrinsecus, ut opera
mundi, ignorantem quoque subornatum » ; pour le commentaire de cette remarque, propre à Tert., cf. Orbe, *Est. Val.*,
II, p. 250-251. — **operationem** : attesté à partir de Vitr., 2,
9, 9, ce terme est employé par Tert. soit au sens concret
(= *opera mundi*, cf. *Marc.* I, 16, 2 ; *Res.* 5, 2 ; 9, 1), soit
comme ici avec une signification plus abstraite (cf. *Herm.*
20, 3 ; 32, 5 ; *Marc.* V, 4, 3 ; etc.) ; cf. Braun, p. 383-384.
— **mouebatur** : la constr. avec *in* + acc. est déjà attestée
chez Virg., *Én.*, 6, 813 ; 7, 306 ; Sén., *Luc.*, 94, 90.

18, 3. **Denique** : cf. *supra*, 6, 3 ; 17, 2. — **ambiguitate** :
incertitude due à la dualité des auteurs (l'un, véritable ;
l'autre réputé tel et persuadé de l'être) et à la part qui leur
revient respectivement ; cf. avec une signification appro-
chante *supra*, 6, 1 ; 12, 5. — **Metropatoris** : gr. Μητροπάτωρ,
« Mère-Père ». Ce nom apparaît également dans la *Mégalè
Apophasis* (Hippol., *Philos.*, VI, 17, 3) et dans l'hymne or-
phique cité par Clém. Alex., *Strom.*, V, 125, 2. — **miscue-
runt** : cf. T.-Liv., 38, 46, 1 : « nomen mixtum esse Gallo-
graecorum » ; Aul. Gel., *Nuits*, 2, 22, 10 : « (uentum) plerique
Graeci mixto nomine, quod inter notum et eurum sit,

εὑρόντον, appellant ». — **appellationibus** : la distinction que
fait ici Tert. entre *nomen* et *appellatio* reflète celle des gram-
mairiens, cf. Don., *Gramm.*, 4, 373, 5 : « nomen unius hominis,
appellatio multorum, uocabulum rerum est » ; Serv., *Comm.
in Don.*, 406, 32 : « proprium est quod unius est, ut Hector,
appellatiuorum quod multorum est, ut homo ». Cf. Braun,
p. 692-693. — **status et situs** : cf. *Marc.* I, 13, 5 (à propos
de l'allégorie physique des divinités païennes) : « Et su-
periores quidem situ aut statu substantias sufficit facilius
deos habitas quam deo indignas » ; II, 12, 3 : « Omnis situs
habitus effectus motus status ortus occasus singulorum
elementorum iudicia sunt creatoris » ; Moingt, III, p. 801 s.
— **operum** : *supra* : *operibus* ; équivalent favori de Tert.
pour ποίημα, cf. Braun, p. 346. — **quidem... uero...
autem...** : = μέν... δέ... δέ..., *primum - deinde - postremo* ;
cf. *infra*, 19, 1 : *quidem - autem - uero* ; 26, 1 : *quidem - uero -
ceterum* ; 26, 2 : *quidem - uero - ceterum - autem* (= *primum -
deinde - tum - postremo*). — **commendant** : = *collocant*, seul
exemple de ce sens signalé par *TLL* s. u. col. 1853, 31. —
communiter : = *generaliter* (cf. *TLL* s. u. col. 1983, 49).
— **in uniuersitatem** : = *in uniuersos, uniuersorum* (l'abstrait pour le concret, cf. *supra*, 1, 2. 4 ; 3, 1) ; (tour
prépositionnel substitué au gén. obj., cf. *Apol.* 23, 15 :
« nostra in illos (= illorum) dominatio » *Marc.* II, 3, 1 :
« ineuntes examinationem in deum notum » ; Hoppe, *Synt.*,
p. 40 ; cf. Irén., I, 5, 1 : συμπάντων δὲ βασιλέα. Les psychiques
sont formés par le souffle et à la ressemblance du Démiurge,
ce qui explique qu'il soit appelé leur père ; les hyliques
sont seulement façonnés à son image, il est donc leur
« démiurge » (appellatif) ; le nom de roi convient enfin au
Démiurge parce qu'il règne sur les uns et sur les autres :
cf. *infra*, 24, 2. Pour les différentes « figures » du Démiurge
(Jean-Baptiste, Moïse, le « regulus » de Capharnaüm) selon
Héracléon, cf. Sagnard, p. 513 s. ; sur sa place et son
rôle dans le *Tract. Tripart.*, 99-104, cf. Introd. *ad. loc.*,
p. 59 s.

f. Réflexions ironiques de Tertullien (chap. XIX).

Les divers noms attribués au Démiurge sont, en
rigueur de termes, tout à fait impropres, car ils lui
prêtent une activité qu'il n'a pas eue en réalité.
Conviennent-ils mieux alors à Achamoth ? Ce serait
méconnaître le rôle caché du Sauveur qui fournit
les « images » des réalités du Plérôme (§ 1). Il y a
d'ailleurs tant d' « images » dans le système valentinien qu'on croirait avoir affaire à la production d'un
mauvais peintre ! (§ 2).

19, 1. de quibus nomina : s. ent. (*capta, tracta*) *sunt.*
Cf. *supra*, 3, 5. — **haec omnia :** c'est-à-dire *pater, demiurgus,
rex* (*supra*, 18, — 3) qui s'appliqueraient beaucoup mieux à
Achamoth, puisqu'elle était (semble-t-il) l'auteur véritable
des réalisations attribuées au Démiurge. Comme presque
tous les anciens, Tert. pense que le nom reflète la réalité
qu'il exprime, qu'il y a ou qu'il doit y avoir accord (naturel
ou conventionnel) entre le nom et la chose : cf. *Herm.* 19, 2 ;
Carn. 13, 1-4 ; *Prax.* 9, 4 ; *supra*, p. 17 et 7, 6 ; Braun, p. 692-
693. — **nisi quod... nec ab illa :** = *si tamen ab illa* (cf. *supra*,
18, 2). Mot à mot : « excepté le fait que..., le cas où..., à
moins que... (les choses n'aient pas été, n'auraient pas été,
faites non plus par elle) ». — **commentatam :** (s. ent. *esse*).
Ironique, d'après les expressions usuelles : *commentari
causam, orationem, mimum*, etc. Cette signification (= *fingere, imaginari*), plusieurs fois attestée chez Tert. (*Apol.* 21,
30 ; 40, 10 (?) ; *Marc.* I, 18, 4 ; etc.) ne se rencontrerait,
antérieurement, qu'une seule fois, chez Fronton (p. 234,
16 N) ; elle est ensuite fréquente sous la plume des auteurs
chrétiens (cf. *TLL* s. u. col. 1865, 3). Contrairement à la
suggestion de Kroymann il n'y a sans doute pas lieu de
supposer une lacune avant *imagines* : le gén. *aeonum* est en
facteur commun (complt. de *in honorem* et de *imagines*),
cf. « Valentiniana », p. 67. Ces « images » qu'a faites Achamoth, ou plutôt que le Sauveur a faites par elle, sont les
« enseignements » tirés du Sauveur, c'est-à-dire les « idées »

fournies au Démiurge pour qu'il forme l'univers (cf. *supra*, 18, 2). — **sit operatus** : cf. *supra*, 16, 3 ; *infra*, 20, 3. — **inuisibilis** : cf. *supra*, 7, 3 ; *inuisibilem* + dat. : première attestation de cette constr., fréquente chez Irénée lat. ; puis Marius Victor., Augustin (cf. *TLL* s. u. col. 220, 68). — **incogniti** : cf. *supra*, 9, 1 ; *incognitam et inuisibilem* : cf. *supra*, 18, 2. — **daret** : = *redderet* (cf. *supra*, 3, 3). — **scilicet** : correction nécessaire : il s'agit d'une précision, non d'une opposition ou d'une concession ; Achamoth est connue des éons et inconnue du Démiurge de la même façon qu'au début de la formation du Plérôme le Père était connu de Noûs-Monogène mais non du reste du Plérôme. — **effingeret** : + double acc., seul ex. de cette constr. (cf. *TLL* s. u. col. 186, 8) ; cf. *supra*, 18, 2 : *fingit*. C'est-à-dire que le Sauveur le façonna comme une image de Monogène, cf. Irén., I, 5, 1 : αὐτήν... ἐν εἰκόνι τοῦ ἀοράτου πατρὸς τετηρήκεναι ; II, 7, 2. Le rôle du Sauveur est prépondérant, cf. Sagnard, p. 204-206. — **Archangeli** : Irén., I, 5, 1 : (ἐν εἰκόνι) τῶν... λοιπῶν Αἰώνων... Ἀρχαγγέλους τε καὶ Ἀγγέλους. Les anges assistent le Démiurge dans l'économie de la création, cf. *Tract. Tripart.*, 100, 15-18.

19, 2. imagines : jeu de mots (cf. *supra*, 16, 3 : *materia*) : *imago* au sens concret (*simulacrum*) et valentinien (reflet, idée) ; pour l'importance de ce terme dans le système, cf. Sagnard, p. 638 s. u. εἰκών. — **tantas** : = *tam multas*, cf. *supra*, 7, 1. — **feminam** : cf. *An.* 33, 9 : *femina Dido* ; *infra*, 33, 2 (cf. Cic., *Har. resp.*, 27). — **ignarum matris** : cf. *supra*, 18, 2. — **Nu** : addition sinon indispensable, du moins nécessaire. Démiurge est l'image de Noûs (*supra*, 19, 1) qui dès le commencement a connu le Père (*supra*, 9, 1). Cf. *Tract. Tripart.*, 110, 35-36 : le Démiurge est l'image de l'image du Père. — **mulum...** cf. Otto, *Sprichwörter*, p. 43, qui comprend, à tort, semble-t-il, « das eine ist nicht besser als das andere ». En réalité Tert. dénonce le procédé qui consiste à réduire à une unité artificielle, par assimilation ou confusion des plans, des entités qui se situent, dans le mythe, à des niveaux différents (ce que pour le Plérôme Sagnard, p. 240 s. a appelé la loi de communication entre les éons), en laissant de côté ce qu'il y a de spécifique à chacune d'elles — comme si l'on voulait nier les différences qui séparent Valentin de Ptolémée (cf. *supra*, 4, 1 s.).

g. La création de l'univers par un Démiurge ignorant (chap. XX-XXI).

Placé en dehors du Plérôme, le Démiurge fabrique l'univers après avoir transformé en substances corporelles les substances psychiques et hyliques qui étaient jusque-là incorporelles. Il dispose sept cieux et place, au sommet son propre trône (XX, 1). D'où le nom de Sabbat qui lui est attribué. Ces cieux sont de nature intelligente, ce sont des anges, comme d'ailleurs le Démiurge et le Paradis, où séjourna Adam, au milieu des nuages et des arbres (§ 2). Sans doute Ptolémée devait-il se souvenir de contes d'enfants pour imaginer ainsi des arbres dans les espaces célestes. Il est vrai que son Démiurge était « ignorant »... Mais pourquoi sa mère Achamoth ne l'a-t-elle pas guidé ? (§ 3). Celle-ci reçoit encore divers autres noms. Mais le Démiurge était tellement persuadé d'agir seul qu'il allait jusqu'à proclamer : « Je suis Dieu et il n'y en a pas d'autre que moi » (XXI, 1). Et pourtant, comment pouvait-il se croire seul, comment ne soupçonnait-il pas qu'il était l'œuvre de quelqu'un d'autre ? (§ 2).

20, 1. (prouinciam) condidit : jeu de mots sur le sens institutionnel (« fonder » une ville, une province) et sur le sens philosophique (« créer ») ; cf. Braun, p. 352 ; *supra*, 16, 1. Jeu de mots comparable *infra*, 20, 3 (*institui*). — **repurgata... materialium** : Irén., I, 5, 2 dit plus simplement : διακρίναντα... τὰς δύο οὐσίας συγκεχυμένας. — **detrusae** : cf. *supra*, 15, 1 s. — **ex incorporalibus... aedificat** : cf. *supra*, 16, 3. La création des éléments s'est donc faite en deux temps : le Sauveur a transformé les substances issues de la « conversion » et des « passions » d'Achamoth en substance incorporelle (psychique et hylique), puis le

Démiurge a fait de celle-ci des substances corporelles, psychiques et hyliques, les corps célestes étant psychiques,
les corps terrestres étant hyliques. *Aedificare* ne traduit
que deux fois chez Tert. (ici et *Marc.* III, 9, 3) l'idée de
construction : en effet, ce vb. était en train de prendre un
sens très spécialisé, sans rapport avec l'idée de création
(« instruire », « édifier »), cf. Braun, p. 387. — **caelorum** :
cf. *infra*, 31, 1-2.

20, 2. Sabbatum : ce nom du Démiurge n'apparaît ni
dans nos sources patristiques (Irénée, Hippolyte, *Extr. de
Théodote*), ni, semble-t-il, dans les traités de Nag Hammadi.
Dans l'*Év. de Philippe*, Sent. 8, Sabbat désigne le Plérôme
(cf. Ménard, comm. *ad loc.*, p. 127). — **dictum** : attraction
de l'attr., cf. « Valentiniana », p. 67. — **hebdomade** :
« Hebdomade » est l'un des noms du Démiurge (cf. Irén., I,
5, 2 ; Hippol., *Philos.*, VI, 32, 7). En dehors du système valentinien (cf. *infra*, 23, 1 ; 31, 2) Tert. emploie fréquemment
hebdomas pour désigner une durée de sept jours (*An*, 37,
4 ; 48, 4), de sept ans (*Iud.* 8, 11), etc. — **Ogdoada** : =
Ogdoas ; Tert. n'utilise qu'ici la désinence de la 1ʳᵉ décl. ;
partout ailleurs il recourt aux formes en -*as*, -*adis* (cf. *supra*,
7, 8 ; *infra*, 35, 1 ; 36, 2 ; 38 ; *Praes.* 33, 8 ; etc.) ; cf. Bulhart, *Praef.* § 7. Sur ce nom donné à Achamoth, cf. Sagnard,
p. 164 ; 175. — **primigenitalis** : traduit Irén., I, 5, 2 :
ἀρχεγόνου καὶ πρώτης. Mot très rare, attesté ici pour la
première fois et qui ne reparaît qu'en citation de *Deut.* 21,
17 chez Ambroise (*PL* 16, 1073) ; peut-être choisi à dessein
par Tert. pour éviter *primogenitus* qui caractérise le Verbe-
Fils de la théologie orthodoxe (cf. Braun, p. 255, n. 1).
— νοερούς : en tant que « reflets », qu' « images » psychiques
de Noûs-Monogène (Νοῦς). Terme technique appliqué plus
généralement aux éléments pneumatiques (cf. Sagnard,
p. 648 s. u.) — **angelos** : l'identification des cieux avec les
anges et les archanges est une adaptation valentinienne des
hiérarchies angéliques juives, cf. H. Bietenhard, *Die himm-
lische Welt im Urchristentum und Spätjudentum*, Tübingen
1951, p. 37 ; Orbe. *Est. Val.*, V, p. 105. — **Paradisum...
quartum** : la localisation du Paradis au quatrième Ciel

serait due à l'influence de la littérature juive, selon L. Ginz-
berg, « Die Haggada bei den Kirchenvätern », *Monatschrift
für Gesch. und Wiss. des Judentums*, 42 (1898), p. 547 s.,
suivi par Sagnard, *SC* 23, p. 165 ; cette influence est en
revanche écartée par Orbe, *Est. Val.*, V, p. 108 (le vrai
Paradis pour les Valentiniens est le Plérôme). Pour une
étude récente de la conception du Paradis en milieu gnostique
non valentinien (l'*Écrit sans titre*, NH II, 5), Tardieu, *Trois
mythes gnostiques*, p. 141 s. — **ex cuius uirtute** : les êtres
du Plérôme sont eux-mêmes des « puissances » (δυνάμεις),
d'eux émane une *dynamis* (cf. *infra*, 37, 1 - 2 ; 38, 1). Mais
ce n'est pas le privilège du spirituel : le Démiurge et ses
anges sont également, par analogie, des « puissances » de
la substance psychique, cf. Sagnard, p. 437 s. ; p. 637 s. u.
δύναμις. — **sumpserit** : constr. absolue ; cf. nos « Valentiniana », p. 68 ; *supra*, 3, 1. — **deuersatus** : = *uersatus*
(cf. *supra*, 3, 3) ; de même *Nat.* II, 9, 22 ; *Marc.* II, 27, 2 ;
infra, 30, 3 ; déjà Apul., *Socr.*, 8, 138 ; etc. *TLL* s. u. col.
852, 10. — **inter nubeculas arbusculas** : ajout ironique
propre à Tert. pour souligner l'impossibilité d'accorder
entre eux le « paradis céleste » des valentiniens et le « paradis
terrestre » de la *Genèse*. Les deux diminutifs ont une valeur
sarcastique ; cf. avec une intention péjorative, *Marc.* I, 22,
8 : « Homo damnatur in mortem ob unius arbusculae deli-
bationem » ; *Scorp.* 5, 11 ; *Iei.* 3, 2 ; Waszink, p. 271.

20, 3. Ptolemaeus... : Tert. feint de croire que les
valentiniens transportaient au quatrième Ciel le paradis
terrestre de la *Genèse*, que leur Paradis de l'Hebdomade
était conçu comme le paradis du récit de la création. Cf.
supra, 4, 2. — **dicibulorum** : deux occurrences seulement
de ce terme selon *TLL* s. u. col. 957, 49, la seconde, avec
un vocalisme différent (*dicābulum*), dans Mart. Cap., 8,
809. Cf. *supra*, 3, 3 une première comparaison avec des
contes pour enfants. — **in mari poma... in arbore pisces** :
thème d'*adynaton* (êtres ou choses en dehors de leur milieu
naturel), cf. Lucr., *De rer. nat.*, 3, 784-786 : « Denique in
aethere non arbor, non aequore in alto / nubes esse queunt,
nec pisces uiuere in aruis, / nec cruor in lignis neque saxis

sucus inesse » ; cf. aussi 1, 161-166 ; Virg., *Buc.*, 1, 59-60 ;
Ov., *Mét.*, 14, 37-39 ; etc. ; E. Dutoit, *Le thème de l'adynaton
dans la poésie antique*, Paris 1936, p. 171 ; J. Bompaire,
Lucien écrivain, Imitation et création, Paris 1958, p. 663 s.
(thème du monde à l'envers). — **in caelestibus** : (*locis*),
cf. *supra*, 3, 1 ; 14, 1 ; 14, 2. — **nuceta** : pourquoi cet arbre
en particulier ? parce que son fruit était familier aux Ro-
mains (distribution de noix lors des noces, jeux d'enfants,
etc.) ? — **operatur** : cf. *supra*, 16, 3. — **ignorans** : emploi
abs. (cf. *supra*, 20, 2 : *sumpserit*). Équivoque : « ne sachant
qui était le véritable auteur de la création » (cf. *supra*, 18,
2 ; 19, 2) et « ne sachant ce qu'il faisait, ce qu'il devait faire »
(*imperitus*). — **institui** : nouveau jeu de mots (*condere* et
inserere). Au sens de « créer » que Tert., à la suite d'Aulu-
Gelle, donne volontiers à *instituo* se superpose celui de
« planter » que ce vb. avait dans la langue courante (cf.
Braun, p. 390 s. ; 392, n. 3). Équivoque comparable, *supra*,
20, 1 (*condere*). — **effectum suum ministrabat** : notre
interprétation repose sur *suum = eius* [*Demiurgi*] (cf. Hoppe,
Synt., p. 102-103) et *ministrabat = administrabat* (cf. *supra*,
3, 3), *regebat*, cf. *TLL* s. u. « ministro » col. 1017, 19 ; cette
trad. s'accorde bien avec Irén., I, 5, 3 : τὸν Δημιουργὸν
φάσκουσιν... πεποιηκέναι δ'αὐτὰ τῆς Ἀχαμὼθ προβαλλούσης...
αἰτίαν δ'αὐτῷ γεγονέναι τὴν Μητέρα τῆς ποιήσεως ταύτης
φάσκουσι. Mais il y a une autre interprétation possible :
« elle qui mettait son efficacité à son service » (au service
du Démiurge), où *ministrabat* aurait son sens le plus
courant (= *praebebat, praestabat*) et *effectum* (*suum* réfléchi)
une valeur plus abstraite (= *uirtutem*), d'ailleurs bien attestée ; cf. *infra*, 33, 2. — **ante Valentinianorum ingenia** : cf.
supra, 15, 2 : « Demiurgi id est dei nostri » ; *infra*, 32, 5 :
« homo sum Demiurgi ». *Pater, Deus, Rex*, ces noms ou ces
titres ont été en effet revendiqués, antérieurement aux spéculations gnostiques, pour le Dieu créateur des chrétiens (pour
rex, cf. *Prax.* 15, 8 = *I Tim.* 1, 17 : « Regi autem saeculorum, immortali, inuisibili, soli Deo »). *Ingenia*, péjoratif
comme *supra*, 4, 4 ; *infra*, 37, 1 ; 39, 2. — **cur sibi quoque
ista noluit esse nota** : le texte de *P* peut être sans doute
maintenu ; mais, contrairement à ce que nous écrivions

dans nos « Valentiniana », p. 68, *ista* (*nota*) n'est pas un neutre plur. désignant les créations du Démiurge : celui-ci en effet ne crée pas à son propre insu, sans savoir qu'il crée ; en revanche il ignore que, dans cette création, il n'est qu'un instrument et, corrélativement, il ignore l'existence de sa mère Achamoth et ne sait pas que son rôle se borne à en réaliser les productions, les idées : cf. Irén., I, 5, 3 : « Toutes ces créations le Démiurge était persuadé qu'il les fabriquait de lui-même : mais il ne faisait que réaliser les productions d'Achamoth. Il fit un ciel sans connaître le ciel ; il modela l'homme en ignorant l'homme ; il fit apparaître la terre sans connaître la terre ; et ainsi pour toutes choses, il ignora les idées de ce qu'il faisait, et même sa propre Mère » (Sagnard, p. 181-182). C'est ce dernier trait (l'ignorance de sa Mère) que retient ici Tert. en le présentant avec une certaine emphase pour en souligner le caractère étonnant. *Ista... nota* se rapporte donc à Achamoth (c'est d'ailleurs ainsi qu'avait compris Hoppe, *Synt.*, p. 103, en corrigeant *ista* en *ita*). Pour *sibi = ei* (*Demiurgo*), cf. Hoppe, *ibid.* et *supra* : *effectum suum* ; pour *ista = haec* ou *illa*, comme souvent chez Tert., cf. Hoppe, *Synt.*, p. 104. Le texte proposé par Kroymann aboutit sensiblement au même sens, mais après correction de *M*. Pour l'indicatif dans l'inter. ind., cf. Hoppe, *Synt.*, p. 72. — **postea quaeram** : à la question ainsi formulée (par Tert.), il n'y a pas de réponse explicite dans le système valentinien. En réalité, étant de nature psychique, le Démiurge n'a pas accès au spirituel et ne peut donc connaître le processus dont le Plérôme a été le théâtre et qui est à l'origine d'Achamoth (cf. *infra*, 21, 1 ; 25, 1-3) ; son ignorance, toutefois, n'est pas définitive : elle cessera lors de la venue du Sauveur qui lui apprendra son rôle inférieur et secondaire, sorte de « gnose psychique (cf. *infra*, 28, 1). On notera donc le parallélisme, à un niveau inférieur, avec la gnose communiquée tardivement aux éons du Plérôme : ceux-ci n'ont eu accès à la connaissance du Père qu'après (et grâce à) l'émission de Christ et Esprit-Saint (cf. *supra*, 11, 2-4). Mais, naturellement, en posant cette question, Tert. n'a d'autre but que de souligner une difficulté, au moins apparente, dans le système.

21, 1. Interim : absent chez Irén., I, 5, 3, cet adv. permet
à Tert. de maintenir en éveil l'attention du lecteur et de
faire accepter cette phrase consacrée aux « surnoms » d'Achamoth, qui à cette place constitue une sorte de bloc erratique,
cf. *supra*, 14, 1-2 (= Irén., I, 4, 1) ; Sagnard, p. 165. —
Sophiam : selon la « loi de filiation nominale » (Sagnard,
p. 240) ; mais déjà *supra*, 14, 2. — **cognominari** : s. ent.
eam (= *Achamoth*), ellipse fréquente chez Tert., cf. Hoppe,
Synt., p. 49. — **Terram** : (Γῆν), nom qui provient du
« thème B » (cf. Hippol., *Philos.*, VI, 30, 9 ; Sagnard, p. 165) :
elle est la bonne Terre, la Terre promise (*Ex.* 33, 3). —
Matrem : c'est-à-dire la mère des spirituels, des valentiniens, leur Mère. — **Spiritus Sanctus** : parce qu'elle est un
principe féminin (cf. *supra*, 14, 2). Tert. omet trois autres
noms signalés par Irénée (I, 5, 3) : Ogdoade (déjà *supra*, 20,
2 = Irén., I, 5, 2), Jérusalem (provient du « thème B » :
Hippol., *Philos.*, VI, 30, 9 ; 32, 9 : elle est la « Jérusalem
céleste » de saint Paul) et Seigneur, κύριος (non pas en
vertu de sa nature, mais de son rôle essentiel). — **quasi
marem** : cf. *supra*, 11, 2. — **illi honorem...** : pour l'établissement et l'interprétation du texte, cf. nos « Valentiniana »,
p. 68 ; ajouter, pour le dat. adnominal chez Tert., Bulhart,
Praef., § 19. — **ne dixerim** : cf. *supra*, 6, 2. — **Alioquin** :
reprise du récit concernant le Démiurge interrompu à la
fin du § 20, 3. — **compos** : cf. *supra*, 14, 2. — **census** :
= *naturae*, cf. *supra*, 7, 3 ; 10, 4. — **inualitudine** : = *in-
firmitate, impotentia*. Mot rare, dont nous avons ici la première attestation (cf. *TLL* s. u. col. 117, 79). Construit +
inf., cf. *Idol.* 21, 5 : « secundum praeceptum ne per deum
quidem remaledicere... » ; *Cast.* 10, 1 : « Rape occasionem...
non habere cui debitum solueres » ; Hoppe, *Synt.*, p. 42.
— « **Ego deus...** » : de nombreux écrits gnostiques font
prononcer au Démiurge ces paroles du Dieu de l'A. T.,
cf. Tardieu, *Trois mythes gnostiques*, p. 66 ; 303.

21, 2. retro : = *olim, antea* (cf. *supra*, 7, 4). Déjà chez
Cicéron. — **factum** : s. ent. *se esse* ; sur l'ellipse du sujet,
cf. *supra*, 21, 1 : (*eam*) *cognominari*. — **factitatorem,
factitatore** : ce mot, qui ne se rencontre pas en dehors de

Tert. (cinq occurrences) n'est jamais associé au vrai Dieu, cf. Braun, p. 337. — **facti** : la tentative de Tert. pour faire de *factum* au sens de « création » l'équivalent de τὸ ποίημα fut sans lendemain (*Nat.*, *Herm.*), cf. Braun, p. 341. Le mot signifie d'ailleurs ici « être façonné, organisé ». — **suspectus** : = *suspicax, suspicans* ; ce sens actif, que l'on rencontre déjà chez Apul., *Mét.*, 9, 20, 3 est fréquent chez Tert., cf. Waltzing, p. 152. Pour l'ellipse (*se natum esse*), cf. *supra*, 3, 5.

h. Le Diable (chap. XXII).

Les valentiniens font provenir le Diable de la « tristesse » d'Achamoth (§ 1). Ils en font aussi l'œuvre du Démiurge, mais sa nature spirituelle le place au-dessus du Démiurge (§ 2).

22, 1. Tolerabilior : comparatif de « concession » à valeur ironique comme souvent : *Nat.* I, 13, 1 : « Alii plane humanius... » ; *Marc.* I, 5, 1 : « Honestior et liberalior Valentinus... » ; etc. ; *infra*, 34, 1 ; 36, 1 ; 38. — **infamia** : = *calumnia, maledictio* ; *blasphematio* ; cf. *Marc.* II, 10, 2 ; III, 23, 3 (*diabolum* : sans doute jeu étymologique *infamia-diabolus* (le Calomniateur, le Médisant). — **uel quia** : cf. *supra*, 15, 5 : *uel ne.* — **capit** : cf. Blaise, *Dict.*, s. u. « I capio », p. 130. Mais *capit* au sens passif (= ἐνδέχεται) n'est pas exclu : « une origine plus sordide est admissible, possible » ; cf. *Marc.* IV, 11, 11 ; Hoppe, *Synt.*, p. 48, n. 1. — **ex nequitia... maeroris** : = *ex nequam maerore* (cf. *supra*, 15, 2 ; 16, 3). — **ex... deputatur** : cf. *infra*, 32, 1. — **spiritalium... genituras** : Irén., I, 5, 4 : τὴν πνευματικὴν τῆς πονηρίας ὑπόστασιν. Il ne semble pas, malgré Moingt, II, p. 374, que Tert. ait voulu rendre ὑπόστασις par *geniturae*, cf. *supra*, 14, 1. Les démons et les esprits du mal occupent une place plus grande dans le « thème B » que dans la notice d'Irénée qui n'y fait plus allusion (cf. Sagnard, p. 173).

22, 2. opus Demiurgi : Irén., I, 5, 4 : κτίσμα τοῦ Δημιουργοῦ. Le Démiurge crée les êtres hyliques aussi bien que

psychiques (cf. *supra*, 20, 1) ; le Diable est hylique, puisque issu d'une passion. — **Munditenentem** : correspond
au κοσμοκράτωρ d'*Éph*. 6, 12 (cf. *Marc*. V, 18, 12 ; *Fug*. 12,
3), non attesté en dehors de Tert. (Vulg. *rectores mundi*),
qui utilise également *mundipotens* (*Res*. 22, 11 = *Éphés*. 6,
12) ; en *An*. 23, 2 *mundipotens* = κοσμοποίος des gnostiques
(cf. Waszink, p. 299-300). — **superiorum... gnarum** :
Irén., I, 5, 4 : γιγνώσκειν τὰ ὑπὲρ αὐτόν ; sur le plur. neutre
aux cas obliques, *supra*, 14, 1 ; 20, 3. Que le Diable, qui est
hylique, puisse avoir connaissance de ce qui est au-dessus
de lui, c'est-à-dire du spirituel, ne s'accorde pas avec l'enseignement du « thème A » (= la doctrine de Ptolémée
rapportée par Irénée) ; selon Sagnard, p. 202, cet élément
ferait partie du « thème B » ou même de systèmes non valentiniens comme celui que résume Irén., I, 30, 5-7. — **ut
spiritalem natura** : contresens ou inadvertance de Tert.
(Irén., I, 5, 4 : ὅτι πνεῦμά ἐστι τῆς πονηρίας [*Vet. Interpr.* :
« quoniam sit spiritalis malitia »]) ? traduction sur un texte
fautif ? altération de la tradition manuscrite ? cf. *infra*,
p. 366. — **cui** : dat. d'agent, cf. Hoppe, *Synt*., p. 25. — **pro-
curantur** : emploi ironique d'un terme « institutionnel ». Sur
le rôle du diable dans la naissance et la propagation des
hérésies, cf. *Praes*. 31, 1 ; 34, 5 ; 40, 2. 8 : « Et ideo neque a
diabolo inmissa esse spiritalia nequitiae, ex quibus etiam
      u nt, dubitare quis debet... » ; etc.

i. Géographie de l'univers et rappel de l'origine des
   éléments (chap. XXIII).

Les valentiniens distinguent quatre grands espaces
superposés : tout en haut, le Plérôme ; au-dessous,
une région intermédiaire habitée par Achamoth ;
encore au-dessous, l'Hebdomade du Démiurge (§ 1) ;
enfin, notre monde où séjourne le Diable, et qui est
constitué d'éléments provenant des malheurs de
Sophia-Achamoth ; l'un d'eux est particulièrement
utile, c'est l'air (§ 2). Quant au feu, sans doute est-il
issu de ses accès de fièvre (§ 3).

23, 1. potestatum : correspond à ἐξουσίαι (*Éphés.* 6, 12, cf. *supra*, 22, 2 ; *Col.* 2, 15) ; cf. *Marc.* III, 21, 3 : « (dei templum) constitutum super omnes eminentias uirtutum et potestatum » ; III, 23, 5 ; V, 6, 7 ; *Prax.* 19, 1 : « (haeretici) mundum ab angelis et potestatibus diuersis uolunt structum... ». — **in summis summitatibus** : cf. *supra*, 7, 1 et 3 ; Braun, p. 44, n. 4. — **tricenarius pleroma** : cf. *supra*, 8, 4 : « pleroma... diuinitatis tricenariae plenitudo ». Bien que *pleroma* soit neutre, il n'est sans doute pas nécessaire de corriger ici en *tricenarium* : on peut en effet supposer un jeu de mots implicite avec *trecenarius*, centurion prétorien commandant les 3 000 *speculatores* de la garde impériale (cf. Durry, *Cohortes prétoriennes*, p. 138), d'où le choix du vb. *praesidet*. Ce jeu de mots n'aurait rien de surprenant chez ce fils de centurion (sur cette précision biographique récemment contestée, cf. *ZKG* 1973, p. 317 s.). On se demandera même si *pleroma* n'est pas une glose explicative introduite dans le texte. — **Inferius** : en fonction prépositionnelle (= *infra*, *sub* + acc.), cf. Löfstedt, *Spr. Tert.*, p. 14. Le *TLL* s. u. « infra » col. 1486, 38, ne signale qu'une seule autre occurrence de cet emploi (*inferius* + abl. dans *Lib.*, *Iubil.*, 32, 34 : « sepelierunt eam inferius ciuitate »). — **metatur** : = *habitat*, de même que *An.* 14, 5 et *Pal.* 2, 2, *metatio* = *domicilium*, *hospitium* (cf. Waszink, p. 219). Aussi bien pour le vb. que pour le subst. correspondant Tert. est notre premier témoin de cette évolution sémantique (cf. *TLL* s. u. « metatio » col. 878, 60 et « metor » col. 893, 73). — **medietatem** : cf. *infra*, 31, 1 ; 32, 1. Irén., I, 5, 4 : οἰκεῖν... τὴν Μητέρα... ἐν τῇ Μεσότητι. Terme introduit avec précaution par Cic., *Tim.*, 23, pour traduire μεσότης ; fréquent ensuite chez Apulée, Chalcidius, Augustin, Boèce (cf. *TLL* s. u. col. 554, 40). En dehors de *Val.*, Tert. ne l'utilise qu'une fois, *Bapt.* 3, 3 (récit de la création). — **hebdomade** : cf. *supra*, 20, 2.

23, 2. Magis : = *potius*, cf. *supra*, 11, 3. — **coelementato et concorporificato** : tous deux sont des hapax (cf. *TLL* s. u. col. 1410, 40 et 89, 56). — **ut supra dictum est** : *supra*, 15, 1 s. Même formule de renvoi chez Irén., I, 5, 4 :

καθὼς προείπαμεν ; mais alors que celui-ci résume brièvement l'origine des quatre éléments (la terre provenant du saisissement d'Achamoth, l'eau de sa crainte, l'air de sa tristesse, le feu de son ignorance), Tert. choisit deux éléments (air et feu) plus spécialement comme prétextes à ironiser. — **qua** : = *quia* (cf. *supra*, 15, 4) ; explique *utilissimis*. — **haberet** : sujet *mundus* ? ou peut-être constr. impers. + acc. (= « il y a ») ? La première attestation incontestable de ce tour est, toutefois, plus tardive : S. H. A., *Tac.*, 8, 1 : « habet in Bibliotheca Vlpia... librum elephantinum » (cf. L. H. S., p. 416). — **reciprocandi...** : bref « éloge » de l'air ; sur ce genre littéraire en vogue sous l'Empire, cf. Cousin, *Études sur Quintilien*, I, p. 191 s. ; pour Tert. cf. l'« éloge de l'eau » dans *Bapt.* 3, 2-5 et celui de la *patientia*, du *pallium* dans les traités du même nom ; pour le procédé (énumération), cf. *Pud.* 1, 1 ; Apul., *Apol.*, 7, 5 ; 18, 6 ; 74, 6. Celui-ci paraît d'inspiration « stoïcisante » ; cf. *De nat. deor.*, 2, 83 : « animantes... adspiratione aeris sustinentur ; ipseque aer nobiscum uidet, nobiscum audit, nobiscum sonat, nihil eorum sine eo fieri potest... » ; 2, 101 : « (aer) annuas frigorum et calorum facit uarietates... » ; T.-Liv., 21, 58, 4 « cum iam spiritum includeret (uentus) nec reciprocare animam sineret » ; Philon, *De prou.*, 73 : « (aer)... respirationis causa comperitur » (= *SVF* II, § 1147) ; sur l'importance de l'air dans les sensations, cf. Théophr., *De sens.*, I, 39-40 (*Dox. Graec.*, p. 510) : théorie de Diogène d'Apollonie ; pour les stoïciens, *SVF* II, § 863-871. — **colasset** : cf. Lucr., *De rer. nat.*, 2, 474-475 : « ... per terras... / (umor) percolatur... » ; Sén., *Q. N.*, 3, 5 : « Colaturque in transitu mare » ; Plin., *Nat.*, 31, 38. 48. Pour la forme contracte, cf. *supra*, 9, 1. C'est la seule attestation de ce verbe chez Tert.

23, 3. elementis atque corporibus : Irén., I, 5, 4 : τὰ σωματικά... τοῦ κόσμου στοιχεῖα. — **inflabellatus** : hapax, comme d'ailleurs le simple *flabello* en *Pal.* 4, 6 (cf. Hoppe, *Beitr.*, p. 147). — **quia nondum ediderunt** : critique gratuite, car Irén., I, 5, 4, donne également l'explication de l'origine du feu, qui provient de l'ignorance d'Achamoth (cf. *supra*, 23, 2) ; plus exactement, le feu est inhérent aux éléments, comme le sont leur mort et leur corruption, de la même façon que l'ignorance d'Achamoth est cachée dans ses autres passions (saisissement, crainte, tristesse) ; cf. *Extr. Théod.*, 48, 4. — **argumentabor** : cf. *infra*, 24, 1 s. u. « quod unde... »

3. Le genre humain, le Christ de l'Évangile et la Consommation finale (chap. XXIV-XXXII).

a. Création de l'homme « terrestre » et « psychique » (chap. XXIV).

Après avoir fait le monde, le Démiurge s'est préoccupé de façonner l'homme. Il commence par choisir une terre spéciale, fluide et invisible (§ 1). De son souffle il anima ensuite cet homme, qui est ainsi terrestre et psychique, fait à son image et à sa ressemblance (§ 2). Il le recouvre alors d'une enveloppe charnelle, qui est la tunique de peau visible (§ 3).

24, 1. Cum : ellipse de *sint* (ou *sunt*) en subord., cf. *supra*, 3, 5 ; Hoppe, *Synt.*, p. 144. — **de deo uel de diis** : cf. *supra*, 3, 2-4. — **molitus** : Irén., I, 5, 5 : δημιουργήσαντα. Ce vb. est celui auquel recourt le plus volontiers Tert. pour désigner la construction du monde par le Dieu créateur, cf. Braun, p. 387 s. ; sur les antécédents païens de cet emploi (Cicéron, Sénèque, Apulée), *Id.* p. 388, n. 1. — **manus confert** : renouvellement de l'expression usuelle « manu aliquid facere », avec sans doute une pointe satirique (*manum conferre* = « engager la lutte »), cf. *Praes.* 33, 8 : « Marcion manus intulit ueritati » ; *Marc.* IV, 5, 6 : « manus illi (Lucae) Marcion intulit ». — **substantiam** : la « matière constitutive » de l'être (Braun, p. 183), en l'occurrence .hylique (terrestre) et invisible (cf. *infra*). — **arida** : comme souvent dans les textes gnostiques, le récit de la *Genèse* est à l'arrière-plan de la création de l'homme, cf. *Tract. Tripart.*, 104, 4 s. ; Tardieu, *Trois mythes gnostiques*, p. 85 s. Pour comprendre ici la distinction entre la « terre sèche » et la matière fluente et invisible (que les *Extr. Théod.*, 50, 1, appellent « la matière

multiple et complexe »), il faut se reporter à la différence
entre la terre sèche (*arida*) de *Gen.* 1, 9 et la *terra inanis et
uacua* de *Gen.* 1, 1 : la seconde est invisible, inachevée et
en un sens immatérielle, la première visible et matérielle,
cf. *Herm.* 29, 2 : « Postea... quam facta est, futura etiam
perfecta, interim erat inuisibilis et rudis, rudis quidem hoc
quoque ipso, quod inuisibilis, ut nec uisui perfecta, simul
et ut de reliquo nondum instructa, inuisibilis uero, ut adhuc
aquis tamquam munimento genitalis humoris obducta, qua
forma etiam adfinis eius, caro nostra, producitur » ; Orig.,
Princ., II, 9, 1. — **aridā... terram** : pour la construction,
cf. Hor., *Epod.*, 2, 37 : « Quis non malarum quas amor curas
habet,/... obliuiscitur ? » (= *malarum curarum quas*) ; *Sat.*,
1, 4, 2 : « alii quorum comoedia prisca uirorum est » (= *alii
uiri quorum*) ; *infra*, 26, 2 (mais épithète et « antécédent » au
même cas) : « animalen... quem mox induerit Christum ».
— **quasi... siccauerit** : cf. nos « Valentiniana », p. 69 ;
malgré Riley (p. 55 et 158) et Marastoni (p. 82 et 193), nous
continuons à penser que *non siccauerit* est incompatible
avec la pensée et la doctrine même de Tert. (comme l'avait
bien compris Kroymann en proposant de lire *non succida
fuerit*). L'argumentation de Tert. est celle-ci : les valentiniens
prétendent que pour créer l'homme le Démiurge a recouru
non pas à la « terre sèche » que nous connaissons, mais à une
matière fluide qui lui est antérieure : précision sans objet,
rétorque Tert., car au moment de la création de l'homme
la terre ne pouvait encore être sèche, les eaux venant d'être
séparées ; l'homme a été créé du « limon de la terre » (*Gen.* 2,
7), c'est-à-dire d'un mélange de « terre » et d'« eau ferti-
lisante », cf. *Herm.* 29, 2 (*supra*) ; *Bapt.* 3, 5 : « Non enim
ipsius quoque hominis figulandi opus sociantibus aquis
absolutum est ? adsumpta est de terra materia, non tamen
habilis nisi humecta et succida quam scilicet ante quartum
diem segregatae aquae in stationem suam superstite humore
limo temperarant » ; *An.* 27, 7 : « De limo caro in Adam.
Quid aliud limus quam liquor opimus ? Inde erit genitale
uirus. Ex afflatu dei anima. Quid aliud afflatus dei quam
uapor spiritus ? » (suit l'exposé de sa doctrine traducianiste).
En fait la divergence profonde entre gnosticisme et Grande

Église tient à ce que pour les valentiniens l'homme a été
créé en deux temps, d'abord immatériel et invisible (cf. *Gen.*
2, 7), puis, après l'exclusion du Paradis (situé au quatrième
Ciel, cf. *supra*, 20, 2), visible et matériel, ayant revêtu les
« tuniques de peaux » (cf. *Gen.* 3, 21 ; *infra*, 24, 3) ; ces deux
temps sont mieux marqués et expliqués dans les *Extr.
Théod.*, 50-55, que dans la notice d'Irén., I, 5, 5. Cette
exégèse gnostique de *Gen.* 3, 21, selon laquelle les « tuniques
de peaux » représentent la chair hylique, concrète, tangible
et visible, est réfutée par Tert. qui interprète ce verset
littéralement, *Res.* 7, 2.6 : « Neque enim, ut quidam uolunt,
illae pelliciae tunicae, quas Adam et Eua paradisum exuti
induerunt, ipsae erunt carnis ex limo reformatio, cum
aliquanto prius et Adam substantiae suae traducem in
feminae iam carne recognouerit... Quam (= carnem) postea
pelliciae tunicae, id est cutes superductae, uestierunt.
Vsque adeo, si detraxeris cutem, nudaueris carnem. Ita
quod hodie spolium efficitur, si detrahatur, hoc fuit in-
dumentum, cum superstruebatur. Hinc et apostolus circum-
cisionem despoliationem carnis appellans tunicam cutem
confirmauit » ; cf. P. Siniscalco, *Ricerche sul « De resurrec-
tione »*, Roma 1966, p. 121 ; également *Cult.* I, 1, 2 ; *Marc.*
II, 11, 2. Traces de l'interprétation gnostique dans Origène,
cf. Sagnard, p. 43, n. 1 ; M. Simonetti, « ΨΥΧΗ e ΨΥΧΙΚΟΣ
nella gnosi valentiniana », p. 17, n. 64, *RSLR* 2 (1966), p. 1-
47; Borret, *SC* 136, p. 290-291. — **adhuc** : = *etiamtum,*
cf. Hoppe, *Synt.*, p. 109. En *Apol.* 47, 3 ; *Scorp.* 10, 5 ;
etc. *adhuc tunc* = *etiam tunc.* — **siccauerit** : intrans.
(cf. *supra*, 3, 1) ; déjà Cat., *Agr.*, 112 : « Vuas relinquito
in uinea et ubi pluerit et siccauerit, tum deligito ». — **inuisibili corpore materiae** : Irén., I, 5, 5 : ἀπὸ τῆς ἀοράτου
οὐσίας ; contrairement à son habitude (cf. *supra*, 9, 3 ;
Braun, p. 179) Tert. ne traduit donc pas ici οὐσία par *sub-
tantia.* Pour la périphrase *corpore materiae*, cf. Lucr., *De
rer. nat.*, 1, 770 : « ignis terraeque... corpus » ; 2, 232 : « corpus
aquae » ; etc. — **philosophicae** : sans doute allusion à la
conception aristotélicienne de l'ὕλη qui n'est pas quelque
chose de sensible (*De caelo*, 2, 5, 332 a 35 : ἀναίσθητος) et
qui est inconnaissable par elle-même (*Mét.*, Z 10, 1036 a 9 :

ἄγνωστος καθ' αὐτήν). — **de fluxili et fusili eius** : neutres
subst. (*infra*, 24, 2). Irén., I, 5, 5, : ἀπὸ τοῦ κεχυμένου καὶ
ῥευστοῦ τῆς ὕλης. *Fluxilis* : attesté seulement ici et *infra*,
§ 2. *Fusilis* : en ce sens (*quod fundi potest*), quatre attestations antérieures (Cés., *B. G.*, 5, 43, 1 ; *Aetna* 533 ; 536 ;
Ov., *Mét.*, 11, 126) ; comme équivalent de χώνευτος (= *quod
fundendo factum est*), presque uniquement en citations scripturaires (cf. *TLL* s. u. col. 1654, 79). — **quod unde...
nusquam et** : cf. « Valentiniana », p. 69. Même idée que
supra, 23, 3 (« quia nondum ediderunt, ego interim argumentabor »), mais présentée ici de manière plus provocante ;
cf. *Nat.* II, 12, 24 : « Potest incorporaliter fingi quoduis
quod non fuerit omnino ; uacat fingendi locus ubi ueritas
est » (*Prax.* 10, 8 : « Plane nihil Deo difficile, sed si tam
abrupte in praesumptionibus nostris hac sententia utamur,
quiduis de Deo confingere poterimus, quasi fecerit quia
facere potuerit ») : réflexion, en un sens, très « romaine » :
dans la reconstitution du passé, la légende se substitue à
l'histoire là où font défaut les documents ; le mythe comme
prolongement du connu. — **aestimare** : cf. *supra*, 15, 3.
— **nusquam** : sens plein ? substitut de *non* (L. H. S., p. 337 ;
454 ; cf. *supra*, 4, 3 ; cf. *infra*, 29, 3) ?

24, 2. fusile et fluxile : cf. *supra*, § 1. — **liquoris,
liquor** : non pas donc, selon cette vue imaginaire, le *liquor
opimus* du limon (qui est défini « aquae et terrae commixtio »
par Aug., *Gen. contra Manich.*, 2, 7, 8 ; cf. *An.* 27, 7, cité
supra, § 1), mais le liquide provenant des larmes de Sophia
(cf. *supra*, 15, 2). — **qualitas** : au sens fort, la seconde
catégorie stoïcienne (τὸ ποιόν), c'est-à-dire ce qui détermine
les différences dans la matière. — **gramis** : *TLL* s. u. col.
2165, 28, ne signale en dehors de ce passage et des Glossateurs
que deux autres occurrences : Pl., *Curc.*, 318 ; Pline, *Nat.*, 25,
155. — **constitisse** : (= *ortum esse*) sens ingressif du pft.,
cf. *supra*, 15, 2 ; *infra*, 39, 1 ; *An.* 1, 1 ; Waszink, p. 83. —
faeces : très fréquent + gén. d'un terme désignant un
liquide (en particulier le vin), cf. *TLL* s. u. 170, 55, qui ne
cite pour cette *iunctura* que ce seul passage. — **aquarum** :
gén. part. du neutre *quod*, constr. familière et archaïque

(Ernout-Thomas, *Synt. lat.*, p. 49 ; L. H. S., p. 52). —
desidet : semble être la première attestation de ce vb.
appliqué à des choses (cf. *TLL* s. u. col. 696, 4). — **Figulat** :
forgé par Tert. comme un doublet de *fingere*, qu'il n'emploie
qu'en trois autres occasions (*Bapt.* 3, 5 (?) ; *Carn.* 9, 2 ;
Cast. 5, 1) et qui n'est pas attesté en dehors de lui. Remarques
identiques pour *figulatio* (*Res.* 5, 4 ; *An.* 25, 2) ; cf. Braun,
p. 402 s. — **ita** : = *itaque, igitur*, déjà chez Cic., *De nat.
deor.*, 2, 36 (cf. L. H. S., p. 513) ; substitution usuelle chez
Tert., généralement en début de phrase, mais parfois comme
ici en seconde position, cf. *Fug.* 6, 6 : « Atque ita omnes
aierunt... » ; Bulhart, *Praef.*, § 73. — **de afflatu suo animat** :
Irén., I, 5, 5, est plus loin de *Gen.* 2, 7 : εἰς τοῦτον ἐμφυρῆσαι
τὸν ψυχικόν. En revanche ce verset est cité dans la
notice d'Hippol., *Philos.*, VI, 34, 5 et apparent dans *Extr.
Théod.*, 50, 2. *De*, instrumental (Callebat, *Sermo quotidianus*,
p. 202) ; cf. *infra*, 25, 2. — **choicus** : Irén., I, 5, 5 dit ici
ὑλικόν mais plus haut χοικόν (= *terrenus*), c'est-à-dire
fait de limon (χοῦς). Tert. est le premier à utiliser ce dé-
calque du grec, en contexte gnostique (*infra*, 24, 3 ; 25,
2-3 ; 29, 2-3 ; 32, 1), en citation (*Res.* 49 *passim* =
I Cor. 15, 47-49), ou au neutre (*An.* 40, 3) comme synonyme
de *caro*. Ne reparaît ensuite que dans la trad. lat. d'Irénée
et chez Jérôme (cf. *TLL* s. u. col. 1014, 24 ; Waszink, p. 452).
— « **ad imaginem et similitudinem** » : l'homme hylique
est à l'image (proximité, identification), l'homme psychique
est à la ressemblance (distance, médiation) ; cette interprétation valentinienne (Irén., I, 5, 5 ; *Extr. Théod.*, 50, 1)
est celle des gnostiques en général (cf. *Écrit sans titre*, 160,
35), cf. Simonetti, *art. cit.*, p. 20 ; Tardieu, *op cit.*, p. 96 ;
cf. aussi R. McL. Wilson, « The Early History of History
of the Exegis of *Gen.* 1, 26 », *TU* 63 (1957), p. 420-437. —
quadruplex : cf. *infra*, 25, 3. — **deputetur** : cf. *infra*, 32, 1.

24, 3. Habes : cf. *supra*, 6, 2 s. u. *lector*. — **pelliceam
tunicam** : cf. *supra*, 24, 1. Sur la création de l'homme, la
source ptoléméenne des *Extr. Théod.*, 50-55, présente un
récit plus cohérent, dans la mesure où les quatre éléments
sont énumérés et décrits dans l'ordre « chronologique » :

hylique, psychique, spirituel et enfin charnel (les tuniques
de peaux), le seul qui soit concret (chair hylique visible),
postérieur à l'exclusion du Paradis.

b. L'homme « spirituel » (chap. XXV).

Achamoth avait transmis au Démiurge, sans qu'il
s'en doutât, la semence spirituelle qu'elle tenait de
Sophia (§ 1). A son tour le Démiurge la fit passer
dans l'homme terrestre lorsqu'il l'anima de son
souffle : cette semence est destinée à recevoir le
Logos (§ 2). Elle est l'Église des spirituels, l'image
de l'Église d'en haut, et l'origine de l'Homme qui
est en eux — spirituel par Achamoth, psychique par
le Démiurge, terrestre du fait de sa substance, matériel du fait de sa chair (§ 3).

25, 1. peculium : ironique sans doute comme *supra*, 14,
2. Cependant, sans intention satirique, cf. *Bapt.* 20, 5 :
« petite de domino peculia gratiæ distributiones charisma-
tum subiacere » ; avec un sens neutre : *An.* 37, 5 : « peculia
(= proprietates) animae » ; avec sa valeur technique : *Fug.*
11, 2. — **seminis spiritalis** : cf. *Carn.* 19, 1 : « semen illud
arcanum electorum et spiritalium quod sibi imbuunt ». —
sequestrauerat : = *seposuerat, deposuerat* ; cf. *infra*, 25, 2 ;
An. 14, 5 ; *Res.* 27, 5 ; 38, 2 ; Waszink, p. 219. — **gnaro** :
cf. *supra*, 22, 2 ; mais ici employé absolument (non class.
et plus rare, cf. *Nat.* I, 20, 11 ; *Pal.* 3, 3). Sur l'ignorance
du Démiurge, *supra*, 20, 3. — **prouidentiae** : cf. *supra*,
15, 5. Irén., I, 5, 6 : ἀρρήτῳ προνοίᾳ.

25, 2. Ad hoc : comme corrélatif de *ut* final apparaît
chez Tite-Live (cf. L. H. S., p. 643). — **animam** : cf. *supra*,
24, 2. — **de suo afflatu** : cf. *supra*, 24, 2 ; — **in… commu-
nicaret** : constr. analogique de *transferre, conferre in* :
cf. *An.* 19, 2 ; *Marc.* III, 15, 2 ; etc. ; *supra*, 6, 2. — **quasi
per canalem animam** : = *per animam quasi (per) canalem* ;
cf. Cic., *Tusc.*, 5, 90 : « Quare ut ad quietum me licet uenias »
(= *ad me ut ad quietum*) ; Löfstedt, *Spr. Tert.*, p. 61 s.

Peut-être allusion implicite à l'expression *canalis animae*,
« trachée artère » (Plin., *Nat.*, 8, 29). — **deriuaretur** :
cf. *infra*, 29, 2. — **feturatum** : forgé par Tert. pour rendre
Irén., I, 5, 6 : κυοφορηθέν. Seule autre occurrence : Diosc.,
2, 145, p. 233, 10 (= *procreatus*), cf. *TLL* s. u. col. 636, 22.
— **Sermoni perfecto** : la semence « spirituelle » (« pneumatique ») croît ici-bas avec le valentinien, se nourrit, se
perfectionne ; elle reçoit une éducation et une formation
qui la rendront apte à « recevoir le Logos parfait », c'est-à-
dire à entrer dans le Plérôme lors de la consommation finale
(cf. *infra*, 29, 3 ; Sagnard, p. 394 s. ; 403). Tert. suit ici de
près Irén., I, 5, 6, qui lui-même reproduit sans doute très
fidèlement un document valentinien (cf. Sagnard, p. 184).

25, 3. **cum** : + ind. prés. (*committit*), mais subord. au
pft. (*latuit*) ; nombreux exemples de cette discordance chez
Tert., cf. Löfstedt, *Spr. Tert.*, p. 24. — **traducem** : métaphore qui a la faveur de Tert., cf. *An.* 9, 6 : « anima, qua
flatus et spiritus tradux » ; 36, 4 : « ita et animae ex Adam
tradux fuisset in femina » ; etc. Hoppe, *Synt.*, p. 177 ;
Waszink, p. 175 ; O'Malley, *Tertullian and the Bible*, p. 71 ;
Moingt, IV, p. 240-241. — **latuit homo... insertus et...
inductus** : s. ent. *Demiurgum*. La constr. *lateo aliquem*
(= λανθάνω τινά), attestée dès Varron, est bien représentée
chez Tert. (cf. *Marc.* II, 25, 3 : « speculatorem uineae...
furunculus non latet » ; *Praes.* 22, 5 ; *Idol.* 15, 5 ; etc.) ;
d'autre part, l'extension du tour participial (équivalent
d'un substantif verbal) au nominatif est class. (cf. Ernout-
Thomas, *Synt. lat.*, § 292). Irén., I, 5, 6 : ἔλαθεν... τὸν
Δημιουργόν ὁ συγκατασπαρείς. — **flatu** : contrairement à
ce qu'écrit Hoppe, *Beitr.*, p. 19-20 (suivi par Waszink,
p. 533), Tert. présente des formes de dat. en -u (cf. Bulhart,
Praef. § 1). — **quia...** : cf. *supra*, 25, 2. — **Ecclesiae super-
nae speculum** : Irén., I, 5, 6 : ἀντίτυπον τῆς ἄνω Ἐκκλησίας.
La semence de Sophia, qui caractérise l' « élu » (le valentinien) en faisant de lui un « spirituel », est la réplique, l'image,
de l'Église d'en haut (éon) ; de la sorte, le valentinien en
possession de cette semence « reproduit » la syzygie Homme-
Église du Plérôme ; cf. Sagnard, p. 302 s. ; de la même

façon, les « spirituels » constituent ici-bas l'Église, antitype
de celle d'en haut, une et indivisible par opposition à celle
des psychiques qui est multiple et divisée (cf. *supra*, 4, 4,
le thème polémique inverse adressé par Tert. aux valentiniens). Tert. réserve l'adj. *supernus* presque uniquement aux
conceptions philosophiques (cf. *Nat.* II, 2, 18 ; *An.* 54, 1)
et gnostiques (*An.* 18, 4 ; 50, 2 ; *Scorp.* 10, 5 ; *infra*, 30, 3),
cf. Braun, p. 44. — **censum** : sur ce sens, *supra*, 7, 8. Pour
l'établissement du texte, cf. nos « Valentiniana », p. 70.
— **ab Achamoth, a Demiurgo, substantia, carne** :
ab + noms propres (= cause, origine), mais abl. sans prép.
pour désigner l'instrument, la matière, le point de vue.
Irén., I, 5, 6, ne fait pas cette distinction et emploie dans
les quatre cas ἀπό + gén. — ἀρχῆς : propre à Tert. pour
rappeler *supra*, 24, 1 (*materia philosophica*) par référence
ironique au terme qui, dans le platonisme, désigne les réalités
primordiales, les principes métaphysiques d'où procède ce
qui existe (cf. Plat., *Tim.*, 48 c ; Apul., *De Plat.*, 190) ;
cf. aussi la distinction stoïcienne entre « principes » et
« éléments », les premiers (ἀρχαί) étant « incorporels » et
« sans forme », les seconds (στοιχεῖα) ayant au contraire
une « forme » (cf. *SVF* II, § 299 = Diog. Laer., *Vies*, 7,
134). — **materialem** : correction de Kroymann, préférable à la correction inverse : *carn⟨alem⟩ materia*, dans
la mesure où elle ménage un chiasme (*choicum... materialem*)
tout à fait dans la manière de Tert. Cette « chair matérielle »,
c'est naturellement le corps concret, visible (les « tuniques
de peaux », cf. *supra*, 24, 3). — **Habes** : cf. *supra* 24, 3 ;
6, 2. — **quadruplum** : cf. *supra*, 24, 2. — **Geryonem** :
plaisanterie au second degré, puisque le monstre mytho-
logique est seulement « triple » (cf. d'ailleurs *Pal.* 4, 3).
Appliqué à Adamas dans le système des Naassènes, cf.
Hippol., *Philos.*, V, 6, 6 ; 8, 4.

c. Constitution du Christ de l'Évangile (chap. XXVI-
XXVII).

Les trois éléments, caractéristiques des trois races
d'hommes, n'ont pas la même destinée : le spirituel

est promis au salut, l'hylique à la mort, quant au psychique son sort dépend de sa conduite ici-bas (XXVI, 1). C'est d'ailleurs pour contribuer à son salut que le monde a été fait et qu'est venu le Sauveur. Il y a deux théories relatives à la « constitution » du Christ. Selon la première, le Sauveur d'en haut a revêtu le spirituel et le psychique, et s'est vu entourer d'un corps de substance psychique également, mais visible et passible (§ 2). Selon la seconde théorie, le Christ, produit par le Démiurge, est passé par Marie (XXVII, 1). Il est constitué de quatre substances : l'élément spirituel, qui lui vient d'Achamoth ; l'élément psychique, qui provient du Démiurge ; un élément « indicible » ; le Sauveur enfin, c'est-à-dire la colombe descendue sur lui (§ 2). Au moment de la Passion, c'est le Christ psychique et visible qui a souffert (§ 3).

26, 1. exitum : = *fortunam post mortem*, cf. *infra*, 32, 1 ; *Marc.* IV, 29, 10 ; *Res.* 59, 2 ; *An.* 7, 2 ; sens différent, cf. *supra*, 3, 4. — **singulis** : l'expression *quadruplex res* ou *quadruplex Geryon* (*supra*, 24, 2 et 25, 3) faisait allusion aux quatre éléments ou substances qui constituent l'homme complet (Adam, les spirituels valentiniens) : l'hylique, le psychique, le spirituel (qui sont tous trois invisibles) et d'autre part le revêtement de chair, le corps, qui est également hylique, mais tangible et visible (les tuniques de peaux). Adam ne transmet par hérédité que l'hylique (l'invisible et le visible ; pour les deux autres éléments il n'est qu'un intermédiaire (le psychique provient du Démiurge, le spirituel d'Achamoth) : sans quoi, nous serions tous spirituels ou, tout au moins, tous psychiques. En fait à partir d'Adam, trois « races » sont engendrées : la race hylique (inaugurée par Caïn), la race psychique (Abel), la race spirituelle (Seth). Il y a beaucoup d'hyliques, peu de psychiques, très peu de spirituels. Naturellement, l'homme hylique a aussi une *psychè*, mais de nature hylique, elle ne provient pas du souffle du Démiurge. En d'autres termes, étant entendu que tout homme possède un corps de substance hylique visible,

ce qu'on appelle l'homme hylique est composé uniquement de substance hylique ; l'homme psychique est revêtu d'un homme hylique (invisible) ; l'homme spirituel est revêtu d'un homme psychique et d'un homme hylique : au moment de la mort a lieu la séparation des divers éléments du composé humain qui ont chacun leur destinée propre. Cette loi des « enveloppements » est bien expliquée par les valentiniens : l'homme spirituel (invisible) est par rapport à l'homme psychique (invisible) comme la moelle par rapport à l'os ; l'homme psychique est par rapport à l'homme hylique (invisible) comme l'os par rapport à la chair : l'hylique est donc constitué d'une seule substance, le psychique de deux, le spirituel de trois, chacun étant par ailleurs recouvert d' « une tunique de peau ». Cette anthropologie est beaucoup mieux exposée par la source ptoléméenne des *Extr. Théod.* 50 s. ; pour le commentaire, Sagnard, p. 233 s. et surtout Simonetti, *art. laud.*, en particulier p. 16. Cf. *infra*, 29, 1.
— **diuidunt** : connote l'idée de « distinction, différenciation » et celle d' « attribution », cf. *infra*, 28, 1 ; 29, 1 ; *Res.* 57, 9 ; *Pud.* 2, 12 : « haec (delicta) diuidimus in duos exitus » ; etc. *TLL* s. u. col. 1608, 8. — **materiali... id est carni** : la synonymie est inexacte. Si, en effet, tout homme (depuis l'exclusion du Paradis du quatrième Ciel) possède une « chair », un corps, « matériel », « terrestre » (= la tunique de peau), d'où l'expression *carne materialem* (*supra*, 25, 3), en revanche, selon l'anthropologie et l'eschatologie valentiniennes, il n'y a pas, à proprement parler, d'« élément », d'« homme » charnel, comme « race » spécifique, caractérisée. L'erreur de Tert. s'explique sans doute par la proximité de l'expression précédente (*carne materialem*) ou par une confusion entre le schéma paulinien chair-âme-esprit et la tripartition valentinienne hylique-psychique-spirituel, qui ne se recouvrent pas — à moins qu'il ne faille considérer « id est carnali » comme une glose marginale erronée introduite dans le texte. — **quidem... uero... ceterum** : cf. *supra*, 18, 3. — **sinistrum... dextrum** : cf. *supra*, 18, 3. Les psychiques sont à droite, les hyliques à gauche (cf. *Extr. Théod.*, 43, 1 ; 47, 2 ; *Év. Philippe*, Sent. 10 ; 40), répartition qui révèle ce qui les associe et ce qui

les dissocie : les associe le fait qu'ils soient, les uns et les
autres, issus du trouble qui envahit Achamoth ; les dissocie
le fait que les psychiques proviennent de sa conversion, les
hyliques de ses passions (cf. *supra*, 17, 2) ; mais cette différence entre eux est moindre que celle qui sépare psychiques
et hyliques des spirituels, issus de la joie d'Achamoth à la
vue du Sauveur (cf. *supra*, 17, 1). Mais si d'un point de vue
anthropologique (création de l'homme) le psychique est
rapproché de l'hylique, d'un point de vue eschatologique
(rédemption), le psychique se rapproche du spirituel,
l'hylique étant par nature destiné à la destruction et à la
dissolution (cf. *infra*, 29, 1 s.). — **debito** : = *dedito, destinato*,
cf. *An.* 9, 1 ; 24, 11 ; déjà T.-Liv., 24, 25, 3 ; cf. G. Thoernell,
« Studia Tertullianea », II, p. 32, *UUÅ* 1921. Sens différent
infra, 29, 4. — **adnuerit** : le destin du psychique est déter-
miné par son propre choix ; cf. *infra*, 30, 1 s. — **in animalis
comparationem** : *in* final, cf. *supra*, 7, 1. *Comparatio* :
sens rare et technique (« appariement, attelage », cf. Col.,
Rust., 6, 2, 13 : *comparatio boum*). Cf. Irén., I, 6, 1 : ὅπως
ἐνθάδε τῷ ψυχικῷ συζυγὲν μορφωθῇ (τὸ πνευματικόν). Sur les
problèmes posés par cette cohabitation du « spirituel » et
du « psychique », cf. Sagnard, p. 397 s. (le spirituel joue
parmi les psychiques le rôle du sel et de la lumière, mais
reçoit une « éducation » spirituelle, ce qui permet au psychique de recevoir conjointement une éducation psychique) ;
Simonetti, *art. laud.*, p. 35 (le psychique n'est pas inutile
au salut du spirituel : cf. Irén., I, 7, 4 ; 7, 5 ; Hippol., *Philos.*,
VII, 27, 6 et 22, 10 ; du reste dans la pratique, le gnostique
fait une sorte d'apprentissage au sein de la Grande Église
avant de suivre l'enseignement réservé aux gnostiques ;
l'interprétation de Simonetti paraît confirmée par *Tract.
Tripart.*, 126, 20 s., cf. t. II, Comm. *ad loc.* p. 23). — **con-
uersationibus** : = *familiaritate, societate conuersantium,
conuictu* (cf. *TLL* s. u. col. 851, 10).

26, 2. **animalem** : Irén., I, 6, 1 : ἔδει γὰρ τῶν ψυχικῶν
καὶ αἰσθητῶν παιδευμάτων (*Vet. Interpr.* : « Opus erat enim
animali sensibilibus disciplinis »). Pour Simonetti, *ibid.*, le
τῶν ψυχικῶν des mss doit être conservé (cf. *supra*, § 1). Il

faut remarquer que l'accord *Vet. Interpr.* - Tert. contre Irén. gr. peut s'expliquer, comme d'en d'autres cas, par le fait qu'ils ont eu sous les yeux une tradition différente de celle d'Épiphane (cf. *infra*, p. 367). Quoi qu'il en soit de l'original grec, et quelles que soient les conséquences pour l'interprétation du système selon qu'on lit τῷ ψυχικῷ ou τῶν ψυχικῶν, il est clair que dans l'esprit de Tert. (qui a supprimé la phrase précédant immédiatement : (τὸ πνευματικὸν) εἶναι λέγουσι « τὸ ἅλας καὶ τὸ φῶς τοῦ κόσμου », *Matth.* 5, 13), le « psychique », pour obtenir le salut, a besoin d'une éducation d'ordre « sensible », c'est-à-dire « psychique », reposant en particulier sur la pratique des « bonnes œuvres » (cf. *infra*, 30, 1) ; encore fallait-il, pour que cela fût possible, certaines conditions : la création du monde, la faculté laissée au psychique de se déterminer. — **In hoc... in hoc** ; portent plus sur ce qui précède qu'ils n'annoncent « in salutem scilicet animalis », comme du reste le suggère *scilicet* (précision explicative). — **paraturam** : cf. *supra*, 16, 3. — **Soterem** : le Sauveur d'en haut, l'éon Jésus, Fruit du Plérôme (*supra*, 12, 4). — **animalis** : l'« élément », l'« homme » psychique. Tert. omet la précision d'Irén., I, 6, 1 : ἐπεὶ καὶ αὐτεξούσιον ἐστιν, sans doute parce que *supra*, 26, 1 « inter materialem spiritalemque nutanti » lui a paru suffisamment explicite. — **Alia...** : nous revenons à la ponctuation traditionnelle, adoptée également par Riley et Marastoni, contre celle de Kroymann (« [... animalis], alia adhuc... monstruosum. Volunt »). — **adhuc** : = *etiamtum*, cf. *supra*, 24, 1. — **compositione monstruosum** : *supra*, 12, 3-5. — **uolunt** : cf. *supra*, 15, 1. — **prosicias** : cf. Lucil., 484 W = Non., 220, 17 : « ' Prosecta ' exta quae aris dantur ex fibris pecudum dissecta, sunt generis neutri... Feminino ' cenam, inquit, nullam neque diuo proseciam ullam ' » ; *prosicies*, chez Var. ap. Non., 220, 23 : *prosiciae*, Sol., 5, 23 ; Arn., *Nat.*, VII, 25 : « omnes has partes quas praesicias dicitis accipere dii amant ». Irén., I, 6, 1 : τὰς ἀπαρχάς. — **summam** : allusion implicite à *Rom.* 11, 16 (καὶ το φύραμα) absente à cette place chez Irénée, qui cite ce verset plus loin, I, 8, 3 : « Les prémices, enseignent-ils, c'est l'élément pneumatique ; la pâte pétrie, c'est nous, l'Église

psychique, dont le Sauveur a assumé la masse, et qu'il a
soulevée avec lui, car il était le ferment » (Sagnard, p. 142 ;
186) ; en revanche, *Extr. Théod.*, 58, 2, citent ce verset
dans l'exposé de la « constitution » du Christ de l'Évangile
(parallélisme avec Tert.). — **quidem... uero... ceterum...
autem** : cf. *supra*, 18, 3. — **animalem... quem... Christum** : disjonction de l' « antécédent » et de son épithète,
cf. Apul., *Mét.*, 11, 6, 4 : « nec... quisquam deformem istam
quam geris faciem perhorrescet »; avec régimes différents de
l'un et de l'autre, *supra*, 24, 1. Le Christ psychique est « fils »
du Démiurge (cf. *Ext. Théod.*, 59, 2) : implicite ici, cette
précision est explicite dans la « variante » doctrinale exposée
infra, 27, 1. — **ceterum corporalem...** : légère anacoluthe
= « (uolunt Soterem induisse) corporalem (substantiam)
ex animali substantia sed... ingenio constructam » ; elle
est plus marquée dans le quatrième membre (« materiale
autem nihil... »). — **inenarrabili ingenio rationis** : Irén.,
I, 6, 1 : ἀρρήτῳ τέχνῃ. *Inenarrabili*, cf. *infra*, 37, 1. *Ingenio
rationis = ingeniosa ratione*, cf. Hoppe, *Synt.*, p. 19 ; Médan,
Latinité d'Apulée, p. 316 s. — **constructam** : (s. ent. *substantiam*), cf. *supra*, 12, 4. — **administrationis** : lapsus
ou contresens de Tert. Cf. Irén., I, 6, 1 : ἀπὸ... τῆς οἰκονομίας
περιτεθεῖσθαι σῶμα, ψυχικὴν ἔχον οὐσίαν (*Vet. Interpr.* « a
dispositione autem circumdatum corpus, animalem habens
substantiam ») ; trad. Sagnard, p. 188 ; 399 : « Par « l'économie » (de l'Incarnation), il s'est vu entouré d'un
corps de substance (également) psychique ». La source
ptoléméenne des *Extr. Théod.*, 59, 4, est particulièrement
claire, et explique bien le sens de cette οἰκονομία : « Un
corps fut donc tissé pour lui, de substance psychique invisible, corps arrivé dans le monde sensible par la « dynamis »
d'une divine préparation » (Σῶμα... αὐτῷ ὑφαίνεται ἐκ τῆς
ἀφανοῦς ψυχικῆς οὐσίας, δυνάμει δὲ θείας ἐγκατασκευῆς εἰς
αἰσθητὸν κόσμον ἀφιγμένον). — **tulisse** : mais *supra* : *induerit*.
Cf. Braun, p. 310 s. — **quo** : = *ut* final sans comparatif,
cf. *supra*, 14, 2. Le Christ psychique était invisible. Cette
substance psychique, dont s'enveloppe le Sauveur, est donc
une substance particulière, conçue par l'économie de l'Incarnation, car l'élément psychique en lui-même est invisible.

— **defunctui** : hapax (*TLL* s. u. col. 376, 18). — **ingratis** :
réflexion, sans doute ironique, de Tert. L'interprétation fait
difficulté : Kellner : « nur zum Schein » ; Riley : « for an
ungrateful world » ; *TLL* s. u. col. 1559, 17 : « sine noxa »
(C. Moussy, *Gratia et sa famille*, Paris 1966, p. 339 : « sans
dommage ») ; nous nous rallions à Hoppe, *Synt.*, p. 126 :
« wider Willen ». — **quam** : = *magis, potius quam*, cf. Hoppe,
Synt., p. 77 ; *Beitr.*, p. 47 ; L. H. S., p. 593-594. — **salute** :
sans doute la bonne leçon. *Egeo* + acc. (d'un subst.) ne
se rencontre, et encore rarement, que dans les trad. de la
Bible (cf. *TLL* s. u. col. 235, 32 et 58). — **alienando** : =
alienantes ; rare dans la prose class. cette substitution est
fréquente à époque impériale ; cf. Hoppe, *Synt.*, p. 56. — **a
spe... salutis** : les valentiniens admettaient la résurrection,
mais la résurrection d'un corps « pneumatique » ; sur l'ambiguïté qu'ils entretenaient à cet égard, cf. *Res.* 19, 6 ; *supra*,
p. 38.

27, 1. Nunc : transition fréquente chez Tert., cf. *supra*,
8, 1 ; *infra*, 29, 1 ; Fredouille, p. 80. — **reddo de** : cf. *An.* 7,
3 : « reddam de isto » ; à rapprocher du tour « refero de
aliqua re » (« faire part de quelque chose ») ; avec une
autre constr. et un sens légèrement différent, *supra*, 8, 1.
Tert. expose donc à la suite deux variantes doctrinales sur
la constitution du Christ de l'Évangile, sautant ainsi plusieurs
paragraphes d'Irénée (I, 6, 2-4 et I, 7, 1) consacrés au salut
réservé aux psychiques et aux spirituels (Irén., I, 6, 2), à
la discipline et à la licence des valentiniens (Irén., I, 6, 3-4),
à la consommation finale (Irén., I, 7, 1) ; le premier et le
troisième thèmes seront abordés ensuite. Sur cet effort de
regroupement et de synthèse, cf. *supra*, p. 20 s. — **quidam** :
cette variante (= Irén., I, 7, 2), qui ne figure pas dans
la section ptoléméenne des *Extr. Théod.*, ne s'accorde
qu'imparfaitement avec la christologie « italique » précédente (*supra*, 26, 2 = Irén., I, 6, 1), cf. Orbe. *Est. Val.*,
V, p. 63 ; III, p. 192 s. ; D. A. Bertrand, *Le baptême de
Jésus. Histoire de l'exégèse aux deux premiers siècles*, Tübingen 1973, p. 71 s. Rappelons que la christologie opposait
école orientale et école occidentale : pour la première, le

Christ de l'Évangile est né « spirituel », pour la seconde il
est né « psychique », cf. *supra*, 4, 3 ; 11, 2. — **inflatu** :
cf. *supra*, 25, 2. — **infulciunt** : sur ce terme utilisé dans
un contexte comparable en *An.* 11, 3 et 23, 4, cf. Waszink,
p. 197. — **fartilia** : selon *TLL* s. u. col. 286, 72, deux attestations antérieures à Tert., Plin., *Nat.*, 10, 52 : « (anseris
iecur) fartilibus in magnam amplitudinem crescit » ; Apul.,
Mét., 6, 31, 6 (*per iocum*) : « fartilem asinum exponere ».
— **denique** cf. *supra*, 3, 5 ; « Valentiniana », p. 71. —
prolatum : Irén., I, 7, 2 : προβαλέσθαι ; cf. *supra*, 7, 5.
— **promulgatum prophetis** : dat. « auctoris », cf. *supra*,
7, 2. Il s'agit du Christ psychique, attendu et prophétisé.
— **in praepositionum quaestionibus positum** : noter
d'une part la figure étymologique *praepositionum-positum* ;
d'autre part la contamination des deux tours : *positum esse
in aliqua re* (« dépendre de, reposer sur »), et *proponere
quaestionem* (Cic., *Fam.*, 7, 19 ; Nep., *Att.*, 20, 2) ou *ponere
quaestiunculam* (Cic., *De orat.*, 1, 102). — **per uirginem**,
non ex uirgine : expliqué par ce qui suit (« transmeatorio... ») ; de même Irén., I, 7, 2 : διὰ Μαρίας διοδεύσαντα
καθάπερ ὕδωρ διὰ σωλῆνος ὁδεύει. Dans Hippol., *Philos.*, VI,
35, 4 ; 36, 3, on lit seulement διὰ τῆς Μαρίας bien que
l'emploi de la prép. διά ne suffise pas à dénoncer l'hérésie
(cf. Justin, *Dial.*, 75, 4 ; 85, 2 ; etc.) ; Tert. réfute longuement ce jeu de prépositions en *Carn.* 20-21 ; cf. Mahé,
SC 217, p. 416 s. Jeu comparable sur les prépositions à
propos de la création du monde, ou de l'émission du spirituel
et du psychique : Cf. Héracléon, frg. 1 (Sagnard, p. 483) ;
Extr. Théod., 55, 2 ; Orbe, *Est. Val.*, II, p. 179 s. ; *Cristología
gnóstica*, I, p. 425 s. — **editum** : Irén., I, 7, 2 : (διὰ Μαρίας)
διοδεύσαντα ; cf. *supra*, 9, 2 : *edere* = προβάλλειν. —
transmeatorio, generatorio : néologismes, dont le premier
est un hapax (Hoppe, *Beitr.*, p. 145) et le second ne sera
repris que par Ambroise au neutre substantivé (*TLL* s. u.
col. 1789, 63). — **processerit** : cf. *supra*, 7, 6 ; *infra*, 35, 2,
mais conservant ici son sens propre.

27, 2. sacramento : tout en suivant les analyses de
D. Michaélidès, *Sacramentum chez Tertullien*, Paris 1970,

p. 305-307, nous ne croyons pas que la traduction qu'il propose (« signe baptismal ») convienne ici, ne serait-ce qu'à cause de la précision temporelle (*tunc in...* = Irén., I, 7, 2 : ἐπὶ τοῦ βαπτίσματος) qui invite à donner ici un sens concret à *sacramentum* ; cf. E. De Backer ap. J. De Ghellinck, *Pour l'histoire du mot sacramentum*, t. I, Louvain-Paris 1924, p. 111-112 : « cérémonie mystérieuse du baptême. » Sur le baptême de Jésus dans le valentinianisme, cf. D. A. Bertrand, *op. laud.*, p. 68-82 ; surtout Orbe. *Est. Val.*, III, p. 325 s. — **Iesum** : cf. Sagnard, p. 375 : « le Sauveur Jésus, fruit des éons, dynamis du Plérôme, qui contient en lui la syzygie Christ-Pneuma, restauratrice du Plérôme, et qui porte aussi ce nom de Christ, est descendu sur le Jésus psychique de la terre, sur le Jésus de l' « économie » d'Incarnation, pour en faire le Christ Jésus, Sauveur des pneumatiques (et même, d'une certaine façon, des psychiques) ». — **columbae** : cf. *supra*, 3, 1 ; F. Suehling, « *Die Taube als religiöses Symbol im christlichen Altertum*, Fribourg 1930, p. 234 s. Sur l'arithmologie de Marc le Mage à propos de la colombe (περιστερά), cf. Irén., I, 15, 3 ; Sagnard, p. 373 s. — **condimentum** : au propre comme au figuré, utilisé à toute les époques depuis Plaute (*TLL* s. u. col. 142, 22). — **farsura** : seule occurrence avec ce consonantisme (*TLL* s. u. col. 286, 59) ; *fartura* : Var., *Ling.*, 5, 111 ; etc. Vitr., 2, 8, 7 ; etc. — **inenarratiua** : hapax (*TLL* s. u. « inenarrandus », col. 1294, 32) ; cf. *supra*, 26, 2 : « inenarrabili rationis ingenio constructam ». — **Soter** : le Sauveur Jésus, Fruit du Plérôme, appelé également l' « Esprit du Christ » (Irén., I, 7, 2 : Πνεῦμα Χριστοῦ), c'est-à-dire représentant la syzygie Christ-Esprit Saint. — **Christo** : le Christ de l'Évangile. — **impassibilis inlaesibilis inadprehensibilis** : Irén., I, 7, 2 : οὐ γὰρ ἐνεδέχετο παθεῖν αὐτὸν ἀκράτητον καὶ ἀόρατον ὑπάρχοντα. *Impassibilis*, comme son contraire *passibilis*, apparaît pour la première fois chez Tert. qui n'en est sans doute pas le créateur (cf. Braun, p. 64). *Inlaesibilis* : création de Tert. (une seule occurrence postérieure mentionnée par *TLL* s. u. col. 336, 13 : Lact., *De ira*, 17, 14), qui ne l'utilise pas ailleurs. *Inadprehensibilis* : cf. *supra*, 11, 3. — **prehensiones** : archaïque (Var. ap. Aul. Gel., *Nuits*, 13,

12, 4), avec ici une intention sarcastique (cf. *inadprehensibilis*). Sur le plur. du terme abstrait, *supra*, 4, 4. ; sans doute
ici pour désigner les modalités concrètes de l'action. —
discessit : contrairement à ce que laisse entendre cette
« notice », ce quatrième « élément » n'est donc pas « consti-
tutif », mais « temporaire », cf. Orbe, *Est. Val.*, V, p. 67.

27, 3. nec... admisit iniurias : Irén., I, 7, 2 : τοῦτον...
ἀπαθῆ διαμεμενηκέναι. Tert. reprend tout naturellement le
vocabulaire sénéquisant de l'impassibilité du sage : cf. le
sous-titre même du *De const. sap.* : « Ad Serenum nec iniuriam
nec contumeliam accipere sapientem » ; *De ira*, 2, 14, 1 :
« numquam... iracundia admittenda est » ; etc. — **insub-
ditiuum** : hapax, = *impassibilem* (= *non subditum inuriis,
passioni*) ; cf. *TLL* s. u. col. 2026, 70. — **ne... quidem
Demiurgo compertum** : cf. *supra*, 25, 1. — **carneus** :
cf. *supra*, 26, 2 ([*substantiam*]... *rationis ingenio constructam*) ;
27, 2 ([*substantia*] *corporali inenarratiua*) ; Irén., I, 7, 2 :
ἔπαθεν... ὁ κατ' αὐτοὺς ψυχικὸς Χριστὸς καὶ ὁ ἐκ τῆς οἰκονομίας
κατεσκευασμένος. Dans ses ouvrages doctrinaux (*Marc.,
Carn., Res.*) Tert. applique au Christ incarné cet adj.
(= ἔνσαρκος) qui ne comporte pas la nuance péjorative
attachée à *carnalis* (cf. Braun, p. 303). — **delineationem** :
attesté uniquement ici (= *imaginem*) et en *Marc.* V, 4, 8
(« esquisse », *imago futura*) ; *delineare* fait partie de son
vocab. exégétique (« fournir une esquisse des choses à venir »)
cf. J. E. L. van Der Geest, *Le Christ et l'Ancien Testament
chez Tertullien*, Nijmegen 1972, p. 204-205 ; mais *supra*,
4, 2 = « dessiner, tracer ». — **formando** : dat. final, cf.
supra, 16, 1. *Formando... forma*, cf. 14, 1 : « informet... sub-
tantiae, non scientiae forma ». *Substantiualis, agnitionalis*
(cf. *supra*, 16, 2) : hapax l'un et l'autre (cf. Braun, p. 195).
— **fuerat innixus** : pour la forme surcomposée, *supra*, 9, 2.
La crucifixion du Christ de l'Incarnation est l'« image »
de la crucifixion du Christ d'en haut sur Horos (Stauros),
cf. *supra*, 14, 1 ; Sagnard, p. 244 s. — **imagines** : cf. *supra*,
19, 1-2. — **urgent** : présentation polémique, mais juste
de ce que Sagnard, p. 244 a appelé la « loi de l'exemplarisme
inversé » ; cf. Irén., I, 7, 2 : πάντα... ταῦτα τύπους ἐκείνων

εἶναι λέγουσι. — **imaginarii** : cf. avec des nuances diverses : *Marc.* III, 8, 4 : « Putatiuus habitus, putatiuus
actus : imaginarius operator, imaginariae operae » ; III,
11, 4 : « uane natiuitatis fidem consilio imaginariae carnis
expugnandam putauit » ; *Res.* 19, 2 : « resurrectionem...
mortuorum manifeste adnuntiatam in imaginariam signi-
ficationem distorquent, adserentes ipsam etiam mortem
spiritaliter intellegendam » ; etc.

d. Instruction du Démiurge (chap. XXVIII).

Le Sauveur met fin à l'ignorance du Démiurge en
lui dévoilant toutes choses ; il lui apprend aussi
qu'il peut espérer rejoindre le lieu de sa mère (§ 1).
En attendant la « consommation » finale il assume
le gouvernement de ce monde (§ 2).

28, 1. adhuc : = *etiamtum*, cf. *supra*, 24, 1. — **nescius :**
s. ent. *erat*, cf. *supra*, 3, 5 ; de même : *intellegens* (*erat*).
— **contionabatur** : cf. *supra*, 21, 1. — **ne huius quidem...**
intellegens : réflexion propre à Tert. Il faut sans doute
donner à *intellegens* (construit + gén. : déjà Cic., *Fin.*, 2, 63,
cf. *TLL* s. u. col. 2103, 4 ; L. H. S., p. 80) une valeur prégnante : l'ignorance du Démiurge porte non sur *l'objet* de
ses réalisations, mais sur leur *comment* ; il croit toujours
être seul (cf. *supra*, 21, 1) ; en l'occurrence, il ne sait pas
que certaines prophéties ont été seulement annoncées par
son canal, sans qu'il ait été leur véritable inspirateur (application de la distinction διά-ἀπό-ὑπό, cf. *supra*, 27, 1).
— **diuidunt** : sur ce sens, cf. *supra*, 26, 1 ; Waszink, p. 260.
— **prophetiale** : hapax (Hoppe, *Beitr.*, p. 144). — **semen :**
la semence spirituelle qui se trouve en certains hommes
privilégiés. Rapprocher ces trois catégories de prophéties
des trois parties de la « loi mosaïque » distinguées par Ptolémée (*Lettre à Flora*), et de la tripartition introduite à
l'intérieur de la première partie, cf. Sagnard, p. 459 ; Simonetti, *art. laud.*, p. 37. Par rapport à Valentin la divergence
est notable : cf. Hippol., *Philos.*, VI, 35, 1 (trad. Siouville) :
« Tous les prophètes et (l'auteur de) la Loi ont parlé sous

l'inspiration du Démiurge, dieu stupide, dit Valentin ;
eux-mêmes étaient stupides et ne savaient rien. C'est pour
cela que le Sauveur a dit : ' Tous ceux qui sont venus avant
moi sont voleurs et brigands ' (*Jn* 10, 8). De là aussi cette
parole de l'apôtre : ' Le mystère qui n'a pas été révélé aux
générations antérieures ' (cf. *Col.* 1, 26). Car aucun des
prophètes, déclare Valentin, n'a dit le moindre mot des
vérités que nous enseignons ; elles étaient toutes ignorées,
attendu qu'elles n'avaient été proférées que sous l'inspiration
du Démiurge ». — **ouanter** : néologisme de Tert. (Hoppe,
Synt., p. 145) pour rendre (ironiquement) Irén., 1, 7, 4 :
ἄσμενον. — **uiribus** : Irén., I, 7, 5 : μετὰ πάσης τῆς δυνάμεως
αὐτοῦ. Il s'agit des « anges » (les sept Cieux) sur lesquels
se tient le Démiurge (cf. *supra*, 20, 2). — **centurio de
euangelio** : pour *de* marquant l'origine, cf. Callebat, *Sermo
quotidianus*, p. 200. Simple allusion de Tert., alors qu'Irénée
cite presque entièrement le verset évangélique. — **inlumi-
natus** : cette « illumination » met fin à son ignorance, est
une sorte de « gnose » ; de la même façon le Sauveur s'était
présenté à Achamoth entouré d'anges de lumière pour lui
donner la formation selon la gnose (cf. *supra*, 16, 1 s. ;
Sagnard, p. 315). — **quod... sit** : cf. *supra*, 11, 2. — **in
locum matris** : le lieu de l'Intermédiaire (*supra*, 23, 1)
qu'Achamoth, lors de la consommation finale, abandonnera
pour entrer au Plérôme.

28, 2. **dispensationem** : Irén., I, 7, 4 : τὴν κατὰ τὸν
κόσμον οἰκονομίαν. Au sens valentinien, οἰκονομία reçoit,
dans la « grande notice » d'Irénée, quatre applications
principales : Incarnation (cf. *supra*, 26, 2), Rédemption,
Plan divin, Gouvernement du monde par le Démiurge
(cf. Sagnard, p. 649, s. u.). Sur *dispensatio* écarté au profit
de *dispositio* pour traduire οἰκονομία, cf. Braun, p. 162.
— **ecclesiae** : essentiellement l'Église des « spirituels » qui
se constitue au sein de l'Église des « psychiques », cf. Sagnard,
p. 192, n. 1. Caractéristique de la branche occidentale
est cette bonne entente entre le Sauveur et le Démiurge,
entre le spirituel et le psychique, cf. *infra*, 29, 1 s. —
quanto tempore : = *quamdiu* (Hoppe. *Synt.*, p. 31) ; cf.

Chiron., 12, la corrélation *tamdiu... quanto tempore* (L. H. S., p. 606).

e. Les trois races (chap. XXIX).

Les trois substances hylique, psychique et spirituelle ont été réunies en Adam (§ 1). Mais, à partir de lui, ont coexisté trois races : la race hylique, exclue du salut, inaugurée par Caïn ; la race psychique, symbolisée par Abel, qui n'est pas a priori exclue du salut ; enfin la race spirituelle de Seth assurée d'obtenir le salut (§ 2). L'élément spirituel ne peut être semé, à titre gracieux, que dans une âme bonne, celle que possède le psychique, où l'éducation qu'elle reçoit permet de la faire progresser (§ 3) et c'est parmi les spirituels qu'ont été choisis Prophètes, Rois et Prêtres. Mais le salut leur est dû de toute façon (§ 4).

29, 1. Colligam nunc : cf. *supra*, 27, 1, même transition, mais avec le présent (cf. Löfstedt, *Kritische Bemerkungen Tertullians Apologeticum*, Lund-Leipzig 1918, p. 64). — **ex disperso** : cf. *Herm.* 32, 4 : « respondebitur fortasse ex diuerso plane factas eas (esse species)... ceterae uero scripturae quae ex materia factae sunt species in disperso demonstrent » ; *Pud.* 3, 1 : « decidam intercedentem ex diuerso responsionem » ; cf. *supra*, 5, 2. Comme précédemment (chap. 27-28), Tert. regroupe, en les résumant, les données relatives aux trois races et à leur sort eschatologiques, plus dispersées dans la notice d'Irénée. Cf. *supra*, p. 20 s. — **dispositione** : sans équivalent chez Irénée. Désigne ici le dessein créateur relatif tout à la fois à l'anthropologie et à l'eschatologie (dans une perspective valentinienne). Cf. *supra*, 28, 2 : *dispensationem.* — **iusserant** : pour ce sens affaibli de *iubeo*, cf. *supra*, 7, 4 : « ... diuinitatis, qualem iussit Epicurus ». — **triformem** : cf. *An.* 21, 1 : « quodsi uniformis natura animae ab initio in Adam ante tot ingenia, ergo non multiformis, quia uniformis, per tot ingenia, nec triformis, ut adhuc trinitas Valentiniana caedatur quae nec ipsa in Adam recognoscitur » ; *supra*, 17, 2 s. u. « trinitas ». — **pri-**

mordio : cf. *supra*, 2, 4. — **inunitam** : peut-être création d'Apul., *Mét.*, 11, 27, 3 ; Braun, p. 147. — **Adam** : cf. *supra*, 20, 2 ; 25, 1-3 ; 26, 1 s. u. *singulis*. — **per singulares... proprietates** : cf. *An*. 21, 4 : « (Valentiniani) conuertibilem negant naturam, ut trinitatem suam in singulis proprietatibus figant, quia arbor bona malos non ferat fructus... ». Les trois « natures », réunies en Adam ou chez les spirituels, peuvent être envisagées également κατὰ γένος, dans l'ensemble de l'humanité : elles forment alors trois « races », dont les prototypes sont Caïn (race hylique), Abel (race psychique), Seth (race spirituelle). Cette doctrine, que nous connaissions par la notice d'Irénée et les *Extr. de Théodote*, est exposée dans *Tract. Tripart.*, 118, 14-122, 27. Cf. *supra*, 26, 1. — **occasionem** : reproche fréquent adressé aux hérétiques, cf. *Res.* 63, 8 : « quia... (haereses) sine aliquibus occasionibus scripturarum audere non poterant, idcirco pristina instrumenta quasdam materias illis uidentur subministrasse, et ipsas quidem isdem litteris reuincibiles » ; *Prax.* 22, 6 : « quidam arripiunt huius dicti (= *Jn* 8, 42) occasionem » ; etc. ; *supra*, 1, 3. — **moralibus... differentiis** : *Tract. Tripart.*, 118, 23 s. indique clairement que les trois races se manifestent par leurs « fruits », c'est-à-dire par leur attitude à l'égard du Christ révélé : leur ligne de conduite fait apparaître ce qu'elles sont véritablement. Tert. réfute ailleurs ce déterminisme moral, soit en dissociant les *opera* de la *substantia* (cf. *Res.* 45, 15, où *substantialis* est opposé à *moralis* : « tam uetustatem hominis quam nouitatem ad moralem, non ad substantialem, differentiam pertinere defendimus » ; cf. Braun, p. 188), soit en rappelant l'unité naturelle des âmes issues d'Adam, unité qui s'accommode de qualités différentes selon les individus, chacun disposant de son libre arbitre (cf. *An.* 20-21, et en particulier *An.* 21, 6 « Inesse... nobis τὸ αὐτεξούσιον naturaliter iam et Marcioni ostendimus et Hermogeni » ; cf. *De censu animae* — perdu, mais dont on peut reconstituer certaines des thèses, cf. Waszink, p. 13* — et *Marc.* II, 5-9).

29, 2. **Caïn..., fontes** : pour la coordination (type : *A et B, C*), cf. *supra*, 4, 2 ; pour la ponctuation que nous adop-

tons, cf. nos « Valentiniana », p. 71. — **fontes** : cf. *An.* 20,
6 : « Debuerant enim fuisse haec omnia in illo ut in fonte
naturae atque inde cum tota uarietate manasse, si uarietas
naturae fuisset » ; 43, 9 : « ille fons generis, Adam » ; cf.
Waszink, p. 290. L'existence d'une secte gnostique de
« séthiens » se considérant comme les lointains descendants
de Seth est aujourd'hui remise en cause, cf. M. Tardieu,
REAug 24 (1978), p. 193-195. — **deriuant** : cf. Hor., *Od.*, 3,
6, 19-20 : « hoc fonte deriuata clades / in patriam popu-
lumque fluxit » ; Quint., *Inst. orat.*, 2, 17, 40 : « Haec sunt
praecipua quae contra rhetoricen dicantur, alia et minora
et tamen ex his fontibus deriuata » ; *supra*, 25, 2. — **choicum** : cf. *supra*, 24, 2. — **degeneratum** : = *degenerem* (cf.
An. 8, 4 : « aquilae ita sustinent (solem oculis) ut natorum suorum generositatem de pupillarum audacia iudicent ; alioquin
non educabunt, ut degenerem, quem solis radius auerterit » ;
infra, 30, 3) ; seule attestation de cette constr. + dat. (*TLL*
s. u. col. 383, 44), sans doute par analogie avec *contrarius*
impliqué de toute manière dans l'idée. — **mediae** : = *dubiae*,
ancipiti, cf. Tac., *An.*, 3, 15, 1 : « (Plancina), donec mediae
Pisoni spes, sociam se cuiuscumque fortunae... promittebat ».
componunt : = *ponunt, numerant in* (*TLL* s. u. col. 2130,
23 ; *supra*, 3, 3). — **proprietate** : même signification que
supra, § 1. Irén., I, 7, 5 : ἇς μὲν φύσει ἀγαθάς, ἇς δὲ φύσει
πονηράς. — **bonas et malas...** : les âmes mauvaises par
nature sont les âmes « hyliques » (c'est-à-dire celles dans
lesquelles le Démiurge n'a pas créé l'homme psychique,
consubstantiel à lui, en leur insufflant son propre souffle
(cf. *supra*, 24, 2) ; la « race de Caïn » n'a donc qu'une âme
hylique, c'est-à-dire un principe vital de l'organisme corporel,
comme les bêtes) ; les âmes bonnes sont les psychiques
(l'élément psychique étant insufflé dans l'hylique) : toutes
les âmes psychiques sont aptes à recevoir la semence spirituelle, mais seulement quelques-unes la reçoivent effectivement. Il faut rappeler que, par hérédité, seuls sont transmis
l'élément hylique (invisible) et l'élément (hylique) charnel
et visible Cf. Simonetti, *art. laud.*, p. 17 s. — **statum** : sens
ontologique (= *substantia, condicio, qualitas*), cf. Braun,
p. 200 s. — **ex** : non pas « issu (par transmission héréditaire)

de », mais « inauguré par », « représenté par », « symbolisé par ».

29, 3. Spiritale enim... ut quod : pour l'établissement du texte (restitution de *enim*, correction de *spiritalem* en *-ale* et de *quos* en *-d*), cf. nos « Valentiniana », p. 71-72. — **de obuenientia** : hapax, cf. *TLL* s. u. col. 309, 67 (qui interprète inexactement : « occasione obueniente » ; faux-sens également de Blaise, *Dict.*, s. u. p. 570 : « sans raison sérieuse »). En réalité, *obuenientia* s'oppose à « nature, innéité », comme le montrent les emplois que fait Tert. de l'adj. correspondant, *obuenticius*, qu'il a également forgé (et qui ne sera que tardivement et rarement utilisé après lui : cf. *TLL* s. u. col. 311, 51) : *Marc.* I, 22, 3 : « Omnia enim in deo naturalia et ingenita esse debebunt, ut sint aeterna, secundum statum ipsius, ne obuenticia et extranea reputentur ac per hoc temporalia et aeternitatis aliena » ; II, 12, 3 : « (bonitatem) ingenitam deo et naturalem nec obuenticiam deputandam » ; II, 3, 3 ; 3, 5. Ce sont les seules occurrences de l'adj. chez Tert. Rapprocher aussi : *Marc.* IV, 10, 10 : « appellatio autem, quod est filius hominis, in quantum ex accidenti obuenit » ; *An.* 22, 1 : « (potestas) quae (animae) per dei gratiam obuenit ». — **superducunt** : = *addunt*, sens fréquent chez Tert., cf. Hoppe, *Synt.*, p. 139 ; Waszink, p. 329. — **non naturam sed indulgentiam** : = *non naturale, sed donatum, gratiosum* ; construction appositionnelle rude, mais non sans exemple, cf. *supra*, 4, 4 : « nec unitatem sed diuersitatem (= *nec unum sed diuersum*). *Indulgentia* = *donum*, cf. *Marc.* IV, 29, 4 : « (Christus) non erit iam depretiator operum et indulgentiarum creatoris » ; déjà Apul., *Mund.*, 25, 343 : « indulgentiarum dei ad nos usque beneficia (non ambigitur) peruenire ». Tert. souligne ici, mieux que ne le fait Irén., I, 7, 5, le caractère de la gnose : la semence spirituelle est un don gratuit ; cf. G. Quispel, « La conception de l'homme dans la gnose valentinienne », p. 274-275, *Eranos-Jb* 15 (1947), p. 249-286 (= *Gnostic Studies*, I, Istanbul 1974, p. 50). Remarque qu'il faut rapprocher de Ptolémée, *Lettre à Flora*, 3, 8 : « nous qui avons été gratifiés de la connaissance de ces deux

Dieux » (ἡμῖν ἀξιωθεῖσί γε τῆς ἀμφοτέρων τούτων [= θεῶν] ⟨γνώσεως⟩), *SC* 24 *bis*, p. 50 et 77. — **de superioribus** : plutôt que le sens temporel (« depuis les temps reculés », cf. Irén., I, 7, 5 : ἔκτοτε ἕως τοῦ νῦν), le sens local, étant donné le contexte satirique immédiat (*depluat*) et les emplois de *superiora* dans le traité (cf. *supra*, 14, 1 ; 27, 3 ; *infra*, 31, 2). — **depluat** : *TLL* s. u. col. 575, 56, ne cite que deux autres exemples de constr. trans. de ce vb. (Avian., *Fab.*, 4, 8 ; Boeth., *Anal. post.*, 2, 12) ; cf. pour le vb. simple : Stace, *Th.*, 8, 416 : « fundae saxa pluunt ». Pour la réfutation de cette doctrine, que Tert. rapproche de la théorie platonicienne de la préexistence de l'âme et à laquelle il oppose le traducianisme, cf. *An.* 23-24 (cf. *An.* 23, 4 : « Examen Valentini semen Sophiae infulcit animae, per quod historias atque milesias aeonum suorum ex imaginibus uisibilium recognoscunt »). — **censui inscriptas** : cf. *supra*, 10, 4. — **numquam** : négation forte de la langue parlée (cf. L. H. S., p. 337 ; 454). — **salutaria** : = *salutem*, cf. *Scorp.* 5, 5 : *excutere salutaria* (cf. *Apol.* 1, 13 ; 20, 3 : *naturalia = natura* ; *Cult.* II, 3, 2 : *spiritalia = spiritus* ; etc. Hoppe, *Synt.*, p. 97). Tert. n'emploie guère le neutre sg. substantivé (*salutare*) en dehors des citations scripturaires, explicites ou implicites (Braun, p. 485-486). — **inmutabilem, inreformabilem** : le premier, qui appartient au vocabulaire des philosophes (Lucrèce, Cicéron), apparaît en *Herm.* 39, 1 ; *Idol.* 9, 1 ; *Prax.* 27, 6 ; le second, qu'il a forgé (et dont *TLL* s. u. col. 394, 9, ne donne qu'une seule occurrence postérieure : Hil., *In Ps.*, 2, 39), en *Res.* 5, 5 ; *Virg.* 1, 3 ; peut-être aussi en *Prax.* 27, 6 : « Deum inmutabilem et inreformabilem (inform- : *mss*) credi necesse est ut aeternum ». Cf. Braun, p. 57-59. — **naturae naturam** : cf. *Herm.* 18, 3 : « (Sophiam Dei) materiam uere materiarum ; *Res.* 51, 6 : « post ipsius mortis quodammodo mortem » ; *Carn.* 12, 2 : « animae anima sensus est » ; Sén., *Ben.*, 3, 29, 9 : « originis... origo » (application à la philosophie du génit. de « renchérissement ») Tert. réfute en *An.* 21, 4 cette doctrine valentinienne de l'immutabilité de l'âme. — **erudito** : uniquement ici et plus tard chez les Glossateurs (= *eruditione*), cf. *TLL* s. u. col. 835, 48. Sur cette correction, cf. « Valentiniana », p. 72.

— ⟨ut⟩ supra diximus : au § 25, 2. — fides : notion
absente du passage correspondant d'Irén., I, 7, 5 (τὰ
δὲ πνευματικά... παιδευθέντα ἐνθάδε καὶ ἐκτραφέντα), comme
d'ailleurs de toute la « grande notice » (en I, 6, 2 : πίστις
ψιλή désigne la « foi nue » des psychiques incapables d'avoir
la « gnose parfaite »). Mais les fragments d'Héracléon
évoquent à plusieurs reprises la « foi » des spirituels qui les
fait adhérer à la « gnose » (cf. Sagnard, p. 491 ; 497 ; 500).
Aux trois vertus théologales pauliniennes, la foi, l'espérance,
la charité, les gnostiques ont ajouté la gnose, située au-
dessus des précédentes, cf. Év. de Phil., Sent. 115 et comm.
de Ménard, p. 232. — ignorans : le Démiurge ignore la
raison de la supériorité de certaines âmes et croit qu'elles
sont telles par elles-mêmes, alors que leur supériorité est
due au fait qu'elles ont reçu la semence spirituelle (cf. Irén.,
I, 7, 3).

29, 4. ergo... in Prophetas : sur cette double restitution,
cf. nos « Valentiniana », p. 72-73. — laterculo : cf. Nat. I,
13, 3 : « in laterculum septem dierum solem recepistis et ex
diebus ipsorum praelegistis quo die lauacrum substrahatis... »
— allegere : sans doute la bonne lecture (cf. nos « Valentiniana », p. 73). Sur les confusions entre allegere et allegare
dans les mss, cf. TLL s. u. « allēgo », col. 1666, 68. Ici avec
une valeur prégnante : « choisir » et « répartir » (cf. supra, 28,
1 : diuidere). — plenam et perfectam notitiam : expression
technique, cf. Irén., I, 6, 1 ; 6, 2 : ἡ τελεία γνῶσις ; III, 1, 1 :
perfecta agnitio. — naturificatae : hapax (Hoppe, Beitr.,
p. 143) ; sur ce type de formation, cf. F. Bader, La formation
des composés nominaux du latin, Paris 1962, p. 211-212.
Nous comprenons : « (animae) quarum germanitas spiritalis
condicionis naturam iam spiritalem (ex animali) fecerat ».
Autrement dit : les âmes bonnes (psychiques) qui ont reçu
la semence spirituelle deviennent, par le fait même, des
âmes d'une autre nature (c'est-à-dire de nature spirituelle)
et comme telles sont assurées du salut. — spiritalis condicionis germanitate : cf. supra, § 3. Pour condicio, supra,
14, 4 ; 16, 3. — salutem : en réalité, lors de la consommation
finale seule la semence spirituelle entrera au Plérôme ;

COMMENTAIRE 29, 3 - 30, 1   335

l'enveloppe psychique rejoindra l'Intermédiaire, avec le
Démiurge ; l'enveloppe hylique sera détruite. Tert. s'inspire
ici d'Irén., I, 6, 2, mais il n'y est pas question nommément
des âmes : διὰ τὸ φύσει πνευματικοὺς εἶναι, παντῇ τε καὶ
πάντως σωθήσεσθαι δογματίζουσιν. Pour rendre σώζεσθαι, Tert.
a recouru à des expressions telles que *salutem adipisci,
obtinere, inuenire, elaborare* (cf. *Res.* 8, 2 ; *infra*, 30, 1 ;
32, 1), en contexte chrétien comme en contexte gnostique,
cf. Braun, p. 478 s.

    f. Morale « psychique » et morale « spirituelle » (chap.
    XXX).

    Le salut leur étant assuré de toute manière, les
    spirituels ne sont tenus à aucune règle disciplinaire,
    allant même jusqu'à esquiver la nécessité de subir
    le martyre. En revanche, les psychiques doivent
    obtenir leur salut par la pratique des bonnes œuvres
    (§ 1). Malheur aux chrétiens qui s'écartent du devoir
    ou fuient le martyre ! (§ 2). Mais libre aux spirituels
    de mener une vie dissolue ! C'est d'ailleurs pour eux
    une obligation de s'unir à une femme (§ 3).

30, 1. operationes : sur le glissement sémantique qui
a fait de ce terme un synonyme de *beneficium, eleemosyna*
chez Tert. et Cyprien, cf. Pétré, *Caritas*, p. 262 ; *supra*, 5,
1. Tert. résume ici Irén., I, 6, 2-3 : le spirituel ne peut subir
la corruption, quelles que soient les œuvres dans lesquelles
il se trouve impliqué ; de la même manière, l'or ne perd
pas son éclat dans la boue ; d'où, poursuit Irénée, la licence
des valentiniens (pratiques idolothytes, divertissements de
l'amphithéâtre, liberté sexuelle, etc.) ; cf. déjà *Praes.* 41,
1 : « Non omittam ipsius etiam conuersationis haereticae
descriptionem quam futilis, quam terrena, quam humana
sit, sine grauitate, sine auctoritate, sine disciplina ut fidei
suae congruens ». Naturellement c'est un écho différent
que fait entendre la *Lettre à Flora*, cf. SC 24 *bis*, p. 35 et
58. En réalité, à partir de l'anticosmisme fondamental du
gnosticisme, deux éthiques étaient possibles, l'ascétisme

comme le laxisme (cf. Jonas, *Gnostic Religion*[2], p. 46-47), et eurent toutes deux leurs adeptes (cf. Foerster, *Gnosis*, II, p. 325 s. u. « Ascetism » et p. 334 s. u. « Libertinism »). — **munia** : comme terme de la vie religieuse apparaît chez Apul., 11, 30, 5 ; puis Tert. (cf. *Iei.* 11, 6 ; etc) ; cf. *TLL* s. u. col. 1644, 25. — **disciplinae** : non seulement les « lois morales », mais aussi les règles doctrinales qui ont trait à la vie religieuse, comme le montre ici le rapprochement avec *martyrium.* Cf. Braun, p. 425. — **qua uolunt interpretatione** : tour pour lequel Tert. a une certaine prédilection (cf. *Apol.* 28, 1 : « me conueniat Ianus iratus qua uelit fronte » ; de même, pour l'attraction du relatif au cas de l'antécédent, *supra*, 16, 2) ; pour l'emploi de *uelle*, cf. *supra*, 15, 1. Pour *interpretatio* au sens d' « exégèse », cf. *Praes.* 9, 1 ; *Marc.* V, 8, 12 ; etc. Tert. fait allusion, ici comme dans *Scorp.* à l'exégèse ésotérique que les valentiniens proposaient de *Matth.* 10, 32-33 ; pour l'exégèse « exotérique », cf. Clém. Alex., *Strom.*, IV, 9, 71 s. (interprétation ambiguë d'Héracléon) ; cf. Orbe, *Est. Val.*, V, p. 87 s. ; *infra*, § 2 ; *supra*, p. 11 ; 41. — **regulam** : « prescription, règle de conduite », cf. Braun, p. 448. — **status... actus** : sur cette opposition, *An.* 11, 1 : « non status nomine sed actus, nec substantiae titulo, sed operae » ; également 53, 3 ; Braun, p. 202 ; Moingt, III, p. 808-809. — **possidemus... elaboremus** : *infra* : *nobis*, etc. Les chrétiens de la Grande Église sont « psychiques » : cf. Irén., I, 6, 4 ; — **inscriptura** : terme technique de l'arpentage pour désigner une inscription, une marque sur une pierre (attesté à partir d'Hyg., *Grom.*, p. 71, 17), cf. *TLL* s. u. col. 1850, 55. — **scientiae... non norimus Philetum** : sur les corrections qu'il convient d'apporter à la tradition manuscrite, cf. Braun, p. 579 s. ; 722 ; « Valentiniana » p. 73. — **deputamur** : cette correction nous paraît, à la réflexion, s'imposer : d'une part, parce que si, théoriquement, *deputatur* pourrait avoir comme sujet *semen* (tiré de *inscriptura seminis*), le mouvement de la phrase et sa structure laissent attendre plutôt une 1re pers. du plur. (conformément à l'esprit de tout ce passage) ; d'autre part, parce que la comparaison qui suit et qui rappelle l'origine d'Achamoth (*quod mater illorum*) suggère un paral-

lèle avec des êtres personnels, individualisés, plus qu'avec
la semence qu'ils portent en eux. Pour la constr. de *deputamur* (+ dat.), cf. *infra*, 32, 5. — **quod** : proche de *ut,
sicut* ; usuel chez Tert., cf. Waszink, p. 189-190 ; L. H. S.,
p. 581. — **mater** : Achamoth (cf. *supra*, 10, 5 ; 14, 1).

30, 2. disciplinae iugum : Hoppe, *Synt.*, p. 20, comprend,
à tort, *aliquo disciplinae*. — **operibus sanctitatis et iustitiae** : sur ce type d'expressions, cf. Pétré, *Caritas*, p. 246 s. ;
supra, 5, 1. — **confitendum** : sens prégnant (s. ent. *nos
Christianos esse*), cf. Hoppenbrouwers, *Terminologie du martyre*, p. 36. La substitution du gérond. acc. à l'inf. (= *con-
fiteri optauerimus*) relève de la langue populaire (L. H. S.,
p. 348). — **sub (potestatibus)** : = *coram*, sous l'influence du
grec néotestamentaire ἐπί + gén. avec les sens d'ἐμπροσθεν ;
fréquent chez Tert., cf. *Apol.* 9, 9 ; 23, 4 ; etc. Cf. Rönsch,
Das Neue Testament Tertullians, Leipzig 1971, p. 587. Selon
les valentiniens donc, les psychiques (les chrétiens) sont
tenus de confesser leur foi devant les tribunaux païens, les
spirituels (les gnostiques) le font devant les « puissances
spirituelles », cf. Orbe, *Est. Val.*, V, p. 100 ; *Scorp.* 1, 7
(où Tert. prête ces propos aux valentiniens) : « Sed nesciunt
simplices animae (= les chrétiens) quid quomodo scriptum
sit (= *Matth.* 10, 32-33 et les autres passages néotestamentaires relatifs au martyre), ubi et quando et coram quibus
confitendum... » ; 10, 1 : « Qui uero non hic, id est non intra
hunc ambitum terrae nec per hunc commeatum uita nec
apud homines huius communis naturae confessionem putant
constitutam, quanta praesumptio est aduersus omnem
ordinem rerum in terris istis et in uita ista et sub humanis
potestatibus experiundarum ? ». Toutefois, parmi les textes
de Nag Hammadi l'un deux, l'*Épître de Jacques* (apocryphe),
bien qu'émanant probablement de cercles valentiniens,
recommande l'acceptation du martyre : cf. Orbe, *ibid.*,
p. 286 s. ; Puech, Intr. à l'*Epistula Iacobi Apocrypha*,
Zürich-Stuttgart 1968, p. xxvii s.

30, 3. et de passiuitate... et diligentia : cf. *An.* 20, 4 :
« et de corpore et ualetudine » ; *Scap.* 4, 5 : « aut a daemoniis

aut ualetudinibus » ; Löfstedt, *Spr. Tert.*, p. 62-63. *Passi-uitas*, attesté pour la première fois chez Tert., rare ensuite, a les faveurs de notre écrivain. Du sens de « généralisation, usage général » (cf. *Apol.* 9, 17 : « suppeditante (ad incesta) materias passiuitate luxuriae » ; *Nat.* II, 5, 15 ; *Cor.* 8, 25 ; etc.) on passe à celui de « désordre, confusion » (cf. *Herm.* 41, 3 : « inquies... turbulentia et passiuitas » ; *An.* 46, 2 ; etc.) ; cf. Waszink, p. 122-123 ; *supra*, 5, 1 : *passiuorum*. — **diligentia** : non class. en ce sens ; cf. *Fug.* 1, 6. — **generositatem** : cf. Apul., *Socr.*, 23, 174 : « Quorum nihil laudibus Socratis mei admisceo, nullam generositatem, nullam prosapiam, nullos longos natales, nullas inuidiosas diuitias ». — **delinquendo profecit** : le trait est ironique, mais décrit bien le « mécanisme de gnose » (chez les éons, Sophia d'en haut, Achamoth, comme chez les spirituels) : le conflit entre la « tendance » vers le principe infini et l' « ignorance » de ce principe produit un « état violent », une « passion », qui doit être guérie par l' « enseignement de gnose » ; cf. Sagnard, p. 256 s. Pour Achamoth, cf. *supra*, 17, 1. — **coniugiorum** : cf. *supra*, 3, 4 ; 11, 2 ; *infra*, 31, 1 ; 33, 1. — **supernorum** : cf. *supra*, 25, 3. — **meditandum** : hésitations sur le sens de ce vb. ici : = *reputare, animo proponere* ? ou = *agere, tractare* ? (cf. *TLL* s. u. col. 575, 33 ; Michaélidès, *Sacramentum chez Tertullien*, p. 307). En réalité l'usage de Tert. (15 occurrences, dont 9 en citations scripturaires) ne connaît que le premier sens. Tert. a donc rendu Irén., I, 6, 4 : ἀεὶ τὸ τῆς συζυγίας μελετᾶν μυστήριον par un hendyadyn : *meditari et celebrare*. — **sacramentum** : tout en acceptant les analyses de Michaélidès, *op. cit.*, p. 307 (« ce *sacramentum* est un rite qui représente les noces d'en haut »), nous ne croyons pas pouvoir conserver sa formule (« le signe de l'union à la compagne ») ; cf. De Backer ap. De Ghellinck, *op. laud.*, p. 107 : « Le sacramentum était donc, dans la pensée de ces hérétiques et à tort, évidemment, un rite symbolique et sacramentel ». Grâce à l'*Évang. de Philippe* nous connaissons mieux maintenant le sacramentalisme valentinien (baptême, onction, Eucharistie, rédemption, mariage : ces cinq sacrements n'en faisaient peut-être qu'un seul, dans la mesure où ils étaient administrés en même

temps (cf. *Év. Phil.*, Sent. 31 ; 55 ; 122 ; Ménard, *Intr.*,
p. 28-29 ; *supra*, 11, 4). Cf. aussi Irén., I, 8, 4 : interprétation
valentinienne d'*Éphés.* 5, 32 : le mystère de syzygie a été
révélé par Paul (couple Christ-Église). — **comiti** : la locution explicative *id est* laisse penser qu'il s'agit d'un terme
« technique ». Mais il n'est guère possible de décider si le
mot était réellement employé par les valentiniens de langue
latine (cf. *infra*), ou bien s'il est un équivalent proposé par
Tert. de σύζυγος (*comes = cum-eo*) : l'éon Sauveur est présenté comme le σύζυγος de Sagesse (Hippol., *Philos.*, VI,
32, 4) ; cf. aussi Irén., I, 29, 2-4 ; *Apocr. de Jean* (Sagnard,
p. 444) ; Héracléon, frg. 15-18 : le σύζυγος de la Samaritaine
est le Sauveur (Sagnard, p. 499). — **feminae** : au sens de
uxor, coniux, usuel en poésie à partir de Prop., 2, 6, 24. —
adhaerendi : cf. Ov., *Am.*, 3, 11, 17-18 : « Quando ego non
fixus lateri patienter adhaesi / ipse tuus custos, ipse uir, ipse
comes ? » ; Mart., 5, 41, 1 : « uxori semper adhaeret ».
Comme équivalent de προσκολλνθήσεται en *Gen.*, 2, 24 (Vulg.) :
« (uir) adhaerebit uxori suae ». — **alioquin...** : cf. Irén.,
I, 6, 4 : quiconque ne célèbre pas « le mystère de syzygie »
par le mariage est « en dehors de la vérité » (ἐξ ἀλγθείας) ;
mais seul le spirituel peut se marier ; le psychique doit ob-
server la continence s'il veut mériter le « lieu de l'Intermédiaire ». — **degenerem** : cf. *supra*, 29, 2 : *degeneratum*. —
nec legitimum : + gén. de relation, d'après *degener, alie-
nus*, etc. ; cf. Hoppe, *Synt.*, p. 23. — **deuersatus** : cf. *supra*,
20, 2. — **spadones** : étant donné le contexte, il ne peut
s'agir des continents ou des castrats volontaires, qui, pour
cette raison, ne pourraient prétendre mener une conduite
de « parfaits » ; Tert. vise donc les eunuques par accident
ou de naissance.

g. La « consommation » finale (chap. XXXI-XXXII).

Lorsque toute la semence spirituelle aura été
émise et qu'Achamoth aura rejoint le Plérôme, où
elle sera accueillie par le Sauveur, son époux, viendra
alors le temps de la consommation finale et des
récompenses (XXXI, 1). Pour sa part, le Démiurge

abandonnera l'Hebdomade et gagnera le lieu de
l'intermédiaire laissé libre par Achamoth (§ 2). Une
triple destinée attend les hommes selon leur nature :
tout ce qui est hylique sera détruit ; les âmes des
justes rejoindront l'Intermédiaire (XXXII, 1) ainsi
que l'enveloppe psychique des semences spirituelles,
qui seront admises au Plérôme (§ 2) ; là, chaque spirituel sera donné en épouse à un ange (§ 3). C'est
alors aussi que sera embrasé l'univers matériel (§ 4).
Quant à Tertullien, il n'a plus qu'à attendre, pour
s'être moqué d'une telle doctrine, les effets de la
colère d'Achamoth ! Mais, de toute manière, *post
mortem*, il sera toujours un homme... (§ 5).

31, 1. consummatione : cf. *Spec.* 29, 3 : « metas consum-
mationis exspecta » ; mais *Orat.* 5, 1 : « cum regnum Dei...
ad consummationem saeculi tendat ». — **dispensatione** :
« distribution, répartition » ; cf. *An.* 43, 3 ; Moingt, IV,
p. 69 s. u. Pour l'ellipse de *dicere* ou (*ut*) *dicam*, cf. *An.* 42, 1 :
« De morte iam superest » ; *supra*, 3, 5. — **Vbi Achamoth...** :
pour les problèmes critiques posé par ce passage, cf. nos
« Valentiniana », p. 74-75. — **Vbi... uel cum...** : variation
usuelle dans la langue, cf. Lucr., *De rer. nat.*, 5, 1067-1068 :
« At catulos blande cum lingua lambere temptant, / aut
ubi eos iactant pedibus... » ; 1074-1077 : « ubi... et cum » ;
Sal., *Cat.*, 3, 2 : « primum quod... dehinc quia... » ; 58, 3 :
« quo... simul uti... » ; etc. — **massam seminis** : cf. Irén.,
I, 7, 5 : τὰ δὲ πνευματικὰ ἃ ἐγκατασπείρει. Idée voisine,
supra, 26, 2 : « substantiarum quarum summam saluti esset
redacturus ». — **horreum** : image d'origine scripturaire (cf.
Matth., 3, 12 ; 13, 30), peut-être utilisée par les valentiniens
eux-mêmes. En contexte orthodoxe, cf. *Praes.* 3, 9 : « Auo-
lent quantum uolunt paleae leuis fidei quocumque adflatu
temptationum, eo purior massa frumenti in horrea Domini
reponetur ». — **defarinatum** : hapax (cf. *TLL* s. u. col.
285, 75). — **in consparsione salutari** : allusion à *I Cor.* 5,
6-8. Pour cette conjecture, voir nos « Valentiniana », p. 74 ;
cet emploi de *salutaris* serait tout à fait dans la manière de
Tert. : cf. *Apol.* 47, 11 : *salutaris disciplinae* (*Pat.* 12, 3 ;

Cult. II, 9, 7) ; *Cult.* II, 6, 2 : *probis et necessariis et salutari-
bus usibus* : *Marc.* III, 18, 7 : *spectaculum salutare* (= aereum
serpentem) ; IV, 40, 1 : *figuram* (= pascham) *sanguinis sui
salutaris* (*ibid.* V, 7, 3) ; *An.* 43, 10 : *somnus tam salutaris*
(*ibid.* 43, 7) ; *Cast.* 10, 5 : *uoces salutares* (= oracle de Prisca).
— **confermentetur** : sans doute création de Tert. (accepté
comme tel par *TLL* s. u. col. 173, 13, qui ne signale qu'une
seule autre occurrence . Rust., *Aceph.*, p. 1203c). — **tunc...
urgebit** : cf. H. I. Marrou, « La théologie de l'histoire dans
la gnose valentinienne », p. 223-224, *LODG*, p. 215-226
(= *Patristique et Humanisme*, Paris 1976, p. 389). — **de
regione medietatis** : cf. *supra*, 23, 1 ; *infra*, 32, 1. —
secundo : Achamoth se trouve en effet juste au-dessous du
Plérôme (§ 23, 1). Cf. aussi *supra*, 7, 3. — **excipit** : prés.
succédant à un fut. (*transferetur*) ; sur ces variations tempo-
relles, cf. *supra*, 10, 1. — **compacticius** : restitution très
généralement acceptée (hapax, cf. *TLL* s. u. col. 1996, 55,
d'après *compactus*, *compingo*). Cf. *supra*, 12, 4 (*compingunt*).
— **coniugium** : cf. *supra*, 30, 3. — **fiet** : pour l'accord
avec l'attr., cf. *Praes.* 20, 7 : « tot ac tantae ecclesiae una
est illa ab apostolis prima » ; Ernout-Thomas, *Synt. lat.*,
p. 131. — **in scripturis** : terme le plus fréquent chez Tert.
pour désigner l'Écriture, la Bible, mais non exclusivement,
cf. *supra*, 14, 4. — **sponsus... sponsalis** : cf. Irén., I, 7, 1 :
καὶ τοῦτο εἶναι νυμφίον καὶ νύμφην, νυμφῶνα δὲ τὸ πᾶν πλήρωμα,
mais l'addition *et sponsa* ne s'impose peut-être pas pour
autant. *Sponsalis* en fonction substantive (i. e. *thalamus,
locus, domus*), cf. *natalis* (i. e. *dies*). La « chambre nuptiale »
est le Plérôme, le Sauveur l'époux (cf. *Extr. Théod.*,
64 ; 65, 1 ; 68 ; 79 ; Ménard, Intr. à l'*Évang. Phil.*, p. 14).
(31, 2). — **de loco... locum** : quand on passe d'ici-bas
(où, pour les spirituels, le mariage est une obligation, cf.
supra, 31, 1) au Plérôme. — **leges... Iulias** : la *Lex Iulia
de maritandis ordinibus* (18 a. C.) complétée par la *Lex
Papia Poppaea* (9 p. C.), destinées, entre autres dispositions,
à encourager les mariages féconds. Tert. y fait souvent
allusion : *supra*, 18, 1 ; *Apol.* 4, 8 ; *Vx.* I, 5, 2 ; *Cast.* 12, 5 ;
Mon. 16, 4. Exploitation satirique comparable chez Sén.,
frg. 119 (à propos de Jupiter) : « utrum sexagenarius factus

est et illi lex Papia fibulam imposuit ? an impetrauit ius
trium liberorum ? » (= Lact., *Inst.*, I, 16, 10).

31, 2. Sicut ex scaena : (= *sicut ex scaena excedens,
sicut si... excederet*), cf. *supra*, 20, 1. — **mutauit** : = *se
mutauit*; cf. *An.* 29, 2 ; *Pal.* 1, 2 ; 2, 1 ; 2, 2 ; etc. Sur cet
emploi réfl. des vb. trans., cf. *supra*, 3, 1. — **caenaculum
matris** : au-dessous du Plérôme (cf. *supra*, 23, 1). Pour le
choix du terme *caenaculum*, cf. *supra*, 7, 1. — **sciens iam** :
cf. *supra*, 28, 1. — **si ita erat** : contrairement à Hoppe,
Synt., p. 69, pour qui *erat = fuisset*, nous considérons l'indic.
comme pleinement justifié ici (= «puisqu'il en était ainsi »).

32, 1. exitus : cf. *supra*, 26, 1. — **interitum** : l'addition
de Kroymann *in interitum* ne s'impose nullement, mais
contrairement à ce que nous écrivions dans nos « Valentiniana », p. 75, il faut sans doute interpréter : (*esse*) *interitum*.
— **« omnis caro foenum »** : bien que ce verset n'apparaisse
ni dans Irénée, ni dans les *Extr. Théod.*, il paraît bien avoir
été effectivement utilisé par les gnostiques, cf. *Res.* 10,
1-2 : « Tenes scripturas quibus caro infuscatur : tene etiam
quibus inlustratur ; legis cum quando deprimitur, adige
oculos et cum quando releuatur. ' Omnis caro foenum '.
Non hoc solum pronuntiauit Esaias, sed et : ' Omnis caro
uidebit salutare Dei '... » ; également 59, 2. — **anima
mortalis** : (s. ent. *est*) ; addition de Tert. qui envisage le
cas des âmes « psychiques » qui ne se sont pas soumises à
la discipline qui leur était imposée si elles voulaient être
sauvées, qui n'ont pas mis en œuvre l'aptitude au salut qui
leur était concédée (cf. Héracléon, frg. 34/40 = Sagnard,
p. 516-517), contrairement au comportement des « âmes
justes » (*infra*) — **iustorum** : Irén., I, 7, 1 : τὰς... τῶν δικαίων
ψυχάς. Le Démiurge aussi est « juste », par opposition au Père
infini, qui est « bon », cf. Sagnard, p. 454 ; 456. — **in medietatis receptacula** : cf. *supra*, 31, 1-2. Le salut des psychiques
paraît une innovation de l'école occidentale (Ptolémée,
Héracléon) ; cette appréciation favorable du « psychique »
se manifeste également dans la doctrine du corps psychique
du Sauveur de l'Évangile et dans les bons rapports entre le
Sauveur et le Démiurge ; la sympathie de Ptolémée pour

le psychique est manifeste enfin dans son attitude à l'égard
de l'Ancien Testament. Sur tous ces points, l'école orientale
est demeurée plus fidèle à Valentin ; de même le ton est
nettement dualiste dans certains ouvrages de Nag Hammadi
comme *Le Traité sur la Résurrection* (*Lettre à Rhég.*), l'*Évang.*
Phil., ou l'*Évang. Vérité* ; en revanche le *Tract. Tripart.*
est proche de Ptolémée. Cf. Simonetti, *art. laud.*, p. 25 s. ;
Puech, Comm. au *Tract. Tripart.*, II, p. 198 ; 201 ; etc.
— **agimus...** : goût de Tert. pour les parenthèses, souvent
ironiques, cf. *supra*, 8, 5. — **deo nostro** : cf. *supra*, 15, 2 ; 18,
2 ; *infra*, 32, 5. — **deputari** : Tert. a une véritable prédilection pour ce vb. qu'il emploie soit avec le sens du simple
putare, soit, plus volontiers, comme synonyme de *computare*,
imputare (cf. *supra*, 3, 3) avec des constr. diverses (dat., *ad*,
inter, *in*, *ex*, *cum*) : cf. *supra*, 6, 2 ; 20, 2 ; 22, 1 ; 24, 2 ; 25,
3 ; 30, 1 ; *infra*, 32, 5 ; 34, 1 ; *Nat.* I, 2, 7 ; 7, 18 ; 10, 29 ; etc.
Cf. *TLL* s. u. col. 622, 34 ; Hoppe, *Beitr.*, p. 150 ; Schneider, p. 126. — **qua** : cf. *supra*, 15, 4 ; 23, 2 ; *infra*, 33, 2.
— **census** : cf. *supra*, 7, 8. — **nihil...** : justification de
la ponctuation adoptée dans « Valentiniana », p. 76. —
palatium : cf. *supra*, 7, 1-3. — **examen** : class. au sens
métaphorique de *turba*, *multitudo*, *proles* (Plaute, Cicéron,
etc. cf. *TLL* s. u. col. 1163, 51). Volontiers appliqué par
Tert. aux hérésies : *Marc.* I, 5, 1 (allusion aux trente éons
du Plérôme) : *examen diuinitatis effudit* ; IV, 5, 3 : *de Marcionis examine* ; *An.* 23, 4 : *examen Valentini*), mais non
exclusivement (cf. *Apol.* 10, 11 ; 40, 7).

32, 2. Illic : à l'entrée de l'Ogdoade (ancien lieu de
séjour d'Achamoth, entre le Plérôme et l'Hebdomade), où
se tient maintenant le Démiurge entouré de ses anges,
réclamant l'« homme psychique » (le vêtement psychique
qui enveloppe la semence spirituelle). Au préalable, à l'entrée
de l'Hebdomade, le Cosmocrator (le Diable), avec les mauvais anges, prend l'élément hylique destiné à la destruction.
Sur cette « remontée » eschatologique, cf. Orbe, *Est. Val.*, V,
p. 116 s. — **homines ipsi** : l' « homme spirituel » qui constitue l'essence du valentinien, son « homme intérieur » ; sur
cette dernière expression (détournée par les gnostiques de

ses sens pauliniens), cf. Irén., I, 5, 6 ; 21, 4 ; 21, 5. Tert.
combat en *Res.* 40, 2-3 ; 43, 6 ; 44, 1, l'utilisation que font
les hérétiques de ces formules pauliniennes pour refuser
la « résurrection des corps ». — **autem** : en 3e position,
cf. Löfstedt, *Spr. Tert.*, p. 49 ; pour introduire une parenthèse (déjà dans la langue class.), cf. L. H. S., p. 473. —
uidebantur : explétif ou périphrastique ; cf. Löfstedt,
Kom. Peregrinatio Aether., p. 209-211 (sans doute déjà chez
Lucrèce). *Indui* (*esse*), cf. *supra*, 26, 2 (à propos du Christ
de l'Évangile). — **quas... auerterant** : sur la suppression
arbitraire de ce passage par Kroymann, cf. Braun, p. 380,
n. 4. Lors de leur remontée eschatologique vers le Plérôme,
les spirituels remettent au Démiurge l'âme psychique que
celui-ci, psychique également, leur avait insufflée. — **in
totum** : cf. *supra*, 5, 2. — **intellectuales** : néologisme que
Tert. emploie aussi *infra*, 37, 2 et *An.* 6, 4 ; 9, 2 ; 18, 1 ;
cf. Waszink, p. 260-261. Plus haut (§ 20, 2), il a recouru au
terme grec (νοεϱόϛ). — **detentui** : hapax (*TLL* s. u. col.
796, 33). — **obnoxii** ; cf. *supra*, 24, 3. — **si ita est** : c'est-
à-dire *inuisibiliter.* Pour le tour, cf. *supra*, 31, 2.

32, 3. deinde : répond à *primo* (début du § 2). — **satel-
litibus Soteris** : *supra*, 12, 5. — **in filios** : *in* final (cf.
supra, 7, 1) avec valeur prégnante (= *ut sint eorum filii,
ut pro eorum filiis habeantur*) ; même constr. ensuite (*in
adparitores*, etc.). — **putas** : pour la 2e pers. sg., cf. *supra*, 6,
2 : *lector.* — **in imagines** : allusion ironique à l'une des
« lois » du système valentinien (cf. *supra*, 19, 2 ; 27, 3).
— **sponsas** : de même que Sophia s'unit au Sauveur, de
la même façon le « spirituel » (féminin en tant que « pneumatique ») s'unit à son ange (cf. *supra*, 31, 1 ; G. Quispel,
« L'inscription de Flavia Sophè », *Mél. J. de Ghellinck*, I,
Gembloux 1951, p. 201-214 (= *Gnostic Studies*, I, Istanbul
1974, p. 58-69). — **Tunc illi...** : nous interprétons *illi* comme
se rapportant aux valentiniens (régulièrement désignés par
cet emphatique : *supra*, 30, 3 ; 30, 1 ; etc.) ou, plus exactement ici, à leur « homme intérieur » (*homines ipsi*) : ce sont
bien eux, en effet, qui sont visés dans cette description de
leur destinée eschatologique. Mais on pourrait sans doute

comprendre aussi : « Alors, pour le choix de leurs femmes
(*matrimonium* = *uxor*, depuis Valère Maxime) les anges
(*illi*) joueront entre eux l'enlèvement des Sabines ». Tert.
pense-t-il à la tragédie prétexte d'Ennius, les *Sabines* (cf.
supra, 7, 1) ou à quelque mime ? Une seconde allusion,
plus « historique », dans *Spec.* 5, 4 : « (Consi consilio) tunc
Sabinarum uirginum rapinam militibus suis in matrimonia
(Romulus) excogitauit ». — **merces** : cf. *supra*, 31, 1.

32, 4. Fabulae : cf. *supra*, p. 17. — **Marcus aut Gaius** :
correspond à notre « Pierre, Paul ou Jacques » (angl. « Tom,
Dick and Harry ») ; cf. *Apol.* 3, 1 ; 48, 1 ; Waltzing, p. 36 ;
également : Juv., *Sat.*, 4, 13 ; Aug., *Enar. Ps.*, 101, 10 (*PL*
37, 1311) ; *Serm.*, 42, 2 (*PL* 38, 253) ; S. Lancel, « Monsieur
Dupont, en latin », *Hom. à J. Bayet*, Bruxelles-Berchem
1964, p. 355-364. — **in hac carne... hac anima** : *in*
« sociatif (= ἐν biblique), cf. *An.* 35, 6 : « Habes angeli
uocem : ' et ipse, inquit, praecedet coram populo in uirtute
et in spiritu Heliae ' (= *Lc* 1, 17 : ἐν πνεύματι καὶ δυνάμει)
non in anima eius nec in carne » ; *Cult.* II, 7, 3 : « Damnata
sunt igitur quae in carne et spiritu non resurgunt » ; *TLL*
s. u. « in » col. 794, 49 ; cet emploi pouvait être préparé dans
la langue par des expressions du type *in febre, in armis esse*.
L'addition de *in* devant *hac anima* paraît d'autant moins
nécessaire que Tert. se dispense parfois de reprendre la
préposition même dans les tours corrélatifs où le parallélisme
de la construction semblerait l'imposer (cf. *supra*, 30, 3).
— **certe... masculus** : m. à m. : « du moins, ce qui est
suffisant, un homme ». — **in nymphone pleromatis** :
cf. *supra*, 31, 1. Le calque *nymphon* ne se rencontre qu'ici
et dans l'ancienne traduction d'Irénée. — **ab angelo...** :
la ponctuation que nous adoptons s'accorde mieux, semble-
t-il, à cette figure de « réticence » (ἀποσιώπησις). S.-ent. :
tangatur, cupiatur, uulneretur (*supra*, 11, 2), etc. — **Aeonesi-
mum** : tel qu'il est transmis par les mss (*aliquem Onesimum
aeonem*), le texte n'est pas clair et Oehler (II, p. 417, en
note) a sans doute raison de le juger corrompu. Depuis
Rigault, on l'interprète généralement comme une réminiscence de *Philém.* 10 : «... mon enfant, que j'ai engendré dans

les chaînes, cet Onésime... » ; mais l'explication ne convainc
guère, car on comprend mal ce qui pourrait justifier, de la
part de Tert., une allusion aussi dérisoire à l'épître pauli-
nienne, jetant le discrédit sur celle-ci plus que sur la doctrine
valentinienne. Le contexte permet pourtant d'élucider
l'intention sarcastique de Tert. : plus haut déjà (§ 8, 5) il
s'était interrogé ironiquement sur les raisons qui avaient
contraint les valentiniens à limiter la fécondité du Plérôme
à trente éons et leur suggérait des noms d'esclaves susceptibles de convenir éventuellement à de nouveaux éons.
Précisément, ces « noces eschatologiques » lui fournissent
l'occasion de revenir sur cette plaisanterie : grâce à elles
les valentiniens vont pouvoir poursuivre le peuplement de
leur Plérôme... Si *aeonem* n'est pas une glose, notre conjecture (= « quelque nième éon »), qui s'appuie sur la suggestion d'Oehler (*unum et tricesimum aeonem*), correspondrait
donc assez bien à l'intention de Tert. dans ce passage,
ainsi du reste qu'à ses habitudes en matière de créations
verbales (cf. *supra*, 12, 5 ; Hoppe, *Beitr.*, p. 133 s.), et,
plus généralement à la tradition plautinienne et satirique.
De plus cette forme pouvait fournir un jeu de mots facile
avec le nom Onésime, fréquent à Rome : cf. *Scorp.* 10, 1 :
« ... Theletos scilicet et Acinetos et Abascantos », où le
dernier n'est pas un nom d'éon, mais est attesté aussi
fréquemment que Onésime dans l'onomastique latine (cf.
H. Solin, *Beiträge zur Kenntnis der griechischen Personennamen in Rom*, I, Helsinki 1971, p. 111 ; *CIL* VI, 3, 16132 :
DIS MANIBVS / ABASCANTO V A XXXVI / ONESIMVS
CONSERVOS BENE MERENTI FECIT. Peut-être même
Tert. avait-il préparé un calembour (d'ailleurs traditionnel,
cf. *Philém.* 11) sur l'étymologie (*utiles*). Cf. aussi *Marc.* I, 6, 1 :
« ... triginta aeonum fetus, tamquam Aeneiae scrofae »
(Virg., *Én.*, 8, 43). — **deducendis** : = *ducendis* ; cf. *Iei.* 2,
5 : *nuptiis... deducimus*. Le composé pour le simple se rencontre également en dehors de Tert. (langue poétique et
impériale, cf. *TLL* s. u. col. 272, 80) ; pour ce type de substitution, *supra*, 3, 3. Sur le dat. final, cf. *supra*, 11, 1. —
arcanus : sur l'origine de ce feu caché, *supra*, 23, 3. Le feu
embrasera tout l'hylique et sera détruit avec lui lorsque

le Démiurge aura gagné le séjour d'Achamoth (cf. Irén., I, 7, 1). — **uniuersam substantiam** : cf. Irén., I, 7, 1 : πᾶσαν ὕλην. — **decineratis** : = *in cinerem uersis* ; hapax (cf. *TLL* s. u. col. 174, 54).

32, 5. sacramentum : malgré Michaélidès, *op. cit.*, p. 304 (« enseignement salutaire »), nous reprenons la traduction la plus habituelle, confirmée d'ailleurs par l'*Évang. Phil.* : les « noces spirituelles », dont le « sacrement » de mariage ici-bas est l'image, sont un mystère : celui de la « chambre nuptiale », permettant à l'âme de se reconnaître congénère des réalités du Plérôme, de s'identifier à son « moi » supérieur et authentique (cf. Ménard ; édit. de l'*Évang. Phil.*, p. 13 s. ; p. 176-177 ; 239-240). — **nec filio agnitam** : cf. *supra*, 19, 1 ; 25, 3 ; 31, 2. — **Achamoth, Philetus, Fortunata** : ce choix n'est sans doute pas dû au hasard : Achamoth s'imposait ; Philetus est l'époux un moment abandonné de Sophia (sur le nom retenu, substitué à Thélétus, cf. *supra*, 9, 2) ; Fortunata, l'éon proféré immédiatement avant Philétus et auquel Tert. avait déjà fait un sort (cf. *supra*, 8, 2.4). — **homo... Demiurgi** : cf. *supra*, 15, 2. — **habeo** : + inf., cf. Hoppe, *Synt.*, p. 43-44. — **deuertere** : cf. *Res.* 43, 4 : « (martyr) paradiso... non inferis deuersurus » ; *An.* 53, 1 : « quo... anima nuda et explosa deuertit ». Ce sens est déjà perceptible dans les expressions class. *ad, in uillam deuertere* (cf. *Iei.* 6, 6 : « cum in speluncam deuertisset ») ; au sens étymologique (« se détourner ») : *Praes.* 3, 10. — **ubi... non nubitur** : cf. *An.* 37, 4 : « tunc enim nuptiae non erunt » ; *Mon.* 10, 5 : « in illo aeuo neque **nubent neque nubentur** (= *Matth.* 22, 30 : οὔτε γαμοῦσιν οὔτε γαμέζονται), sed erunt aequales angelis » ; *Cast.* 13, 4 ; et surtout la longue discussion de *Res.* 60-61. Tert. emploie *nubere* pour les deux sexes (cf. *Cor.* 13, 4 ; *Cast.* 7, 1 ; *Mon.* 7, 5-7 ; etc.). — **superindui... dispoliari** : s.-ent. : *habeo* (cf. *supra*, 32, 5). Cf. *Res.* 42, 2 : « Nam cum adicit : ' Oportet enim corruptiuum istud induere incorruptelam et mortale istud induere inmortalitatem ' (*I Cor.* 15, 53), hoc erit illud domicilium de caelo, quod gementes in hac carne superinduere desideramus, utique super carnem in qua deprehen-

demur, quia ' grauari nos, ait, qui simus in tabernaculo,
quod nolimus exui sed potius superindui, uti deuoretur
mortale a uita ' (cf. *II Cor.* 5, 4), scilicet dum demutatur
superinduendo quod est de caelis ». — **ubi... angela** : l'établissement et la compréhension de ce passage appellent
plusieurs remarques. 1) La leçon adoptée par Kroymann,
et à sa suite par Marastoni (« ubi, etsi dispolior, sexui meo
deputor, angelis non angelus non angela ») présente deux
difficultés. D'une part, la concessive *etsi dispolior* contredit
ou, en tout cas, restreint l'affirmation précédente « superindui potius quam dispoliari (habeo) ». Lors de la résurrection,
le corps revêtira l'immortalité (*Res.* 54, 2, citant *I Cor.* 15,
53), sans aucune destruction physique (*perditio*), mais
grâce à une mutation (*demutatio*) qui aboutira à une nouvelle
manière d'être, dans l'intégrité de la chair (cf. *Res.* 55, 12 :
« in resurrectionis euentu mutari conuerti reformari licebit
cum salute substantiae » ; 63, 1 : « Resurget igitur caro
et quidem omnis et quidem ipsa et quidem integra »).
D'autre part, la fonction grammaticale d'*angelis* n'apparaît
pas clairement, comme le reconnaît implicitement Kroymann
lui-même, qui éprouve le besoin d'expliquer, dans son
apparat critique ; « id est inter angelos », sans toutefois
justifier le cas d'*angelis*. 2) Aussi bien une autre ponctuation
a-t-elle été proposée : « etsi dispolior sexui meo, deputor
angelis » (Oehler ; Hoppe, *Synt.*, p. 29 ; Blaise, *Dict.*, p. 757
s. u. « sexus » ; *Manuel*, p. 68 ; *CCL*, 2, p. 1537 s. u. « dis-
poliare », en contradiction d'ailleurs avec le texte de Kroymann reproduit p. 776 ; Riley). Mais si cette ponctuation
offre pour *angelis* une construction grammaticale satisfaisante, en revanche la leçon « etsi dispolior sexui meo »
accentue encore la contradiction signalée précédemment.
La théologie de la résurrection de Tert. ne souffre aucune
ambiguïté : la résurrection exclut l'usage des membres,
mais se fera dans leur intégrité (*Res.*, 61, 4). 3) D'où le texte
que nous sommes amené à proposer (*non dispolior*), qui
seul permet de concilier, dans la perspective eschatologique
de Tert., l' « intégrité » du corps ressuscité et l' « inutilité »
de ses membres, mais aussi de comprendre le trait sarcastique
qui termine la phrase (« tunc masculum inuenient »). Il

reste toutefois à rendre compte d'un problème de morphologie. Si, en effet, la construction de *deputor* + dat. (*angelis*)
ne surprend pas (cf. *Praes*. 21, 4 : « doctrinam... ueritati
deputandam esse » ; *supra*, 32, 1), en revanche, que l'on
adopte le texte d'Oehler ou le nôtre, la forme *sexui* (*meo*)
mérite une explication. Hoppe, *Synt*., p. 29, interprète
sexui comme un datif ; cette interprétation est rejetée par
L. H. S., p. 107, § c, pour qui aucun exemple de cette construction ne se rencontre de façon incontestable ; mais Blaise,
Manuel, p. 68, voit dans *sexui* une forme d'ablatif, sans
toutefois donner d'autres exemples. En réalité, bien qu'elles
soient écartées par Hoppe, *Beitr*., p. 21, il semble bien que
Tert. ait utilisé des formes d'abl. en *-ui*, cf. *Apol*. 46, 2 :
« quod usui [*F Vulg Waltzing* : usu *Z edd*] iam et de com-
mercio innotuit » (car l'excellence de notre religion lui « est
connue par l'expérience et par les relations de la vie ») ;
Res. 42, 7 : « quam omni sensui [*T* : sensu *MPX*] ereptum ».
— **non angelus non angela** : rappel polémique (comme
le montre l'hapax *angela*) de *Matth*. 22, 30.

3e Partie : APPENDICE.

Quelques variantes doctrinales (chap. XXXIII-XXXIX).

33, 1. epicitharisma : (étym. « air de lyre joué en finale »)
hapax (en grec comme en latin ; cf. *TLL* s. u. col. 662,
78) ; cf. Don., *Andr*., praef. 2, 3 : « est... attente animaduer-
tendum ubi et quando scaena uacua sit ab omnibus personis,
ita ut in ea chorus uel tibicen obaudiri possint. Quod cum
uiderimus, ibi actum esse finitum debemus agnoscere ». Tert.
regroupe un certain nombre de divergences doctrinales sur
la constitution de l'Ogdoade, sur la nature de l'éon Bythos
et sur le Sauveur ; elles sont empruntées à Irén., I, 11-12,
mais Tert. ne s'est pas astreint à suivre l'ordre des paragraphes de son modèle. Une omission (expliquée *infra*) :
le paragraphe consacré par Irén., I, 11, 1 à la doctrine primitive de Valentin (cf. *supra*, p. 35 s.). — **obstreperent** :
sens dérivé (class.) fréquent chez Tert. (*Praes*. 17, 2 ; *Vx*. I,

7, 4 ; etc.). — **lectoris intentionem** : *Marc.* III, 5, 1 :
« ne... obtundant lectoris intentionem » ; cf. Plin., *Epist.*,
4, 9, 11 : « ut... audientis intentio continuatione seruatur » ;
etc. — **interiectione** : terme technique (cf. *Rhét. Hér.*, 1,
6, 9 ; Quint., *Inst. or.*, 4, 2, 121; 8, 2, 15; etc.); l'*interiectio*
peut rendre obscur le discours. Tert. emploie à deux autres
reprises ce mot, mais avec une valeur moins rhétorique
(« rappel, le fait de faire intervenir » : *Vx.* II, 6, 2 ; *Cast.* 4,
2). Sur ce souci constant qu'a Tert. de se ménager la « bien-
veillance » de son lecteur, cf. Fredouille, p. 37-38. — **com-
mendata** : le sens indiqué par *TLL* s. u. col. 1851, 25
(= *laudare, ornare*) ne paraît pas pouvoir être retenu. Tert.
utilise fréquemment ce verbe comme synonyme de *declarare*,
explanare (cf. *ibid.* col. 1851, 78 s.). — **emendatoribus** :
cf. *Marc.* IV, 4, 5 : « Emendator sane euangelii... Marcion » ;
IV, 17, 11 : « Appelles, Marcionis de discipulo emendator ».
— **Ptolemaei** : Tert. simplifie ; en effet, Irénée présente
le chap. I, 11, comme un résumé des doctrines divergentes
de Valentin, de Secundus et d'autres disciples ; le chap. I,
12, comme un résumé des variations doctrinales des disciples
de Ptolémée. Tert. considère donc en bloc toutes ces divergences comme postérieures à Ptolémée (en qui il voit l'un
des premiers disciples de Valentin, sinon le premier, en tout
cas celui qui a infléchi profondément la doctrine du maître :
cf. *supra*, 4, 2) et se borne à passer sous silence le paragraphe
d'Irénée consacré à Valentin (*Haer.*, I, 11, 1). — **de
schola** : *de* marquant l'origine, cf. *supra*, 28, 1. — **ipsius** :
= *eius, illius* (Ptolémée), cf. Hoppe, *Beitr.*, p. 112-113.
— **discipuli super magistrum** : Tert. applique ici aux
élèves de Ptolémée ce qui est dit des disciples de Valentin
(= Ptolémée et les siens) par Irén., I, 12, 1 : οὗτος... ὁ
Πτολεμαῖος καὶ οἱ σὺν αὐτῷ, ἔτι ἐμπειρότερος ἡμῖν τοῦ ἑαυτῶν
διδασκάλου προελήλυθε... Cf. dans un contexte comparable,
la citation de *Matth.* 10, 24 (et non comme ici simple
allusion) en *Marc.* IV, 17, 11 : « ... corrigunt aliqui Mar-
cionem. ' Sed non est discipulus super magistrum '. Hoc
meminisse debuerat Appelles, Marcionis de discipulo emendator ». Mais encore sous la même forme allusive, *Marc.* I,
14, 3 : « At tu (= Marcion) super magistrum discipulus... ».

— **coniugium** : cf. *supra*, 10, 1 ; 10, 4. — **Cogitationem et Voluntatem** : = Ἔννοια et Θέλησις. Sur ces « ptolé-méens » d'Irén., I, 12, 1, cf. Sagnard, p. 356-357.

33, 2. qua : = *quia*, cf. *supra*, 15, 4. — **producere** : substitué (peut-être avec une intention dépréciative) à un vb. « technique » (*proferre, emittere, edere*). Appartient chez Tert. à la terminologie de la création (en particulier *ex nihilo*), cf. Braun, p. 389-390. — **coniugium** : Irén., I, 12, 1, : κατὰ συζυγίαν (*supra*, § 1, *coniugium* au sens de συζύγος) cf. *supra*, 3, 4 ; 11, 2 ; 30, 3 ; 31, 1. — **Monogenem, Veritatem** : asyndète vraisemblablement, cf. *supra*, 12, 2 : *filiis, nepotibus* ; Bulhart, *Tert. St.*, p. 11. Ces deux éons sont la reproduction et l'image des deux dispositions du Père. — **feminam Veritatem, marem Monogenem** : cf. *supra*, 19, 2. — **ad imaginem** : sur ctte notion im-portante du système, cf. *supra*, 10, 3 ; 17, 1 ; 19, 1-2 ; 24, 2 ; 27, 3. — **uis** : sur ce terme technique, cf. *supra*, 9, 3. — **ut quae** : + ind., cf. *supra*, 10, 1. — **effectum** : cf. *supra*, 20, 3. — **uiritatis** : sur cette conjecture d'Engelbrecht (cf. *WS* 27 [1905] p. 65-66 ; 28 [1906] p. 159), voir nos « Valentiniana », p. 77. Mais le terme serait-il vraiment un hapax ? Il est curieux en effet de constater que dans Sén., *De uita beata*, 13, 6 (« uirilitas salua est ») les mss ont tous également *ueritas*. Le processus d'altération qui a abouti, dans ces deux cas absolument indépendants, à *ueritas* est sans doute moins surprenant dans son parrallélisme s'il s'est réalisé ici et là à partir de *uiritas*. Ajoutons que *uirilitas* paraît s'être transmis avec une stabilité remarquable (quelques rares exemples de déformation en *uiriditas*), comme nous avons pu nous en rendre compte après enquête (grâce au fichier communiqué par la Direction du *TLL*). — **censum** : sur la couleur institutionnelle (ici ironique) du terme, cf. *supra*, 10, 4.

34, 1. Pudiciores : sur cet emploi ironique du comparatif, cf. *supra*, 22, 1. — **deputare** : + dat., cf. *supra*, 32, 1. — **hoc deum** : sur cette création sarcastique, sans autre exemple, cf. Braun, p. 33, n. 2 ; en rapprocher la forme de

vocatif *dee* (*Marc.* I, 29, 8 : « o dee haeretice » ; *Prax.* 11,
6 : « Dee domine » [*Kroymann*] = *Ps.* 70, 18) et le féminin
angela (*supra*, 32, 5).

34, 2. magis : = *potius* (cf. *supra*, 11, 3 ; 23, 2). — **et
masculum et feminam :** Tert. ne mentionne donc ici que
deux conceptions de la nature de Bythos. Irén., I, 11, 5, au
contraire en signale trois : Bythos conçu comme ni mâle ni
femelle (μήτε ἄρρενα μήτε θήλειαν), ce que Tert. rend par *hoc
deum*; comme mâle et femelle (ἀρρενόθηλυν... ἑρμαφροδίτου
φύσιν), traduit *masculum et feminam* par Tert. ; enfin comme
ayant Silence pour compagne ; cf. *supra*, 10, 3 ; sur l'arrhé-
notélie dans la pensée grecque et gnostique, A.-J. Festugière,
La révélation d'Hermès Trismégiste, t. IV, Paris 1954, p. 43 s. ;
Tardieu, *Trois mythes gnostiques*, p. 105 s. ; 144 s. Irénée
(I, 11, 5) attribue ces spéculations aux « super-gnostiques »
dont il vient de résumer les vues sur l'Ogdoade, rapportées
par Tert. dans le chap. suivant (35, 1-2). — **commentator :**
attesté de façon sûre à partir d'Apul., *Apol.*, 74, 6 (« omnium
litium depector, omnium falsorum commentator, omnium
simulationum architectus, etc. »). Fréquent chez Tert. et
plus généralement chez les écrivains chrétiens (cf. *Apol.*
10, 7 ; *Cor.* 7, 6 ; etc.). Sur Fenestella, cf. *PIR*, III, p. 124,
n. 144 ; cette allusion est mentionnée dans H. Peter,
HRR, II, p. 87, frg. 28. La naissance d'un androgyne à
Luna également est signalée par J. Obsequens, *Prod.*,
22 (a. 142 a. C. : « Lunae androgynus natus praecepto
aruspicum in mare deportatus... ») ; en d'autres lieux,
cf. *ibid.*, 38 ; 46 ; 86 ; 92 ; etc.

35, 1. Sunt qui... : ceux qu'Irén., I, 11, 5, appelle les
« super-gnostiques » (γνωστικῶν γνωστικώτεροι), qui accen-
tuent la transcendance du monde des éons. Cf. *supra*, 34,
2. — **principatum :** cf. *supra*, 3, 3. — **postumatum :**
hapax (Hoppe, *Beitr.*, p. 128). — **aliis nominibus :** les
éons de la seconde tétrade portent des noms différents de
ceux de la première ; autrement dit, sans doute, la « loi de
filiation nominale » ne joue pas (cf. *supra*, 14, 2). — **deri-
uatam :** cf. *supra*, 9, 2 ; 25, 2 ; 29, 2. — **constituunt :** cf.

supra, 11, 4. — **Proarchen** : cf. *supra*, 7, 3. — **Anennoeton** :
« Inintelligible » (*Inexcogitabilis*, cf. *infra*, 37, 1). — **Arrhe-**
ton : « Inexprimable » (*Inenarrabilis*, cf. *supra*, 26, 2). **Aora-**
ton : « Invisible » (*Inuisibilis* », cf. *supra*, 7, 3 ; *infra*, § 2).

35, 2. itaque : il convient d'étendre à *itaque* la valeur
temporelle que Bulhart, *Praef.*, § 73, a relevée chez Tert.
pour *ita* (cf. *Mon.* 2, 3 : « primo... et ita... » ; 9, 4 : « Videamus
enim... et ita cognoscemus » ; etc.). — **processisse** : cf.
supra, 7, 6. — **primo et quinto loco...** : ni Irénée (I, 11, 5)
ni Hippolyte (*Philos.*, VI, 38, 4) ne sont plus explicites que
Tert. Il faut sans doute comprendre que Archè, émis en
5ᵉ position (= après les quatre éons de la 1ʳᵉ tétrade), est
le 1ᵉʳ éon de la seconde tétrade ; Acataleptos, émis en
6ᵉ position (après Archè) est en fait le 2ᵉ éon de la seconde tétrade ; etc. — **Archen** : « Principe » (*Principium*)
— **Acatalepton** : « Incompréhensible » (*Incomprehensibilis*,
cf. *supra*, 7, 6 ; 9, 1 ; 11, 3). — **Anonomaston** : « Innom-
mable » (*Innominabilis*). — **Inuisibili** : cet équivalent
latin, après Aoratos (§ 1) et entre deux noms grecs, est la
seule trace restante, dans ce passage, des « traductions »
que Tert. devait donner de ces termes pris comme noms
propres (cf. *supra*, 6, 1-2). De ces huit termes, seul *inuisibilis*
(ἀόρατος) a été intégré au vocabulaire théologique de Tert.
pour être appliqué à la première personne de la Trinité
(cf. Braun, p. 53 ; 56) ; l'adj. *incomprehensibilis* (ἀκατα-
ληπτος) n'est employé qu'une seule fois comme attribut de
Dieu en *Apol.* 17, 2, mais au sens propre (« insaisissable »
concrètement) ; tous les autres ont été exclus (cf. Braun,
p. 45 ; 55 ; 56 ; 59 ; 62 ; 273-275). — **ratio** : cette raison
(renforcer la transcendance du monde des éons) est donnée
par Irén., I, 11, 5 (= Hippol., *Philos.*, VI, 38, 4) : ταύτας
βούλονται τὰς δυνάμεις (= les éons de l'Ogdoade) προϋπάρχειν
τοῦ Βυθοῦ καὶ τῆς Σιγῆς, ἵνα τελείων τελειότεροι φανῶσιν ὄντες
καὶ γνωστικῶν γνωστικώτεροι. — **peruerse** : cf. *supra*, 11, 3 :
doctrinae peruersitas ; 19, 2 : *imagines... peruersissimi picto-*
ris. — **proferuntur** : vraisemblablement à la fois au sens de
« exposer, faire connaître » et au sens technique de « émettre,
proférer ».

36, 1. meliores : cf. *supra*, 7, 6 ; 22, 1. Par rapport à celui
de Ptolémée, ce système (attribué à Colorbasus, cf. Irén., I,
12, 3 ; *supra*, 4, 2) se caractérise par l'inversion des deux
dernières syzygies de l'Ogdoade et par l'émission globale
de celle-ci. — **uoluerunt** : cf. *supra*, 15, 1. — **gradus...**
Gemonios : = (*scalas*) *Gemonias* (cf. Plin., *Nat.*, 8, 145 :
in gradibus gemitoriis). — **mappa... missa** : plutôt qu'expression proverbiale (Otto, *Sprichwörter*, p. 213), allusion
à la façon dont était donné le signal du commencement des
jeux du cirque. Tert. signale lui-même cet usage, *Spec.* 16, 3 :
« Cognosce dementiam de *uanitate* : ' misit ' dicunt et
nuntiant inuicem quod simul ab omnibus uisum est. Teneo
testimonium caecitatis : non *uident* missum quid sit, map-
pam putant ; sed est diaboli ab alto praecipitati gula [figura
alii] ». Cf. Quint., *Inst. or.*, 1, 5, 57 ; Mart., 12, 28 (29), 9 ;
Juv., *Sat.*, 11, 193 ; Suét., *Nero*, 22, 4 ; Pol. Silv., *Fast.
Ian.*, 7 ; etc. ; d'autre part, la « Mosaïque des jeux du cirque »
(Musée de la civilisation gallo-romaine de Lyon), sur laquelle
est représenté un personnage agitant une *mappa* pour
donner le signal du départ (cf. P. Wuilleumier, *Lyon, Métro-
pole des Gaules*, Paris 1953, p. 71). — **octoiugem** : entraîné
par « mappa... missa », mais cf. déjà *supra*, 7, 6 : « prima
quadriga... ». Dans les textes, *octoiugis* n'apparaît qu'ici
et (appliqué ironiquement aux huit tribuns militaires) dans
T.-Liv., 5, 2, 10 ; attesté dans les inscriptions (cf. *TLL*
s. u. col. 436, 8). Ici au féminin, s.-ent. *Ogdoadem*. — **Pro-
patore, Ennoea** : cf. *supra*, 7, 3. 5. — **excusam** : plus
proche de la leçon des mss, mais *exclusam* ferait jeu avec,
infra, § 2, *conclusa*. De toute manière, sans modification
de sens, cf. *supra* 11, 1. — **denique** : cf. *supra*, 6, 3. —
nomina gerunt : expression attestée (Ov., *Mét.*, 8, 576 :
« insula nomen quod gerit illa... »), mais non classique.
Sujet s.-ent. : *aeones*. Réflexion, absente chez Irénée, qui
révèle une préoccupation toujours latente de Tert. (cf.
supra, 14, 2).

36, 2. proferre, protulit : cf. *supra*, 7, 5. — **uera** : sans
doute la bonne leçon, dans ce passage traduit presque
littéralement d'Irén., I, 12, 3 : ἐπεί... ὁ προεβάλετο ἀληθῆ

[ἀλήθεια *mss*] ἦν (*Vet. Interpr.* : « ubi quae emisit uera fuerunt »). Les divers éons de l'Ogdoade ne manifestent qu'une
seule et même réalité. — **primogenitus** : Irén., I, 12, 3 :
πρωτότοκος. Par rapport au système de Ptolémée, cette
variante doctrinale substitue l'idée de « Premier-né » à
celle de « Fils Unique », cf. *supra*, 7, 6 ; pour son emploi
théologique chez Tert., cf. Braun, p. 251 s. — **Sed** : = *At
enim* (cf. *Apol.* 8, 6 ; 10, 3). — **non pusillum** : réflexion que
Tert., avec humour, prête à un lecteur supposé déçu par le
système qui vient de lui être présenté, alors que, pour cette
fois, il lui avait annoncé des spéculations moins rebutantes...
(cf. *supra*, § 1). *Taedium* = *res taediosa*.

   37, 1. ingenia : cf. *supra*, 4, 4 ; 20, 3 ; *infra*, 39, 2. —
circulatoria : cf. *Apol.* 23, 1 : *circulatoriae praestigiae* ;
Carn. 5, 10 : *circulatorius coetus* ; *Idol.* 9, 6 : *circulatoria
secta* ; *Praes.* 43, 1 : « Notata sunt etiam commercia haereticorum cum magis quam plurimis, cum circulatoribus, cum
astrologis, cum philosophis, curiositate scilicet et deditis » —
autant d'occurrences qui nous paraissent fonder en vraisemblance la conjecture d'Oehler (cf. nos « Valentiniana »,
p. 78). La correction de Pamelius (*circuria Enniana*), reprise
encore partiellement par Marastoni, s'appuie sur Jérôme,
Apol. c. Ruf., II, 11 *bis* (*PL* 23, 434 C) : « nos simplices
homines et cicures enniani ». Mais, outre le fait que l'expression *cicures enniani* n'est pas élucidée (si *enniani* correspond à Ennius, n'y aurait-il pas confusion avec son neveu
Pacuvius, dont on sait par P. Fest., p. 75, 34, qu'il employait
volontiers « cicur pro sapiente » ?), la *iunctura* hiérony-
mienne « nos simplices homines *et* cicures enniani » exclut,
semble-t-il, qu'elle ait pu être empruntée à notre passage :
ce n'est pas, en effet, leur « simplicité » que Tert. reproche
aux valentiniens, mais leur goût du secret, leur imagination
débridée, leur habileté, etc. (cf. *supra*, 1-3), et lui-même
est conduit à défendre les chrétiens contre l'accusation de
« simplicité » que leur adressent les valentiniens. En d'autres
termes, au cas (improbable) où Tert. aurait fait ici allusion
à un passage d'Ennius (comme c'est le cas, *supra*, 7, 1),
le mot du poète ne devait pas appartenir à la sphère séman-

tique de la « simplicité ». Une autre explication du *circuria-
niana* de nos mss est concevable : il représenterait l'altération d'un terme sarcastique, forgé sur *cucurbita* ou *cucumis*,
qu'aurait suggéré à Tert. la lecture d'un passage particulièrement parodique d'Irénée (I, 11, 4) et qu'il a nécessairement
lu pour rédiger ces dernières notices. — **insignioris...
magistri** : Irén., I, 11, 3 (lat.) : « Alius uero quidam qui
et clarus est magister ipsorum » ; Hippol., *Philos.*, VI, 38,
2 : Ἄλλος δέ τις ἐπιφανὴς διδάσκαλος αὐτῶν. L'identification de ce « maître » avec Épiphane, fils de Carpocrate
(cf. Clém. Alex., *Strom.*, III, 2, 5, 2), parfois encore admise
aujourd'hui (cf. Moingt, II, p. 658), est généralement écartée
(cf. Harvey, t. I, p. 102 ; Lipsius, « Gnostizismus », p. 101,
ap. K. Rudolph, *Gnosis und Gnostizismus*, Darmstadt 1975).
Ce système, proche de celui des « super-gnostiques » (cf.
supra, 35) souligne également la transcendance des éons
(cf. Sagnard, p. 355-356). — **pontificali** : seule attestation
de cet adj. chez Tert. — **auctoritate** : ce passage ironique
ne permet pas de préciser la conception que Tert. se faisait
de l'*auctoritas* des évêques (cf. T. G. Ring, *Auctoritas bei
Tertullian, Cyprian und Ambrosius*, Würzburg 1975, p. 79).
— **inexcogitabile et inenarrabile, innominabile** : sur
ce type de coordination (*A et B, C*), cf. *supra*, 4, 2 ; 29, 1.
Bien qu'il traduise littéralement Irén., I, 11, 3 (προχνεν-
νόητος, ἀρρητός τε καὶ ἀνονόμαστος, ἥν...), Tert. substitue le
neutre au féminin. Le premier adj. est un néologisme ; le
second apparaît chez T.-Live ; le troisième n'est attesté, antérieurement, qu'une seule fois (Apul., *Plat.*, 1, 5, 190) ; aucun
d'eux n'a été incorporé au vocabulaire théologique de Tert.
(cf. *supra*, 35, 1-2). — **uirtus** : = δύναμις (cf. *supra*, 20, 2).

37, 2. Monotes... : sur les équivalences *Solitas* = Μονό-
της, *Vnitas* = Ἑνότης, *Singularitas* = Μονάς, *Vnio* = Ἕν,
cf. Moingt, III, p. 732-733 ; 775-776 ; Braun, p. 69 s. ; 142 s.
701. S'il a écarté *solitas* de son vocabulaire trinitaire, Tert.
recourt en revanche à *unitas* pour désigner l'unité organique
de l'Être divin, à *unio* et *singularitas* pour signifier l'unicité
divine. — **cum unum essent** : Irén., I, 11, 3 : τὸ ἓν οὖσαι.
Précision nécessaire, car la communauté de principe de

ces deux éons (féminins de surcroît) paraîtrait exclure la
syzygie, qui est l'union d'un principe et de la propriété qui
lui est connaturelle (par ex. Noûs et [= qui est] Vérité).
— **non proferentes** : il ne s'agit pas d'une émission extérieure, indépendante, mais demeurant « indivise », unie au
« couple » Monotès-Hénotès : en effet, Monas n'est pas essentiellement dissemblable de Monotès-Hènotès. Un passage
d'Irénée (II, 12, 2-4) éclaire cette conception : les valentiniens ont tenté de justifier la dualité Bythos-Sigè (ainsi que
celle des autres syzygies) en présentant Sigè comme « unie »
à Bythos et ne faisant qu'un avec lui (cf. Sagnard, p. 350).
Autrement dit, cette explication sur le plan horizontal de
la syzygie est ici adaptée au plan « vertical », d'une syzygie
à l'autre. Cf. *supra*, 7, 5. — **intellectuale** : Irén., I, 11, 3 :
νοητὴν (ἀρχήν). Cf. *supra*, 32, 2. — **innascibile** : Irén., I,
11, 3 : ἀγέννητον (ἀρχήν). Substitué à *innatus*, habituel chez
Tert. pour rendre ἀγέννητος, et sans doute forgé ici à des
fins rhétoriques et satiriques, *innascibilis* n'apparaît pas
ailleurs dans son œuvre (cf. *supra*, 35, 2 : *Agennetos* ; Braun,
p. 48). — **inuisibile** : Irén., I, 11, 3 : ἀόρατον (ἀρχήν). Cf.
supra, 35, 2. — **consubstantiua** : cf. *supra*, 12, 5 ; 18, 1.
— **Haec** : forme archaïque de fém. pl., fréquente chez
Minucius Félix, attestée chez Tert., cf. *Herm.* 27, 2 ; 45, 3 ;
Virg. 12, 1 (*X*) ; *Fug.* 1, 4 (*XL*) ; Bulhart, *Praef.*, § 8 ; *Tert.
St.*, p. 6. — **propagarunt** : Irén., I, 11, 3 : προήκαντο τὰς
λοιπὰς προβαλὰς τῶν αἰώνων. Plus haut, προήκαντο, μὴ
προέμεναι a été rendu par « protulerunt, non proferentes ».
Sans doute Tert. a-t-il voulu éviter ici une figure étymologique (*protulerunt prolationes*) absente du texte d'Irénée
tout en donnant à sa traduction une couleur satirique,
cf. *Nat.* I, 12, 13 : « simulacrorum siluae propagantur ».
Toutefois, d'une manière générale, Tert. emploie avec une
valeur neutre, aussi bien ce vb. (cf. *Apol.* 25, 14 ; 48, 11 ;
An. 27, 8 ; etc.) que son correspondant nom. *propago, -inis*
(cf. *An.* 19, 6 ; *Pal.* 2, 6) ; exceptionnellement, le subst.
prend une valeur péjorative (*An.* 2, 6) ou laudative (*Scorp.*
9, 3). Pour la forme contractée, cf. *supra*, 9, 1. — **quaqua** :
= *quaqua ratione, quoquo modo*, cf. *Praes.* 32, 7 : « haereses...
probent se quaqua putant apostolicas » ; de même *qua* = *qua*

ratione, cf. Hoppe, *Beitr.*, p. 123. — **unum est** : jeu de
mots ; = *unum quid*, τὸ ἕν (cf. *supra* : « cum unum essent »)
et *unum atque idem, una eademque res*.

38. Humanior : sur ce comparatif, cf. *supra*, 22, 1. Déjà
Irén., II, 31, 1 : « Eos quidem qui sunt mitiores eorum et
humaniores auertes et confundes... ». — **Secundus** : cf.
supra, 4, 2. Pour Ptolémée (et Héracléon), le Plérôme tout
entier est dans la lumière, les ténèbres étant rejetées en
dehors. Peut-être cette notion de droite et de gauche (à
l'intérieur de l'Ogdoade) distingue-t-elle les éons pairs
des éons impairs (cf. Sagnard, p. 356). — **tantum quod** :
sur ce tour, cf. Schneider, p. 148 ; employé ici avec un sens
affaibli (cf. Irén., I, 11, 2 : τὴν δὲ... δύναμιν). — **desul-**
tricem et defectricem : hapax l'un et l'autre (toutefois,
le premier est conjecturé par Gertz à Sén. Rh., *Contr.*, 1, 3,
11 ; cf. *TLL* s. u. col. 290, 80 et 778, 26). Cf. *supra*, 14, 1 :
« Achamoth... defectiua... genitura ». — **ab aliquo... ae-**
onum : Sophia (d'en haut), de qui est « issue » Achamoth
(cf. *supra*, 9, 4 ; 10, 4) ; c'est ainsi, du moins, que Tert.
« interprète » le texte qu'il a sous les yeux, où la « dynamis
déchue » paraît désigner non Achamoth, mais Sophia
(supérieure) : cf. Irén., I, 11, 2 : τὴν δὲ ἀποστᾶσαν τε καὶ
ὑστερήσασαν δύναμιν μὴ εἶναι ἀπὸ τῶν τριάκοντα αἰώνων, ⟨ ἀλλ'
ἀπὸ τῶν καρπῶν αὐτῶν ⟩. — **sed a fructibus...** : texte sans
doute partiellement corrompu (cf. Irén., I, 11, 2 (lat.) :
« sed a fructibus eorum » (= Hippol., *Philos.*, VI, 38, 1 :
ἀλλ' ἀπὸ τῶν καρπῶν αὐτῶν), mais la séquence « a fructibus... de substantia » n'est pas plus « rude » que celle que
nous lisons *infra*, 39, 1 : « ex duodecim... ex Hominis et
Ecclesiae fetu ». *Veniat* (?) coordonné à *deducere* en dépendance commune de *uult* est syntaxiquement possible
(cf. Pl., *Mil.*, 5-6 : « hanc machaeram... consolari uolo, / ne
lamentetur neue animum despondeat... » ; *Pseud.*, 1150 :
« Hoc tibi erus me iussit ferre.../... atque ut mecum mitteres
Phoenicium » ; pour Tert. : *Cult.* II, 7, 1 : « Aliae gestiunt
in cincinnos (crines) coercere, aliae ut uagi et uolucres
elabantur... » ; pour ce type de *variatio*, cf. L. H. S., p. 817) ;
sur cet emploi de *uolo* qu'affectionne Tert., *supra*, 15, 1.

D'autre part, Tert. recourt volontiers à *uenire* + abl. d'origine prépositionnel (*Mart.* 6, 1 ; *Nat.* II, 2, 1 ; *Praes.* 2, 5 ; 21, 6 ; etc.). Pour la notion de « fruit » dans le système valentinien, cf. *supra*, 7, 7.

39, 1. diuersitas scinditur : cf. *Marc.* IV, 6, 3 : « Inter hos (= les deux Christ de Marcion) magnam et omnem differentiam scindit (Marcion), quantam inter iustum et bonum... » ; V, 19, 3. — **ex omnium aeonum flosculis** : cette conception ne se différencie apparemment de celle de Ptolémée (*supra*, 12, 3-4) que par le nom donné au Sauveur, Eudocète : cf. Irén., I, 12, 4 : αὐτὸν ἐκ πάντων γεγονέναι λέγουσι, διὸ καὶ Εὐδοκητὸν καλεῖσθαι. — **construunt** : cf. *supra,* 12, 4. — **ex... decem** : la « décurie » émise par Verbe et Vie (*supra*, 8, 1-2). — **constitisse** : s. ent. : *eum* ; cf. *infra*, § 2. Pour l'utilisation de ce vb., *supra*, 15, 2 ; 24, 2. — **inde et** : = *et inde*, cf. *supra*, 8, 5. — **ex duodecim** : les « douze » émis par Homme et Église (*supra*, 8, 1-2). — **fetu** : cf. *supra*, 8, 1. — **auite** : hapax (omis aussi bien dans *TLL* que dans Hoppe, *Beitr.*, p. 145 : « Neubildungen : Adverbia »). Traduit, à tort, par Blaise, *Dict.*, p. 106 « de tout temps, du temps des aïeux ». — **constabiliendae uniuersitati** : cf. *supra*, 7, 7 ; 9, 3 ; 12, 2. — **confictum** : seul passage où Tert. emploie ce vb. avec le sens de « créer, fabriquer » ; partout ailleurs il l'utilise au sens de « inventer, imaginer » ; pour *fingere* et les vocables de la même famille dans sa terminologie de la création, Braun, p. 399 s. — **paternae** : cf. Irén., I, 12, 4 : καὶ διὰ τοῦτο Χριστὸν λέγεσθαι αὐτόν, τὴν τοῦ πατρὸς ἀφ' οὗ προεβλήθη, διασώζοντα προσηγορίαν.

39, 2. aliunde : = *de alia re, de alia causa* (cf. Schneider, p. 152) ; comprendre : pour une autre raison que celle qui a été donnée au § 1 (Sauveur appelé Fils de l'Homme du nom de son « aïeul », l'éon Homme). — **dicendum** : s.-ent. : *eum* (*esse*), cf. *supra*, § 1 : (*eum*) *constitisse*. L'expression « Fils de l'Homme » paraît avoir été plus répandue en milieu gnostique (influence juive ?) qu'en milieu chrétien orthodoxe, cf. F. H. Borsch, *The Christian and Gnostic Son of Man*, London 1970, p. 58 s. (le Fils de l'Homme dans la littérature

gnostique). — **patrem** : l'éon suprême (cf. *supra*, 7, 5 ;
7, 6 ; etc.). — **sacramento** : les différentes traductions
proposées (« sacrement », « type », « symbole », « signe »,
« mystère ») sont signalées par Michaélidès, *Sacramentum
chez Tertullien*, p. 308 ; nous suivons ici Sagnard, p. 357 et
427, et E. Evans, *Tertullian's Homily on Baptism*, London
1964, p. XL. Cf. Irén., I, 12, 4 : « Le Pro-Père de toutes choses,
le Pro-Principe, le Pro-Inintelligible, c'est l'Homme, disent-
ils. Voilà le grand mystère caché (τὸ μέγα καὶ ἀπόκρυφον
μυστήριον) : la dynamis qui est au-dessus de tout, qui
enveloppe tout, c'est l'Homme. C'est pour cette raison que
le sauveur se dit le Fils de l'Homme » (trad. Sagnard, p. 357).
Cette variante doctrinale se caractérise donc par la pré-
éminence accordée à l'Homme. — **praesumpserint** : sur
ce vb. et le subst. correspondant, cf. *supra* 4, 1. 4 ; 16,
3 ; 20, 3. Le fait que Tert. omette souvent le pronom sujet
(acc.) de la prop. inf. (cf. Hoppe, *Synt.*, p. 49 s.) ne permet
pas de décider ici si *appellasse* est un inf. complément (avec
pft. d'« attraction », cf. Hoppe, *Synt.*, p. 52 s.) ou bien
le vb. de la propr. inf. (s. ent. : *se*). Cf. une ambiguïté analogue dans *Carn*. 4, 6 : « si praesumpseris inuenisse ». —
quid amplius : expression attestée à toutes les époques
et à tous les niveaux de langue. Bien que Tert. l'utilise de
préférence en phrase interrogative (« Quid enim amplius...? »),
la leçon des mss nous paraît préférable à la correction de
Kroymann (*Et quid...?*) : Tert. explicite, ironiquement, les
fondements psychologiques d'une pareille doctrine. Du
reste Tert. emploi aussi cette expression en phrase positive
(cf. *Bapt*. 15, 1 ; *Marc*. IV, 16, 12 ; on rapprochera : *Nat*. II,
6, 3 : « ut nihil amplius... credam »). Pour *quid = aliquid*,
cf. *Apol*. 47, 8 : « aut intulit quid aut reformauit » ; etc.
— **ingenia** : cf. *supra*, 37, 1. — **superfructificant** : il n'y
a sans doute pas lieu de soupçonner cet hapax (cf. *con-
corporifico, contestificor, reuiuifico* : Hoppe, *Beitr*., p. 146-
148. *Fructificare* est d'ailleurs beaucoup mieux attesté chez
Tert. que *fruticare* : *Herm*. 22, 1 (Fructificet *mss*) ; 29, 5
(fructificet *PN* fructicet *F*) ; *Marc*. II, 4, 2 (fructicauerit
mss) ; *Res*. 22, 8 (fructificasset *MPX* fructificat** *T*) ;
42, 8 (fructificaturi *mss*) ; 52, 10 (fructificaturam *mss*) ;

Cast. 10, 1 (fructificemus *A* retractemus *NFR*) ; *Prax.* 1,
6 (Fructicauerant *M* fructificauerant *P* fructiferant *F*) ;
Pud. 16, 12 (fructificare *BO*) ; cf. *supra*, 8, 1. Création dou-
blement ironique : par sa formation redondante et par
l'application que fait Tert. aux spéculations gnostiques
elles-mêmes d'une notion « technique » dans le système
(cf. *supra*, 7, 1 ; 8, 1 ; 10, 5 ; 12, 4 : 17, 1). — **materni
seminis** : la semence d'Achamoth ; cf. *supra*, 25, 3 ; 27, 3.
— **redundantia**, cf. *supra*, 31, 1 : « Vbi Achamoth totam
massam seminis sui... ». — **exoleuerunt** : le *TLL* s. u.
col. 1543, 40, ne mentionne de ce verbe, en dehors de ce passage, qu'une seule occurrence d'emploi personnel (Ps. Cic., *In
Sall.*, 5, 13) ; en réalité Tert. utilise déjà ce verbe à trois
autres reprises à un mode personnel (*Nat.* II, 16, 7 ; *Scorp.* 1,
10 ; *Pud.* 1, 3). Mais le sens du verbe ici ne nous paraît pas
être celui qu'il a dans les autres emplois chez Tert. (« vieillir »,
« passer », etc.), comme il ressort des premiers mots du traité
et de l'opposition, selon toute vraisemblance, avec *inoles-
centes* (cf. un rapprochement comparable dans *An.* 16, 1 :
« ut... (inrationale) inoleuerit et coadoleuerit in anima ».
— **siluas** : répond sur le registre métaphorique à *supra*, 1,
1 : « frequentissimum... collegium inter haereticos ». Pour
les images empruntées à la végétation et plus particulièrement à la forêt, dans l'œuvre de Tert., cf. Hoppe, *Synt.*,
p. 194-195. — **Gnosticorum** : pour Tert., comme pour
Irénée, les valentiniens sont les gnostiques par excellence,
cf. *An.* 18, 4 : « Relucentne iam haeretica semina Gnosticorum et Valentinianorum ? » ; *Scorp.* 1, 1 : « tunc Gnostici
erumpunt, tunc Valentiniani proserpunt ». Cf. N. Brox,
« Γνωστικοί als Häresiologischer Terminus », *ZNTW* 57
(1966), p. 105-114.

APPENDICE

Tertullien a-t-il utilisé la version latine d'Irénée ?

Il est clair que l'éditeur de l'*Aduersus Valentinianos* ne peut éluder cette question, qui a été souvent posée, à laquelle aujourd'hui les critiques ont tendance à répondre par la négative, plus du reste en s'appuyant sur un faisceau solide d'arguments convergents qu'en administrant la preuve irréfutable que Tertullien, quand il rédigeait son opuscule, n'avait pas eu sous les yeux l'ancienne traduction latine de l'*Aduersus Haereses* grâce à laquelle, en dépit de ses insuffisances, nous possédons l'intégralité du grand ouvrage d'Irénée [1].

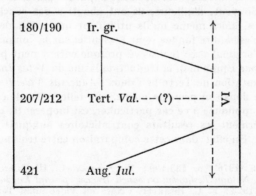

1. Bibliographie sommaire : R. Massuet, « Dissertatio II, Art. II, de Irenaei libris Adv. Haereses », reproduit dans *PG* 7, 232-234 ; W. W. Harvey, *Sancti Irenaei... aduersus haereses*, vol. 1, p. clxiv ; H. Jordan, « Das Alter und die Herkunft der lateinischen Uebersetzung des Hauptwerkes des Irenaeus », *Theologische Studien, Th. Zahn zum 10. Oktober 1908 dargebracht von...*, Leipzig 1908, p. 135-193 ; A. d'Alès, « La date de la version latine de saint Irénée »,

En réalité, même si cette question ne le laisse pas in-
différent, l'éditeur de Tertullien n'est certainement pas le
mieux placé pour lui apporter une réponse étayée d'arguments
décisifs ; mieux encore, il se trouve *de fait*, en tant que tel,
dans l'impossibilité *théorique* de verser au débat des éléments
de solution véritablement déterminants.

Notre seule certitude est que cette traduction très littérale est postérieure aux années 180-190 (date de la composition de l'*Aduersus Haereses*) et antérieure à 421 (date à
laquelle elle est citée par Augustin dans le *Contra Iulianum*,
PL 44, 644). Entre ces limites chronologiques, des datations
fort diverses ont été proposées : pour ne mentionner que les
plus extrêmes, Érasme et Feuardent n'excluaient pas
qu'Irénée eût rédigé son ouvrage directement en latin ou
qu'il l'eût traduit lui-même, tandis que Souter situait cette
traduction en Afrique, entre 370 et 420. Pour sa part, la
critique récente s'accorde pour la dater approximativement
de la seconde moitié du IVe siècle. La complexité du problème
explique les divergences qui sont apparues parmi le spécia-
listes. Souvent, d'ailleurs, ils ont abouti a des conclusions
opposées, alors même qu'ils utilisaient une méthode identique, c'est-à-dire fondée pour l'essentiel sur la comparaison
entre l'original grec (conservé presque entièrement pour le
livre I par Épiphane), la traduction latine du *Vetus Interpres*
et l'adaptation de Tertullien dans l'*Aduersus Valentinianos*.

Mais, dans son principe même, une telle méthode compa-
rative, appliquée à ce cas particulier, est inopérante, comme
le confirment les résultats contradictoires auxquels elle a
conduit. En effet, dans cette comparaison entre trois auteurs,

RecSR 6 (1916), p. 133-139 ; W. Sanday - C. H. Turner - A.
Souter, *Nouum Testamentum sancti Irenaei episcopi Lugdunensis*,
Oxford 1923 ; F. C. Burkitt, « Note on Valentinian Terms in
Irenaeus and Tertullian », *JTS* 25 (1923), p. 64-67 ; G. Lebacqz-
J. De Ghellinck ap. J. De Ghellinck, *Pour l'histoire du mot
« Sacramentum »*, I, Louvain-Paris 1924, p. 272-276 ; S. Lund-
stroem, *Studien zur lateinischen Irenäusübersetzung*, Lund 1943,
p. 90-109 ; M. C. Díaz y Díaz, « Tres observaciones sobre Ireneo
de Lyon, I. La fecha de la traducción latina », *RET* 14 (1954),
p. 33-399 ; V. Loi, « L'uso di ' principari ' e la datazione dell'-
Ireneo latino », *AION* 6 (1965), p. 145-159.

dont deux ont eu une relation indépendante avec le troisième
(Tertullien et le *Vetus Interpres* ont eu en main, chacun de
son côté, le texte grec) et dont l'un de ces deux (le *Vetus
Interpres*) est, par hypothèse, chronologiquement mobile
(entre deux limites sans doute, mais qui, pour le problème
qui nous occupe, ne sont pas pertinentes), il est impossible
de déduire de la convergence de deux auteurs entre eux une
certitude sur le sens de la relation, s'il y en a eu une, entre
Tertullien et le *Vetus Interpres*. Des trois cas envisageables,
aucun n'est concluant.

En effet, une convergence entre T. et Ir. gr. contre VI
ne signifie pas nécessairement que T. ne disposait pas de
VI : il a pu simplement s'en écarter, en préférant suivre
l'original grec. Par exemple : Ir. gr. I, 1, 1 : T. 7, 3, n'a pas
l'équivalent de VI (*esse autem... possit*), qui ne répond à
rien dans le grec ; Ir. gr. I, 2, 5, ἵνα μὴ ὁμοίως ταύτῃ πάθῃ τις
τῶν αἰώνων, rendu normalement par T. 11, 1 (*ne qua... incur-
reret*), mais omis par VI ; Ir. gr. I, 5, 4 : ἀτονώτερον correctement rendu par T. 21, 1 (*inualitudo*), mais non par
VI (*superiorem*, qui suppose une lecture ἀνώτερον) ; Ir.
gr. I, 7, 4 : οἰκονομίαν = T. 28, 2 (*dispensationem*), mais
mal interprété par VI (*creationem*).

Le cas inverse, un accord entre Ir. gr. et VI contre T., ne
permet pas davantage de dégager de conclusion : il ne fait
que souligner, par contraste, la plus grande fidélité de VI
à Ir. gr. ; il n'entraîne pas comme conséquence nécessaire
que T. n'ait pas connu VI. Pour une raison qui resterait à
déterminer, T. peut s'être éloigné d'Ir. gr. et, pour la même
raison, de VI, fidèle transposition du grec. C'est tout naturellement ce qui se passe en particulier dans les quelques passages où T. puise à une autre source qu'Irénée et dans ceux
où son talent et sa verve interviennent à un titre quelconque.
Il y a toutefois une catégorie de cas où l'accord Ir. gr.-VI
pourrait laisser présumer que T. ignorait VI : dans l'hypothèse
où T. aurait commis un contresens ou un faux-sens sur Ir.
gr., alors que VI traduisait correctement. On imagine mal en
effet un traducteur s'obstinant dans son erreur, quand la
traduction déjà existante, dont il utilise les services, a
résolu la difficulté à laquelle il se heurte lui-même. A notre

connaissance un tel cas ne se présente pas, ou du moins n'est pas susceptible de recevoir cette explication. Ainsi T. 9, 3, traduisant Ir. gr. I, 2, 2, εἰς τὴν ὅλην οὐσίαν par *in reliquam substantiam* paraît bien commettre un faux-sens (évité par VI : *in universam substantiam*), reproduit de nouveau du reste en *Prax.* 8, 2 ; étant donné toutefois que le grec ne présentait aucune difficulté sérieuse, il ne peut s'agir, sous la plume de T., que d'un lapsus mineur, auquel on ne peut guère faire un sort ici. En 14, 2, T. a *de matre* pour Ir. gr. I, 4, 1 : πατρωνυμικῶς (= VI *paternaliter*) : le contresens est ici trop grossier pour ne pas être délibéré, d'autant qu'Irénée justifie aussitôt après cette apparente incohérence ; en fait, ce « contresens », sans aucune consé-quence dans le contexte, répond à un désir de simplification de la part de T. ; une traduction exacte aurait exigé, en effet, pour être comprise, une explication circonstanciée qu'excluaient le mouvement et la formulation de sa phrase. Plus difficilement explicable, l' « erreur » commise par T. en 22, 2 (*Munditenentem... ut spiritalem natura*) traduisant Ir. gr. I, 5, 4 : ὅτι πνεῦμά ἐστι τῆς πονηρίας. (= VI *quoniam sit spiritalis malitia*) ; mais quelle qu'en soit la raison, cette « erreur » ne peut guère fournir d'argument au présent débat (cf. *supra*, p. 307).

Restent donc à examiner les convergences entre T. et VI : elles devraient être, en principe, les plus riches d'en-seignements, puisqu'elles paraissent impliquer ou bien que T. s'est inspiré de VI, ou bien, à l'inverse, que VI a utilisé T. Certes, faute de pouvoir, toujours par hypothèse, situer chronologiquement VI par rapport à T., nous resterions dans l'incapacité de préciser dans quel sens s'est exercée cette influence : du moins devrait-il être permis d'affirmer l'existence d'un lien entre les deux. Malheureusement, la nature même de ces convergences interdit, croyons-nous, toute déduction de cet ordre.

Ces convergences sont de deux types : il y a d'une part une série de similitudes d'expressions et de vocabulaire qui, si surprenantes qu'elles paraissent de prime abord, s'ex-pliquent en réalité par le parti de littéralité qu'adopte T. en ces cas. Il arrive en effet que T. reproduise sa source avec

autant de fidélité que VI, procédant donc, mais seulement
par intermittence, comme a coutume de faire continûment
VI. Il est donc tout à fait normal que, pour ces passages,
les deux versions latines, aussi littérales l'une que l'autre,
se recoupent largement.

Mais cette explication ne saurait guère valoir pour une
seconde série de « rencontres » entre T. et VI : qu'il s'agisse
de « déformations » que T. et VI font subir à Ir. gr. : ainsi
Ir. gr. I, 2, 4, ἀποστερηθῆναι rendu *crucifixam* (*esse*) par
T. 10, 4 et VI (comme si tous deux avaient lu : ἀποσταυρωθῆναι); ou Ir. gr. I, 6, 1 τῶν ψυχικῶν traduit au sg. *animalem*
par T. 26, 2, et *animali* par VI ; qu'il s'agisse d' « omissions »
communes à T. et VI : ainsi Ir. gr. I, 2, 6, τὸ δὲ ἕν πνεῦμα
et τοῦ δὲ πατρὸς αὐτῶν συνεπισφραγιζομένου ne sont traduits
ni par T. 12, 3 ni par VI (τοῦ δὲ πατρὸς αὐτῶν συνεπισφραγιζομένου est également omis par Hippol., *Philos.*, VI,
32, 1) ; qu'il s'agisse enfin de telle addition partiellement
commune à T. et VI : ainsi à Ir. gr. I, 5, 1, τὸν πατέρα καὶ
βασιλέα correspond chez T. 18, 2 : *Deum Patrem et Demiurgum et Regem*, chez VI : *Deum Patrem et Saluatorem et
Regem*. Ces « variantes » que présentent T. et VI par
rapport au texte transmis par Épiphane sont cependant
trop isolées et trop mineures pour être réellement signifi-
catives, c'est-à-dire imputables au choix délibéré de l'un des
deux traducteurs latins, s'écartant du grec pour suivre la
traduction existante ; la probabilité d'un tel choix est même
pratiquement nulle dans le cas des omissions communes à T.
et VI (et, pour l'une d'elles, également commune à Hippolyte). Aussi bien, la seule hypothèse qui rende compte de cette
série de convergences entre T. et VI nous paraît être celle
qu'avait déjà formulée Stieren, pour qui il n'était pas exclu
que le texte grec utilisé par T. et VI présentait des leçons
différentes de celui qu'a (ou : qui a) retranscrit Épiphane.

Ainsi, tenter de situer l'un par rapport à l'autre T. et VI
en se fondant sur le seul rapprochement des textes est une
entreprise vouée, dans son principe, à l'échec. Même dans
les cas où d'étroites similitudes entre T et VI n'excluraient
pas, a priori, l'hypothèse d'une dépendance (sans qu'il soit
possible de préciser le sens dans lequel elle se serait exercée),

on s'aperçoit qu'une autre explication (le littéralisme des deux « traductions » latines ; l'utilisation d'une traduction manuscrite différente de celle qu'a connue ou qui a transmis Épiphane [1]) rend compte de façon sans doute plus satisfaisante de ces convergences.

En réalité, les critères permettant de dater VI, s'ils existent, doivent être trouvés indépendamment de l'*Aduersus Valentinianos* et, par conséquent, échappent à la compétence de son éditeur. Aussi bien nous contenterons-nous de les énumérer.

Les citations scripturaires ne fournissent pas le critère de datation espéré, dans la mesure où, à en juger par les conclusions divergentes des exégètes [2], elles ne présentent pas dans VI un caractère suffisamment homogène ; il est du reste probable qu'elles ont été retouchées par les copistes.

Le « latin » écrit par VI empêche lui aussi, par son manque de relief et de personnalité, toute datation précise. Il est significatif à cet égard que S. Lundström, au terme d'une analyse minutieuse de sa morphologie et de sa syntaxe, ait renoncé à se prononcer à son tour sur ce point.

Toutefois l'étude du lexique de VI est moins décevante : elle fait naître en effet des présomptions assez sérieuses en faveur d'une datation tardive. C'est en tout cas l'impression que donnent les listes dressées par Souter. Si l'on met à part les termes propres à VI, pour la plupart des calques

---

1. Ces deux raisons pouvant d'ailleurs jouer ensemble : c'est ainsi, croyons-nous, que peut s'expliquer la rencontre entre T. et VI qui a le plus intrigué les critiques (T. 10, 4 et VI : *adpendix passio*, pour rendre Ir. gr. I, 2, 4 : σὺν τῷ ἐπιγενομένῳ πάθει cf. notre commentaire *ad. loc.*) ; pour l' « énigme » posée par T. 10, 3 (*femina mas*), cf. également commentaire *ad loc.*

2. Outre l'ouvrage collectif de W. Sanday-C. H. Turner-A. Souter signalé n. 1 (où du reste l'accord n'est pas réalisé entre les collaborateurs), ajouter : E. DIEHL, « Zur Textgeschichte des lateinischen Paulus », I, *ZNTW* 20 (1921), p. 97-132 ; F. C. BURKITT, « Dr Sanday's New Testament of Irenaeus », *JTS* 25 (1923), p. 56-64 ; B. KRAFT, « Die Evangelienzitate des heiligen Irenaeus », *Biblische Studien* 21 (1924), p. 24-47 ; H. J. VOGELS, « Der Evangelientext des Hl. Irenaeus », *RB* 36 (1924), p. 21-33 ; D. J. CHAPMAN, « Did the Translator of St Irenaeus use a Latin N. T. ? », *RB* 36 (1924), p. 34-51.

ou des translittérations du grec, dans sa grande majorité son vocabulaire est « tardif ». Ces conclusions de Souter ont été confirmées, récemment, par les deux brèves monographies qui ont été consacrées, l'une à *graecitas* par M. C. Díaz y Díaz, l'autre à *principari* par V. Loi.

Un autre élément de datation, non négligeable semble-t-il, a été découvert dernièrement par les savants éditeurs de l'*Aduersus Haereses* dans la Collection des « Sources Chrétiennes ». Une comparaison minutieuse entre version latine et version arménienne montre que, en certains cas, VI a procédé à des corrections intentionnelles du texte grec original dans un souci de polémique antiarienne [1].

Reste enfin comme argument en faveur de l'antériorité ou, tout au moins, de l'indépendance de T. par rapport à VI le témoignage de notre auteur lui-même : l'explication qu'il juge nécessaire de donner, au début de l'opuscule, sur le parti qu'il adopte dans la traduction des noms grecs des éons valentiniens [2]. Comme Jordan l'avait d'ailleurs fait remarquer, Tertullien n'aurait sans doute pas recouru à de telles précautions s'il avait eu en main une traduction latine et s'il n'avait eu le sentiment d'être le premier écrivain de langue latine à exposer le système valentinien et à affronter ces difficultés d'ordre linguistique.

---

1. *SC* 100, p. 128.
2. D. J. CHAPMAN, *art. cit.*, p. 39, a souligné l'attitude incohérente de VI sur ce point.

INDICES

Afin de ne pas grossir démesurément — et artificiellement — ces *Indices*, nous avons observé, pour les établir, les principes suivants :

Nous faisons naturellement figurer les références des citations et des allusions, certaines ou supposées, que contient, en petit nombre d'ailleurs, l'*Aduersus Valentinianos*, qu'il s'agisse de passages scripturaires ou profanes. De la même façon, nous indiquons les auteurs (au sens large du mot, y compris les anonymes) mentionnés par Tertullien ou auxquels il renvoie implicitement.

En revanche, parmi les références que nous signalons dans l'Introduction et le Commentaire, nous ne retenons ici que celles qu'accompagne une citation explicite. Font toutefois exception les nombreux extraits d'*Aduersus haereses* I, 1-7 et 11-12 reproduits dans le Commentaire. Leur liste exhaustive serait, en effet, trop longue, malaisément exploitable sous cette forme, et se confondrait pratiquement avec l'« apparat irénéen » situé au bas des pages du texte, ou de la traduction, selon les nécessités typographiques de la composition.

Nous avons pensé, enfin, que l'existence de l'*Index Tertullianeus* de G. Claesson (Paris, Études augustiniennes, 3 vol. 1974-75) ne rendait plus indispensable l'établissement d'un *index uerborum*.

N. B. Les chiffres renvoient aux pages, sans indication de tomaison, les deux volumes ayant une pagination continue. Sont imprimés en caractères gras les chiffres correspondant aux pages du *texte* de Tertullien.

I. INDEX SCRIPTVRAE

Vetvs Testamentvm

Novvm Testamentvm

II. INDEX TERTVLLIANEVS

III. INDEX SCRIPTORVM ANTIQVORVM

IV. INDEX RERVM NOTABILIORVM

TABLE DES MATIÈRES

Tome I

Tome II

ACHEVÉ D'IMPRIMER
LE 30 JANVIER 1981
SUR LES PRESSES
DE PROTAT FRÈRES
A MACON

N° IMPRIMEUR : 6407. N° ÉDITEUR : 7332. DÉPÔT LÉGAL : 1er TRIMESTRE 1981.

SOURCES CHRÉTIENNES

LISTE COMPLÈTE DE TOUS LES VOLUMES PARUS

N. B. — L'ordre suivant est celui de la date de parution (n° 1 en 1942) et il n'est pas tenu compte ici du classement en séries : grecque, latine, byzantine, orientale, textes monastiques d'Occident ; et série annexe : textes para-chrétiens.

Sauf indication contraire, chaque volume comporte le texte original, grec ou latin, souvent avec un apparat critique inédit.

La mention *bis* indique une seconde édition. Quand cette seconde édition ne diffère de la première que par de menues corrections et des *Addenda et Corrigenda* ajoutés en appendice, la date est accompagnée de la mention « réimpression avec supplément ».

1. GRÉGOIRE DE NYSSE : **Vie de Moïse.** J. Daniélou (3ᵉ édition) (1968).
2 bis. CLÉMENT D'ALEXANDRIE : **Protreptique.** C. Mondésert, A. Plassart (réimpression de la 2ᵉ éd., 1976).
3 bis. ATHÉNAGORE : **Supplique au sujet des chrétiens.** *En préparation.*
4 bis. NICOLAS CABASILAS : **Explication de la divine Liturgie.** S. Salaville, R. Bornert, J. Gouillard, P. Périchon (1967).
5. DIADOQUE DE PHOTICÉ : **Œuvres spirituelles.** É. des Places (réimpr. de la 2ᵉ éd., avec suppl., 1966).
6 bis. GRÉGOIRE DE NYSSE : **La création de l'homme.** *En préparation.*
7 bis. ORIGÈNE : **Homélies sur la Genèse.** H. de Lubac, L. Doutreleau (1976).
8. NICÉTAS STÉTHATOS : **Le paradis spirituel.** M. Chalendard. *Remplacé par le n° 81.*
9 bis. MAXIME LE CONFESSEUR : **Centuries sur la charité.** *En préparation.*
10. IGNACE D'ANTIOCHE : **Lettres. — Lettres et Martyre** de POLYCARPE DE SMYRNE. P.-Th. Camelot (4ᵉ édition) (1969).
11 bis. HIPPOLYTE DE ROME : **La Tradition apostolique.** B. Botte (1968).
12 bis. JEAN MOSCHUS : **Le Pré spirituel.** *En préparation.*
13. JEAN CHRYSOSTOME : **Lettres à Olympias.** A.-M. Malingrey. Trad. seule (1947).
13 bis. 2ᵉ édition avec le texte grec et la **Vie anonyme d'Olympias** (1968).
14. HIPPOLYTE DE ROME : **Commentaire sur Daniel.** G. Bardy, M. Lefèvre. Trad. seule (1947).
   2ᵉ édition avec le texte grec. *En préparation.*
15 bis. ATHANASE D'ALEXANDRIE : **Lettres à Sérapion.** J. Lebon. *En préparation.*
16 bis. ORIGÈNE : **Homélies sur l'Exode.** H. de Lubac, J. Fortier. *En préparation.*
17. BASILE DE CÉSARÉE : **Sur le Saint-Esprit.** B. Pruche. Trad. seule (1947).
17 bis. 2ᵉ édition avec le texte grec (1968).
18 bis. ATHANASE D'ALEXANDRIE : **Discours contre les païens.** P. Th. Camelot (1977).
19 bis. HILAIRE DE POITIERS : **Traité des Mystères.** P. Brisson (réimpression, avec supplément, 1967).

20. Théophile d'Antioche : **Trois livres à Autolycus**. G. Bardy, J. Sender. Trad. seule (1948).
   2ᵉ édition avec le texte grec. *En préparation.*
21. Éthérie : **Journal de voyage**. H. Pétré (réimpression, 1975).
22 bis. Léon le Grand : **Sermons**, t. I. J. Leclercq, R. Dolle (1964).
23. Clément d'Alexandrie : **Extraits de Théodote** (réimpression, 1970).
24 bis. Ptolémée : **Lettre à Flora**. G. Quispel (1966).
25 bis. Ambroise de Milan : **Des sacrements. Des Mystères. Explication du Symbole**. B. Botte (1961).
26 bis. Basile de Césarée : **Homélies sur l'Hexaéméron**. S. Giet (réimpr. avec suppl., 1968).
27 bis. **Homélies Pascales**, t. I. P. Nautin. *En préparation.*
28 bis. Jean Chrysostome : **Sur l'incompréhensibilité de Dieu**. J. Daniélou, A.-M. Malingrey, R. Flacelière (1970).
29 bis. Origène : **Homélies sur les Nombres**. A. Méhat. *En préparation.*
30 bis. Clément d'Alexandrie : **Stromate I**. *En préparation.*
31. Eusèbe de Césarée : **Histoire ecclésiastique**, t. I. G. Bardy (réimpression, 1978).
32 bis. Grégoire le Grand : **Morales sur Job**, t. I. Livres I-II. R. Gillet, A. de Gaudemaris (1975).
33 bis. **A Diognète**. H. I. Marrou (réimpr. avec suppl., 1965).
34. Irénée de Lyon : **Contre les hérésies**, livre III. F. Sagnard. *Remplacé par les nᵒˢ 210 et 211.*
35 bis. Tertullien : **Traité du baptême**. F. Refoulé. *En préparation.*
36 bis. **Homélies Pascales**, t. II. P. Nautin. *En préparation.*
37 bis. Origène : **Homélies sur le Cantique**. O. Rousseau (1966).
38 bis. Clément d'Alexandrie : **Stromate II**. *En préparation.*
39 bis. Lactance : **De la mort des persécuteurs**. 2 vol. *En préparation.*
40. Théodoret de Cyr : **Correspondance**, t. I. Y. Azéma (1955).
41. Eusèbe de Césarée : **Histoire ecclésiastique**, t. II. G. Bardy (réimpression, 1965).
42. Jean Cassien : **Conférences**, t. I. E. Pichery (réimpression, 1966).
43. Jérôme : **Sur Jonas**. P. Antin (1956).
44. Philoxène de Mabboug : **Homélies**. E. Lemoine. Trad. seule (1956).
45. Ambroise de Milan : **Sur S. Luc**, t. I. G. Tissot (réimpr. avec suppl., 1971).
46 bis. Tertullien : **De la prescription contre les hérétiques**. *En préparation.*
47. Philon d'Alexandrie : **La migration d'Abraham**. R. Cadiou (1957).
48. **Homélies Pascales**, t. III. F. Floëri et P. Nautin (1957).
49 bis. Léon le Grand : **Sermons**, t. II. R. Dolle (1969).
50 bis. Jean Chrysostome : **Huit Catéchèses baptismales inédites**. A. Wenger (réimpr. avec suppl., 1970).
51 bis. Syméon le Nouveau Théologien : **Chapitres théologiques, gnostiques et pratiques**. J. Darrouzès. (1980).
52. Ambroise de Milan : **Sur S. Luc**, t. II. G. Tissot (1958).
53 bis. Hermas : **Le Pasteur**. R. Joly (réimpr. avec suppl., 1968).
54. Jean Cassien : **Conférences**, t. II. E. Pichery (réimpression, 1966).
55. Eusèbe de Césarée : **Histoire ecclésiastique**, t. III. G. Bardy (réimpression, 1967).

186. **Id.** — Tome VI. Commentaire (Parties VII-IX), Index. A. de Vogüé (1971).

187. Hésychius de Jérusalem, Basile de Séleucie, Jean de Béryte, Pseudo-Chrysostome, Léonce de Constantinople : **Homélies pascales.** M. Aubineau (1972).

188. Jean Chrysostome : **Sur la vaine gloire et l'éducation des enfants.** A.-M. Malingrey (1972).

189. **La chaîne palestinienne sur le psaume 118.** Tome I. Introduction, texte critique et traduction. M. Harl (1972).

190. **Id.** — Tome II. Catalogue des fragments, notes et index. M. Harl (1972).

191. Pierre Damien : **Lettre sur la toute-puissance divine.** A. Cantin (1972).

192. Julien de Vézelay : **Sermons.** Tome I. Introduction et Sermons 1-16. D. Vorreux (1972).

194. **Actes de la Conférence de Carthage en 411.** Tome I. Introduction. S. Lancel (1972).

195. **Id.** — Tome II. Texte et traduction de la Capitulation et des Actes de la première séance. S. Lancel (1972).

196. Syméon le Nouveau Théologien : **Hymnes.** J. Koder, J. Paramelle, L. Neyrand. Tome III. Hymnes XLI-LVIII, Index (1973).

197. Cosmas Indicopleustès : **Topographie chrétienne,** t. III. Livres VI-XII, Index. W. Wolska-Conus (1973).

198. **Livre** (cathare) **des deux principes.** Ch. Thouzellier (1973).

199. Athanase d'Alexandrie : **Sur l'incarnation du Verbe.** C. Kannengiesser (1973).

200. Léon le Grand : **Sermons,** tome IV. Sermons 65-98, Éloge de S. Léon, Index. R. Dolle (1973).

201. **Évangile de Pierre.** M.-G. Mara (1973).

202. Guerric d'Igny : **Sermons.** Tome II. J. Morson, H. Costello, P. Deseille (1973).

203. Nersès Snorhali : **Jésus, Fils unique du Père.** I. Kéchichian. Trad. seule (1973).

204. Lactance : **Institutions divines,** livre V. Tome I. Introd., texte et trad. P. Monat (1973).

205. **Id.** — Tome II. Commentaire et index. P. Monat (1973).

206. Eusèbe de Césarée : **Préparation évangélique,** livre I. J. Sirinelli, É. des Places (1974).

207. Isaac de l'Étoile : **Sermons.** A. Hoste, G. Salet, G. Raciti. Tome II. Sermons 18-39 (1974).

208. Grégoire de Nazianze : **Lettres théologiques.** P. Gallay (1974).

209. Paulin de Pella : **Poème d'action de grâces** et **Prière.** C. Moussy (1974)

210. Irénée de Lyon : **Contre les hérésies,** livre III. A. Rousseau, L. Doutreleau. Tome I. Introduction, notes justificatives et tables (1974).

211. **Id.** — Tome II. Texte et traduction (1974).

212. Grégoire le Grand : **Morales sur Job.** Livres XI-XIV. A. Bocognano (1974).

213. Lactance : **L'ouvrage du Dieu créateur.** Tome I. Introduction, texte critique et traduction. M. Perrin (1974).

214. **Id.** — Tome II. Commentaire et index. M. Perrin (1974).

215. Eusèbe de Césarée : **Préparation évangélique,** livre VII. G. Schroeder, É. des Places (1975).

SOUS PRESSE

PROCHAINES PUBLICATIONS

SOURCES CHRÉTIENNES
(1-281)

Également aux Éditions du Cerf :

LES ŒUVRES DE PHILON D'ALEXANDRIE

publiées sous la direction de
R. Arnaldez, C. Mondésert, J. Pouilloux
Texte grec et traduction française

V 280, 2, C1